W0197083

LES GUIDES INDUSTRIELS
Delagrave

GUIDE du TECHNICIEN QUALITÉ

Outils pour la qualité en production

B. Boiteux

Delagrave

Dans la même collection

Guide de construction mécanique
C. Teixido, J.-C. Jouanne, B. Bauwe,
P. Chambraud, G. Ignatio, C. Guérin

Guide de l'usinage
G. Paquet

Guide d'organisation industrielle
Y. Schoefs

ISBN 2-206-08449-X

DELAGRAVE Édition – 15, rue Soufflot – 75005 Paris
E-mail : delagrave@delagrave-edition.fr
Web : www.delagrave-edition.fr

Avant-propos

La réussite d'une action qualité est liée à la rigueur observée dans le déroulement de ses différentes étapes et à la maîtrise des outils adaptés à chacune d'elles.

Nous avons voulu fournir dans ce cadre de la conduite d'une action qualité un guide des principaux outils que l'utilisateur peut être amené à utiliser dans le cheminement du symptôme à la cause et de la cause au remède. Sont ici réunis les outils et méthodes relatifs au traitement de données chiffrables habituellement présentés dans des ouvrages distincts.

Cet ouvrage s'adresse d'abord aux étudiants du Bac pro et Bac STI, aux BTS, DUT et licences professionnelles des filières industrielles. Ils y trouveront un accompagnement de formation initiale leur permettant d'intégrer des outils et des méthodes étudiés dans différents domaines de formation pour une compétence professionnelle ciblée : conduire une action qualité.

Cet ouvrage s'adresse aussi aux techniciens qualité en entreprise qui pourront l'utiliser comme un guide pratique d'outils statistiques fournissant les éléments nécessaires à leur utilisation régulière ou occasionnelle et comme un support de formation continue.

Ce guide est structuré selon les différentes étapes d'une action qualité fournissant pour chacune d'elles les outils utilisables. Pour chaque outil sont précisés la fonction, les concepts de base, le domaine d'utilisation, la procédure de mise en œuvre et, si besoin est, les précautions à prendre.

Chaque outil est accompagné d'exemples d'applications réels dont les calculs et les étapes sont traités *in extenso*.

L'expérience de la conduite d'action qualité en partenariat École-Entreprise dans le cadre de la formation au BTS Productique Bois et Ameublement nous a montré l'efficacité d'un technicien armé de ces outils à condition qu'une formation réellement pluridisciplinaire lui ait permis d'appréhender les concepts de base de la démarche statistique, notamment la signification concrète du risque d'erreur et de la puissance attachés à un test statistique. Rompu au raisonnement statistique, il pourra, à l'aide de ces outils, maîtriser les données, les analyser et en tirer les éléments d'aide à une décision dans des situations professionnelles avec des enjeux réels.

En espérant que cet ouvrage, par l'aide immédiate qu'il apportera aux utilisateurs dans la résolution de problèmes concrets, donne envie d'améliorer leurs compétences en approfondissant des aspects techniques ou méthodologiques, les engageant ainsi, individuellement et collectivement, dans une fructueuse démarche de formation continue.

L'auteur

Sommaire

1 LES ÉTAPES ET OUTILS D'UNE ACTION QUALITÉ

Pour réussir une action qualité, il est nécessaire de suivre un plan d'action associant à chaque étape les questions auxquelles on souhaite répondre, les tâches à réaliser et les outils utilisables.

1.1. Les étapes et les questions associées

	Étapes	Questions types associées
Du symptôme à la cause	1– Poser le problème	– Qu'est-ce qui ne va pas ? – Quels sont les symptômes ? – ...
	2– Analyser le contexte	– « Beaucoup, un peu, souvent, etc. C'est combien ? » – Où en sont les indicateurs ? – Comment les choses évoluent-elles ? – Quelles sont les tendances ? – Le problème est-il chronique ou accidentel ? – Le problème est il ancien ou nouveau ? – ...
	3– Définir un objectif	– Quel est le problème le plus important ? – Que souhaite-t-on obtenir ? – Qu'est-il raisonnable d'espérer ? – ...
	4– Rechercher les causes	– A quoi est-ce dû ? – Sur quoi peut-on jouer pour améliorer ? – Quelles peuvent être les causes directes et indirectes ? – Sommes-nous certains de... ? – ...
De la cause au remède	5– Rechercher et évaluer les solutions	– Comment faire pour modifier ceci, cela ? – Peut-on le faire ? – Comment organiser les expérimentations ? – Qu'est-ce que cela change ? – De combien améliore-t-on ? – Quelle est la « meilleure » solution dans notre situation ? – ...
	6– Mettre en œuvre la solution	– Quelle est la meilleure stratégie de modification ? – Comment intégrer la modification dans la production ? – Comment suivre les résultats de la modification ? – ...
	7– Contrôler les résultats	– Quel est le gain réel ? –Y a-t-il des effets secondaires non prévus ? – ...
	8– Stabiliser et contrôler le processus modifié	– Comment faire entrer la modification dans les mœurs ? – Comment intégrer la modification dans les procédures et documents techniques actuels ? – ...

1.2. Les différents types de problèmes et types d'outils adaptés aux différentes étapes

Une action qualité peut être déclenchée pour deux types de problèmes qui nécessitent la mise en œuvre d'outils adaptés.

On aura tout intérêt à transformer les problèmes de type 1 en problème de type 2, chaque fois que possible et dès que possible.

<table>
<tr><td rowspan="2"></td><th colspan="2">Type de problèmes</th></tr>
<tr><td>Type 1
• Contexte global ;
• Données verbales et/ou formulation floue ;
• Domaines multiples : technique + économique + commercial + relationnel +...
• Frontières non définies.
Exemples :
– Manque important de flexibilité ;
– Non qualité chronique ;
– Non respect des délais ;
– Stocks surdimensionnés ;
– Manque d'innovation ;
– etc.</td><td>Type 2
• Contexte limité ;
• Données chiffrables ou évaluables ;
• Domaine technique isolable.
• Frontières définies.
Exemples :
– Capabilité insuffisante ;
– Mise en œuvre de MSP ;
– Taux de rebuts ;
– Recherche de facteurs process influant sur la qualité du produit ;
– etc.</td></tr>
<tr><td>Étapes
Poser le problème</td><td>Diagramme KJ***</td><td rowspan="8">Outils de :
• Recueil*/**
• Représentation*/ **
• Réduction**/***
• Chiffrage**
• Analyse**/***
• Expérimentation**/***
• Contrôle*/**/***
• Suivi **/*** des données.

Cf. tableau page 7

+ Outils transférables aux données chiffrées :
AV, QFD, Hiérarchisation, etc.</td></tr>
<tr><td>Analyser le contexte</td><td>Axes de notations des influences des facteurs.**
Cartographie de processus**</td></tr>
<tr><td>Définir un objectif</td><td>Techniques de hiérarchisation**</td></tr>
<tr><td>Rechercher les causes</td><td>Diagramme des relations***
Diagramme causes effets*</td></tr>
<tr><td>Rechercher les solutions</td><td>Techniques AV**
Techniques QFD***
Diagramme en arbre**
QQCOQP*</td></tr>
<tr><td>Évaluer les solutions</td><td>Diagramme matriciel***
Techniques de hiérarchisation**</td></tr>
<tr><td>Mettre en œuvre les solutions</td><td>Diagramme des décisions d'actions.**
Diagramme sagittal ***(issu de PERT)</td></tr>
<tr><td>Contrôler les résultats</td><td>Mise en place d'indicateurs**</td></tr>
<tr><td>Stabiliser et contrôler le processus</td><td colspan="2">Manuel qualité et élaboration de procédures***</td></tr>
</table>

Dans les tableaux ci-dessus et ci-contre : niveau de difficulté dans la mise en œuvre de l'outil : de * à***.

Note : Le niveau de difficulté dans la mise en œuvre des outils dépend, au-delà de sa complexité propre :
• du problème à résoudre :
– étendue et champ d'investigation ;
– complexité intrinsèque.
• du contexte de mise en œuvre :
– encadrement et pluridisciplinarité des groupes de travail ;
– procédures d'utilisation des outils.

1.3. Les outils qualités adaptés aux données chiffrées

	1 – Poser le problème	2 – Analyser le contexte	Collecter les données brutes	Quantifier les données	Mettre en forme les données	3 – Définir un objectif	4 – Rechercher les causes	Inventorier et trier les causes	Compléter le diagnostic	Réaliser les essais	Collecter les données d'essais	Analyser les résultats	5 – Rechercher les solutions	6 – Évaluer les solutions et sélectionner	7 – Mettre en œuvre la solution	8 – Contrôler les résultats de l'action	9 – Stabiliser et contrôler le processus
Tableaux de bord qualité**	■					■		■	■			■				■	■
Feuille de relevé**			■								■			■		■	
Échantillonnage**			■							■	■						
Indices de qualité***				■										■			■
Indices de capabilité**				■		■		■						■		■	■
Tableaux de données **					■							■		■			
Représentations graphiques**					■							■		■			■
Calcul de paramètres statistiques***					■							■		■			
Courbe ABC – diag. de Pareto**						■										■	
Plans d'expériences***									■	■		■	■	■			
Analyse de distribution***					■							■		■		■	
Tests statistiques***										■		■	■	■			
Matrices de recherche**								■					■				
Grille de notation**														■			
Contrôle de réception***			■						■							■	■
MSP***	■			■		■			■			■				■	■
Suivi d'indicateurs***	■					■			■			■		■		■	■
Manuel Qualité**	■					■									■		■
Procédures ISO 9000***	■					■											■

1.4. Les étapes d'une étude statistique de données.

La conduite d'action qualité et la gestion de la qualité nécessitent de traiter des données chiffrées. Ce traitement statistique des données se déroule toujours selon quatre étapes : préparation de la collecte, collecte, analyse et exploitation des données. Les tâches à réaliser dans chacune des étapes dépendent du problème à résoudre.

Dans la plupart des cas, la phase d'analyse des données se limite à leur analyse descriptive et à l'estimation de paramètres. Les tests statistiques ne sont nécessaires que lorsque les conclusions ne sont pas évidentes et/ou lorsque les enjeux d'une prise de décision nécessitent d'approfondir l'évaluation des risques d'erreur. (cf. p. 86)

a) Préparation de la collecte de données :

- **Choix de la méthode de collecte**
  - Observation ;
  - Expérimentation.
- **Structuration de la collecte**
  - Observation → Définition de l'échantillonnage ;
  - Expérimentation → Définition du plan d'expérience.
- **Préparation des feuilles de relevé**

b) Collecte des données :

- **Relevé**
- **Codage éventuel**

c) Analyse des données :

- **Examen visuel des données**
  - Détection d'observations aberrantes ;
  - Détection de données manquantes ;
  - Détection d'anomalies.
- **Analyse descriptive** → Appréhension globale des données observées.
  - Mise en forme des données ;
    - → Tableaux de fréquences,
    - → Tableaux de résultats.
  - Représentations graphiques des données ;
  - Réduction des données ;
    - → Paramètres statistiques de l'échantillon ;
    - → Indices qualité.
- **Analyse inférentielle** → Exploitation, au niveau de la population, des données observées sur un échantillon.
  - Estimation des paramètres statistiques de la population ;
  - Tests statistiques :
    - → Vérification de normalité (ou autre loi théorique),
    - → Vérification de l'indépendance de deux variables,
    - → Vérification de la conformité d'un paramètre à une valeur théorique,
    - → Vérification de l'égalité de deux populations.

d) Exploitation des résultats :

- **Traduction des résultats en langage technique opérationnel**
- **Prise de décision en fonction des risques d'erreur**

2 OUTILS DE RECUEIL DE DONNÉES

2.1. Introduction

***Règle :* « Toute action qualité s'appuie dès que possible et tant que possible sur des données chiffrées ».**

- **La collecte de données intervient :**

– Dès que le problème est cerné pour permettre l'analyse du contexte ;

– En cours d'action pour tester les hypothèses, évaluer les résultats ;

– En fin d'action, pour contrôler la stabilité des modifications.

Pour ces trois objectifs, il est nécessaire de présenter les données de telle façon que l'on puisse facilement les appréhender dans leur globalité. Il faut donc les simplifier et les structurer.

Il existe trois types d'outils pour le faire :

– Le recueil de données en tableaux qui présentent les données sous forme numérique : tableau de relevé de mesures et distributions de fréquences ;

– Les représentations graphiques (cf. chap. 3) qui fournissent une « image » de ces distributions.

– Les outils de réduction de données (cf. chap. 4) qui condensent les données sous forme de paramètres représentatifs de la distribution.

Pour faciliter et garantir la fiabilité de cette phase d'exploitation des données, il est nécessaire de veiller à la qualité du relevé de données brutes.

- **Il existe deux types de situation d'investigation :**

1) Situations d'enquête et/ou d'observation dans lesquelles les informations relevées sont issues d'un système dans son cadre et son fonctionnement habituel.

2) Situations d'expérimentation, dans lesquelles les informations relevées sont issues d'une modification volontaire et contrôlée du système.

Dans les deux types de situations, on devra garantir la fiabilité des données et leur exploitabilité. Outre les précautions communes aux deux situations, on devra particulièrement surveiller la qualité de l'échantillonnage, la structuration des données dans les situations d'enquête, et le respect du protocole expérimental dans les situations d'expérimentation.

2.2. Différents types d'échantillonnages et types de données

Types et règles d'échantillonnage

Type de prélèvement	Mode de prélèvement	Effectif du prélèvement
Aléatoire	Prélèvement des individus dans la population selon des numéros d'ordre préalablement déterminés par une table de nombres aléatoires (Cf. annexe 2) ou en utilisant le générateur de nombres aléatoires d'un tableur. 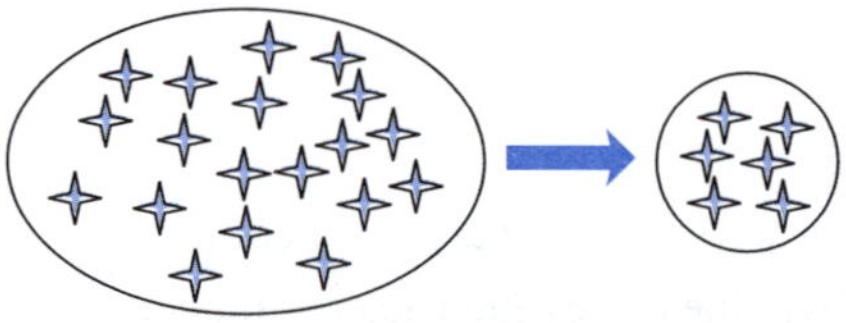 *Exemple :* – contrôle de réception	Selon : – Précision souhaitée des paramètres à estimer ; – Variabilité des données. – Ordre de grandeur des paramètres à estimer ; (cf. chap.4 et 7). – Coût du relevé.
Systématique	Prélèvement des individus dans la population à des intervalles réguliers. *Exemple :* – contrôle en cours de fabrication.	
Stratifié	Prélèvement aléatoire ou systématique des individus dans chaque subdivision préalablement déterminée (strate) de la population. 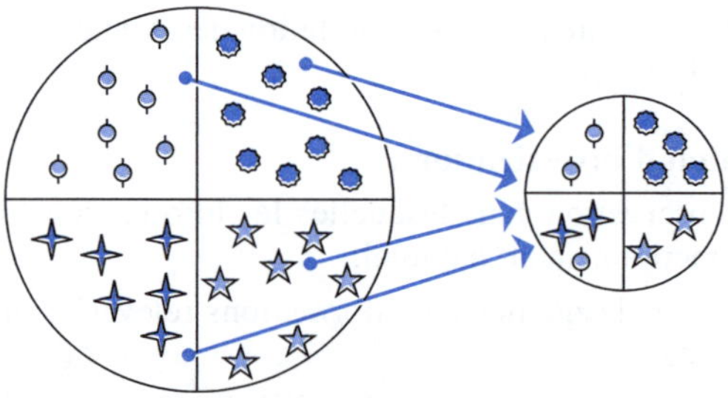 *Exemple :* – prélèvement de pièces dans les différents racks de stockage.	

Règles à observer :

- Prévoir et analyser les causes de biais possibles (cf. 2.4.5) et définir les conditions de prélèvement en conséquence ;
- Respecter les numéros d'ordre de prélèvement préalablement déterminés ;
- Ne pas changer de type de prélèvement au cours de l'échantillonnage ;
- Ne pas choisir les individus ;
- Conserver les documents originaux des relevés ;
- Conserver la trace d'un rejet d'individu « manifestement » aberrant ;
- Renseigner soigneusement les rubriques relatives aux conditions de relevé.

Les différents types de données

<table>
<tr><th rowspan="2">Type de données</th><th rowspan="2" colspan="2">Type de caractère</th><th colspan="2">Possibilité de traitement numérique des données</th></tr>
<tr><th>Sur les données</th><th>Sur les effectifs</th></tr>
<tr><td>Mesure</td><td rowspan="3">Quantitatif</td><td>Continu</td><td rowspan="3">oui</td><td rowspan="7">oui</td></tr>
<tr><td>Comptage</td><td rowspan="2">Discret</td></tr>
<tr><td>Mesure arrondie à un entier</td></tr>
<tr><td>Code 0–1</td><td rowspan="3">Qualitatif</td><td>Binaire</td><td>non</td></tr>
<tr><td>Donnée ordinale :
Code (0,1,2,3...) selon le niveau.
Ex : faible, moyen, fort,</td><td>A plusieurs niveaux ordonnés</td><td>Prudence</td></tr>
<tr><td>Donnée nominale :
Code (0,1,2,3...) selon la modalité.
Ex : type A, type B, type C</td><td>A plusieurs modalités non ordonnables</td><td>non</td></tr>
<tr><td>Rang (1er, 2e, 3e...)</td><td colspan="2">Quantitatif ou qualitatif</td><td>Prudence</td></tr>
</table>

2.3. Les feuilles de relevé

2.3.1 Fonctions des documents de relevé et principes d'élaboration

Fonctions communes et critères associés

Fonctions	Critères
Permettre la collecte des informations	– Facilité de saisie et ergonomie du document ; – Exhaustivité des données relevées ; – Précision des données relevées ; – Référence des sources de données ; – Pertinence du choix des données à relever ; – Caractérisation sans ambiguïté des données qualitatives ; – Existence d'un protocole de relevé ; – Adaptation des données aux moyens matériels existants.
Permettre et faciliter l'exploitation des informations	– Facilité de lecture des données ; – Adaptation à la nature et au format des données ; – Structuration et stratification des données ; – Quantification des données qualitatives ; – Fiabilité des données ; – Représentativité des données ; – Décodage sur document joint des informations non transparentes (code article, code défaut, etc.) ; – Annotations des données suspectes ; – Description du contexte 5 M du relevé : matériau, matériel, méthodes, milieu, main d'œuvre.
Permettre et faciliter la gestion des enregistrements	– Traçabilité complète des données ; – Standardisation des documents de relevé ; – Définition des canaux de diffusion des documents de relevé.

Fonctions spécifiques des relevés de données pour une action qualité en production

	Fonctions	Critères
Description et analyse de situation	– Analyser une capabilité ; – Chiffrer les indicateurs qualité ; – Sélectionner des priorités d'action ; – Inventorier des défauts ; – Documenter le manuel qualité ; – Dresser un « état des lieux » ; – Chiffrer les coûts de non-qualité ; – Améliorer un poste de travail ; – Analyser des flux ; – Etc.	Critères généraux + Critères spécifiques liés aux besoins et contraintes d'exploitation et de gestion des relevés.
Recherche de causes et diagnostic	– Localiser un défaut ; – Analyser une distribution ; – Analyser des résultats expérimentaux ; – Rechercher les causes d'un défaut ; – Étudier la liaison entre variables ; – Etc.	
Contrôle qualité et suivi de production	– Contrôler les approvisionnements ; – Contrôler une fabrication ; – Suivre les indicateurs qualité ; – Remplir un tableau de bord qualité ; – Etc.	

Règles et principes d'élaboration d'un document de relevé

- Les fonctions d'exploitation et de gestion du relevé de données définissent les besoins en informations à prendre en compte lors de la conception du document de relevé.

  Il est donc nécessaire de définir précisément les exploitations prévues avant de préparer le document de relevé.

- Tout relevé de données doit se faire sur un document conçu préalablement.
- La conception d'un document de relevé doit commencer par une analyse des besoins en information :
  - Quel est l'objectif du relevé ?
  - Quels seront les outils d'analyse utilisés ?
  - Quelles en sont les contraintes et les besoins spécifiques ?
  - Quelles sont les informations à relever ?
  - Quels sont les regroupements les plus clairs à constituer ?
  - Où, quand, comment les informations seront-elles relevées ?
- Un document de relevé doit comporter trois types d'informations :
  - **Les informations de traçabilité :**
    - Identification des matériels, contexte 5 M, date, etc.

- **Les données relevées :**
  - Structuration et stratification du tableau en fonction des objectifs du relevé.
- **Les informations de gestion du document :**
  - Référence du document, destination, validation, etc.

- Si le relevé nécessite deux pages, utiliser un format A3 plutôt que deux feuilles A4.
- Si le relevé est de type périodique, mettre en évidence la date et le numéro d'ordre du relevé.
- **À retenir : une information, disponible au moment du relevé, est perdue si elle n'a pas été enregistrée. Son coût, négligeable au moment du relevé, peut devenir important par les conséquences de son absence : inexploitabilité, erreur de conclusion, etc.**

Stratification des données

Définition

Un tableau de données stratifié présente les données en sous-ensembles correspondant aux différentes combinaisons de critères de stratification.

Fonctions

- Rendre compte des distributions marginales (cf. 4.2).
- Permettre l'exploitation en tri croisé et la recherche de liaisons entre variables, des critères de stratification correspondant aux causes possibles.

Conditions d'utilisation

- Identification préalable des critères de stratification et des catégories correspondantes.
- Possibilité de relever des données fiables dans chaque combinaison de critères.

(Vérifier au préalable la disponibilité des données et/ou la possibilité de relevé).

Types de stratification

Tableau à double entrée.

Exemple : Relevé de défauts sur plans de toilette en postformé, selon le type de défauts et le modèle de plan de toilette :

	Cassure	Rayure	Tache	Clou	Débris	Hernie	Perçage	Coups	Couleur	Affleurage	Autres	Total	Production	%
Mod A	12	1	5	1		1	1			1	4	26	249	10.5
Mod B	68	22	15	7	3	3		3		3	20	144	1786	8
Mod C	17	7	2	1	1	3	1		1		9	42	680	6. 2
Mod D	31	23	4	5	5	4	3	2			15	92	1961	4.7
Totaux	128	53	26	14	9	11	5	5	1	4	48	304	4676	6.5
%	42,1	17,4	8,5	4,6	2,9	3,6	1,6	1,6	0,3	1, 3	15,8			

Stratification multiple

Le tableau est structuré en catégories et sous-catégories :

		A		B		...
		A1	A2	B1	B2	...
1	1.1					
	1.2					
2	2.1					
	2.2					
...						

On pourra ensuite étudier les distributions marginales et les distributions liées. (cf. 4.2).

2.3.2 Exemples de feuilles de relevé

Contenu type de relevés courants (hors informations de gestion du document)

Relevé pour étude de distribution ou suivi de capabilité

- Infos de traçabilité : Contexte 5 m complet.
- Données relevées : valeurs mesurées

– Avec numéro d'ordre si on souhaite analyser l'aspect chronologique (Dérive, stabilité, etc.)

– Stratifié en prélèvements si le relevé est constitué de plusieurs petits prélèvements successifs.

Relevé de contrôle en cours de fabrication

- Infos de traçabilité : Contexte 5M limité aux infos de production.
- Carte pré-remplie pour les process stabilisés : limites de contrôle, valeur cible, heure et effectif de prélèvement.
- Données relevées : valeurs ou paramètres issus des prélèvements.

Relevés de contrôle final

- Infos de traçabilité : produit, données de GP (numéro de lot, date de fab, effectif du lot…)
- Relevé accompagné d'une gamme de contrôle précisant :

– les points à contrôler et/ou types de défauts à contrôler

– les limites d'acceptabilité des critères de mesure et de contrôle

– les moyens et/ou procédures de contrôle.

- Données de contrôle :

L'organisation du document de relevé doit, par exemple, permettre de déterminer :

– le nombre de produits défectueux / nombre de produits contrôlés, effectif du lot

– le nombre de défauts par produit contrôlé

– l'indice de démérite de la série (cf. 6.4.5).

– la fréquence de chaque défaut aux différents niveaux de gravité.

Recherche de causes de défauts

- Infos de traçabilité : Contexte de production le plus complet possible.
- Données relevées :

– Nombre et gravité des différents défauts dans un tableau stratifié selon les causes possibles présélectionnées.

– Le pointage de la localisation du défaut sur un croquis permet, si on constate une concentration dans une zone particulière, d'aiguiller la recherche de cause.
Exemple : – rayures de stratifié sur plan de toilette liées à l'état des palettes de stockage.

– Le pointage des données liées au temps (date et heure de fabrication) permet de mettre en évidence un éventuel caractère périodique des défauts et par suite d'en rechercher les causes qui pourraient être liées à ce caractère périodique.
Exemple : – périodicité des défauts correspondant à la périodicité de changement de série, de mise en route du matériel, de changement d'équipe, de changement de lot, d'évolution de température, etc.

Relevé de résultats expérimentaux

- Infos de traçabilité : Contexte d'expérimentation complet.

– Infos générales de traçabilité

– Données de contrôle des facteurs fixes

– Protocole d'essai joint au relevé

– Journal d'expérimentation.

- Données relevées : Données mesurées dans tableau structuré.

Feuille de relevé pour étude de distribution

Main d'œuvre	Matériel		Matériau
Opérateur :	Machine :	Cadence hor :	Pièce réf. :
Régleur :	Outil :		matériau
Contrôleur :	Appareil mesure :		Dimensions :
Responsable :	Précision :		H% :

Méthodes

Cote à obtenir :		Type denture :	Z :	H (mm) :	Vf (m/min) :
Cote de réglage :		Affûtage le :	Ø (mm) :	S (tr/min) :	Vc (m/s) :

Schéma de contrôle (exemple)

X

Mise en position lors de l'usinage

Numéro d'ordre	X	Numéro d'ordre	X	Numéro d'ordre	X	Numéro d'ordre	X	Numéro d'ordre	X
1		21		41		61		81	
2		22		42		62		82	
3		23		43		63		83	
4		24		44		64		84	
5		25		45		65		85	
6		26		46		66		86	
7		27		47		67		87	
8		28		48		68		88	
9		29		49		69		89	
10		30		50		70		90	
11		31		51		71		91	
12		32		52		72		92	
13		33		53		73		93	
14		34		54		74		94	
15		35		55		75		95	
16		36		56		76		96	
17		37		57		77		97	
18		38		58		78		98	
19		39		59		79		99	
20		40		60		80		100	

Observations

Date : Usinage : Contrôle :	Heure d'usinage Début : Fin :	ENTREPRISE	Référence document

Feuille de relevé de mesure pour suivi de capabilité

Matériel			**Méthodes**			
Machine :			Cote imposée :		Réf. Pièce :	
Outil	Ø mm :	Z :	Cote de réglage :		Contrat de phase :	
	Réf. :	Affûté le :	Conditions d'usinage du lot mesuré :			
Mesure	Réf. :	Précision :	S tr/min :	F m/min :	a mm :	f mm :
Matériau			**Identification du lot mesuré**			
Essence :		H% :	N° lot de fab. :		Effectif :	
Fournisseur :		Réf.lot :	Date de fab. :		Durée de fab. :	
Opérateurs			Lieu de prélèvement :		Effectif :	
Affûtage :		Usinage :	Mode de prélèvement :			
Réglage :		Mesurage :	Date de prélèvement :			
Milieu (si nécessaire)			Remarques ou consignes particulières :			
Fabrication		Mesurage				
HR%	θ°C	HR% θ°C				

Croquis de contrôle

Cette zone doit faire apparaître :

- *MIP en usinage → Nature de la cote mesurée : cote Appui-outil, Outil-Outil, Outil*
- *MIP en mesurage si la mesure se fait sur un banc de mesure.*

→ Dans le cas d'une valeur obtenue par addition de cotes, il est nécessaire d'enregistrer chaque cote sur le document de relevé.

Relevé de mesures										**Analyse**
1		21		41		61		81		n=
2		22		42		62		82		Moyenne :
3		23		43		63		83		X_{min} =
4		24		44		64		84		X_{max} =
5		25		45		65		85		Étendue :
6		26		46		66		86		$X_{max} - X_{min}$ =
7		27		47		67		87		Écart type : s =
8		28		48		68		88		Normalité :
9		29		49		69		89		Oui non
10		30		50		70		90		IT BE =
11		31		51		71		91		Dispersion : 6s =
12		32		52		72		92		Capabilité
13		33		53		73		93		Cp :
14		34		54		74		94		Pp :
15		35		55		75		95		Cpk :
16		36		56		76		96		Ppk :
17		37		57		77		97		% rebuts
18		38		58		78		98		% <Ti :
19		39		59		79		99		% >Ts :
20		40		60		80		100		% total :

Société	SERVICE QUALITÉ			
	RESPONSABLE	réf. Doc. :	Numéro d'ordre du doc. :	Diffusion :

Feuille de relevé de défauts avec croquis de localisation

Exemple : – Relevé de défauts sur plan de toilette en stratifié post-formé.

Société :	**Feuille de relevé de défaut**	**Atelier :**	**Poste :**

Produit contrôlé :	**Semaine :**	Contrôleur :	Responsable Qualité :	Folio n°

Réf. du Modèle	Effectif du lot	Effectif contrôlé	Nombre de défauts						total	%
			Cassure x	Rayure /	Tache °	Clou Δ	Débris *	....		
Total										
%										

Localisation des défauts (1 symbole par défaut à l'emplacement du défaut).

Croquis des surfaces du produit

> Ce type de relevé facilite l'identification d'une cause chronique liée à un poste de travail ou à une étape particulière de la fabrication.
> *Exemple :* – recherche de causes de défauts sur des plans de toilettes post-formés. Une concentration de rayures dans une zone particulière du produit peut conduire à ausculter l'état des tables de travail ou les opérations de palettisation.

Relevé stratifié des défauts

Ce type de relevé s'utilise notamment dans une phase de recherche de causes d'un défaut pour quantifier les fréquences selon les différentes causes possibles.

Exemple : – Défauts de finition laquée sur bandeaux lumineux de salle de bain.

Tableau de relevé :

Société :		**Produit :**						**Semaine :**		**Poste :**	
		lundi		mardi		mercredi		jeudi		vendredi	
		M	AM	M	AM	M	AM	M	AM	M	AM
Opérat. 1	Coulures	5	2	2	4	5	1	3	4	2	3
	Taches	1	2	1	1	1	2	2	0	0	1
	Teinte	0	2	1	2	2	0	2	1	2	1
	Granuleux	1	0	2	0	2	0	0	2	0	1
	autres	1	0	0	0	0	0	0	2	0	0
Opérat. 2	Coulures	4	2	2	2	2	3	2	0	2	2
	Taches	1	0	0	1	0	0	0	0	1	0
	Teinte	0	0	0	0	0	1	0	1	1	0
	Granuleux	0	1	1	0	2	0	1	0	0	2
	autres	0	0	0	0	0	1	0	0	0	0
(Zone d'informations de traçabilité et de gestion du document)											

Exploitation des données :

récapitulatif des données relevées

		Coulures	**Teinte**	**Taches**	**Granuleux**	**Autres**	**Total**
Par type de défaut		52	16	14	15	4	101
Par opérateur	Opérat. 1	31	13	11	8	3	66
	Opérat. 2	21	3	3	7	1	35
Par jour	Lundi	13	2	4	2	1	22
	Mardi	10	3	3	3	0	19
	Mercredi	11	3	3	4	1	22
	Jeudi	9	4	2	3	2	20
	Vendredi	9	4	2	3	0	18
Par période	Matin	29	8	7	9	1	54
	Après midi	23	8	7	6	3	47

Ce tableau fait apparaître :

- Une prédominance des défauts chez l'opérateur 1 pour tous les types de défauts (sauf granuleux) :
  → Causes possibles : état du matériel du poste 1, respect des consignes de travail, qualification…
- Une prédominance des coulures chez les deux opérateurs :
  → Causes possibles : réglage des pistolets, viscosité du produit…
- Un nombre identique de surfaces granuleuses chez les deux opérateurs :
  → Cause possible : dépoussiérage des pièces après égrenage.
- Un nombre à peu près constant de défauts selon les jours de la semaine et les périodes (matin ou après-midi)
  → Pas de cause liée à ces critères de stratification.

Note : on peut améliorer la lisibilité des données en utilisant une représentation graphique du type diagrammes en bâtons ou diagrammes à secteurs. (cf. chap 3).

Société :	**Carte manuelle de contrôle de fabrication** (moyenne et étendue)			**Service Qualité**		
Machine :	Produit :	Caractéristique contrôlée	Fréquence de prélèvement :	Limites de contrôle		
Opération :	N° OF	Désignation :	Effectif des échantillons : 5	Moyenne		Étendue
Outil :	N° Lot	Valeur cible :	Matériel de contrôle :	LIC :	LSC :	LSS :
Opérateur :	Date de fabrication :	Ti : Ts :	Contrôleur :	LIS :	LSS :	LSC :

N° éch.	1	2	3	4	5	6	7	8	9	10	11	12	13	14	15	16	17	18	19	20
Valeurs de la mesure																				
moyenne																				
étendue																				
LSC :																				
LSS :																				
Cible :																				
LIS :																				
LIC :																				
LSC :																				
LSS :																				
$\bar{w}$																				

Réf. Doc :	**Validé le :**	**Responsable contrôle :**	**Diffusion à :**	**Folio /**

Relevé de résultats expérimentaux

Exemple : – optimisation d'un porte-outil par un plan d'expérience

Date : 22/03/1996	**FEUILLE DE RELEVÉ BRUIT (log)**	Réf du document : PLAN 10 Campagne n° 3 cb

OBJECTIF : déterminer l'influence du nombre d'hélices sur le bruit émis par un porte-outil hélicoïdal

FACTEURS FIXES

Machines	Outils	Éprouvettes
Corroyeuse Weinig UNIMAT 23 Arbre de dégauchissage n = 6000 tr/min	Porte-outils Hélicoïdaux Diamètre : 125 mm Longueur : 130 mm Matériau : aluminium Plaquettes : G14	H% des éprouvettes : 15 Longueur : 100 mm Largeur : 70 mm Essence : hêtre

Modèle : B < Po_3 . h_2 . Vf_2 >	**Table :** Plan complet $3^1 \times 2^2$

FACTEURS VARIABLES

Po Porte-outil	h : P de passe	Vf : avance
1 = 6 hélices 2 = 4 hélices 3 = 2 hélices	1 = 2 mm 2 = 6 mm	1 = 10 mm 2 = 25 mm

TABLEAU DES RÉSULTATS

N° ligne	Po	h	Vf	B_1	B_2	B_3	B_4	B_5	B(dDC)	Observations
1	1	1	1	80,9	81,6	81,2	82,6	81,8	81,62	
2	1	1	2	83,2	83,9	82,5	82,6	82,4	82,92	
3	1	2	1	84,6	85,3	84,7	86,4	84	85,00	
4	1	2	2	88,1	87,9	88,9	86,6	88,2	87,94	
5	2	1	1	83,4	84,2	84,1	84,4	84	84,02	
6	2	1	2	85,1	84,9	85,7	86,4	86,9	85,80	
7	2	2	1	85,8	85,9	87,2	85,2	85,4	85,90	
8	2	2	2	89	88,7	90,3	88,7	87,6	88,86	
9	3	1	1	86,7	86,8	87,6	86,8	87,2	87,02	
10	3	1	2	87,8	87,7	90,1	87,7	87,6	88,18	
11	3	2	1	86,2	86,6	86,5	86,3	86,2	86,36	
12	3	2	2	88,7	88,9	89,8	89,7	89,7	89,36	

H % =Taux d'humidité moyen
n = Fréquence de rotation
B = Bruit en dBC

2.4. Qualification des moyens et méthodes de mesure

Les moyens et méthodes de mesure utilisés en contrôle qualité ou en essais doivent être préalablement validés. Ces moyens et méthodes doivent en effet fournir la valeur la plus exacte possible de la grandeur mesurée, et n'introduire que le minimum de variabilité dans les résultats de mesure.

Variabilité des résultats :

Il arrive fréquemment, en expérimentation ou en contrôle, que l'on soit confronté à une grande variabilité des résultats qui interdise alors toute conclusion. Par exemple, la différence constatée sur deux échantillons ayant suivi deux process différents ne pourra pas se traduire en différence de qualité due au process, si cette différence peut être attribuée à une dispersion inhérente à la procédure d'essai et/ou de mesure.

La variabilité des résultats englobe la variabilité des individus mesurés et celle du processus de mesure.

La qualification de ces moyens et méthodes de mesure consiste principalement à déterminer ou à vérifier leur résolution, leur justesse et leur fidélité.

2.4.1 Représentation de la justesse et de la fidélité d'un processus de mesure

Plusieurs mesures du même individu

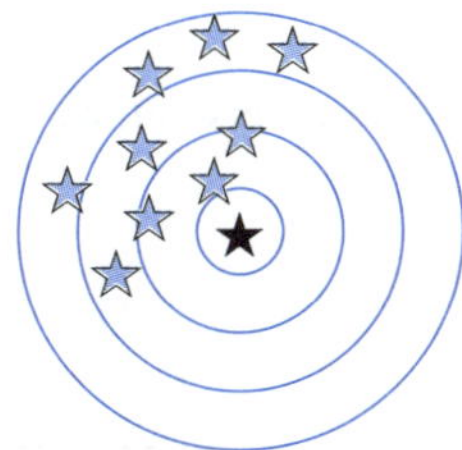

Défaut de justesse
Défaut de fidélité

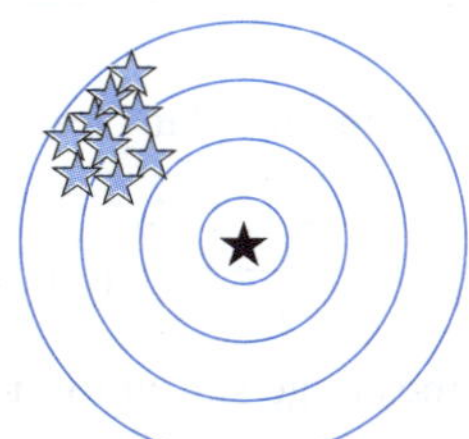

Défaut de justesse
Fidélité

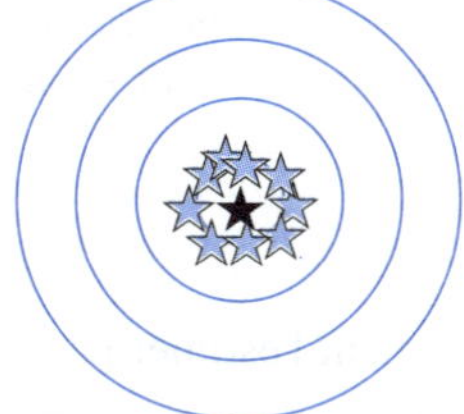

Justesse
Fidélité

La variabilité des résultats inhérente à une méthode de mesure peut être due à plusieurs facteurs :
– L'instrument de mesure utilisé ;
– Le contrôleur ;
– Le mode opératoire de mesurage ;
– Les conditions d'ambiance (grandeurs d'influence : éclairement, H%, Θ°C, HR%, etc.) ;
– Le temps entre deux mesures.

2.4.2 Erreur d'exactitude → Incertitude de mesure

<table>
<tr><th rowspan="2">Erreur de justesse
(Composante systématique de l'erreur d'exactitude).</th><th colspan="2">Erreur de fidélité
(Composante aléatoire de l'erreur d'exactitude)</th></tr>
<tr><th>Dispersion de répétabilité</th><th>Dispersion de reproductibilité</th></tr>
<tr><td rowspan="3">Cette erreur résulte des différents biais pouvant être introduits dans le mesurage :
Biais de la méthode de mesure, biais de l'appareil, biais du contrôleur, biais des conditions de mesurage, etc.

Exemple :
• Différence systématique d'appréciation entre contrôleurs → biais du au contrôleur.
• Mesure du niveau sonore d'une machine biaisée par le niveau sonore ambiant qui n'est pas toujours le même.</td><td>Dispersion des résultats lorsque les facteurs suivants sont constants :</td><td>Dispersion des résultats lorsqu'un ou plusieurs de ces facteurs varient :</td></tr>
<tr><td colspan="2">• L'instrument de mesure utilisé ;
• Le contrôleur ;
• Le mode opératoire de mesurage ;
• Les conditions d'ambiance (grandeurs d'influence : éclairement, H%, Θ°C, HR%, etc.) ;
• Le temps entre deux mesures.</td></tr>
<tr><td>Cette dispersion s'exprime par l'écart-type de répétabilité : S_r</td><td>Cette dispersion s'exprime par l'écart-type de reproductibilité : S_R
On a toujours $S_R \geq S_r$
Pour le calcul de S_R , se référer aux normes NF ISO 5725 – 1,2,3,4,5,6 et NF X 06-044.</td></tr>
</table>

2.4.3 Estimation de la dispersion de mesure

Dans les conditions de répétabilité :

• On peut l'estimer en faisant *n* fois la même mesure dans les mêmes conditions et en calculant :

$$S_r = \sqrt{\frac{\sum (x_i - \bar{x})^2}{n-1}} \quad \text{(cf. 4.3.1)}$$

• On peut également l'estimer par double mesurage sur un lot de pièces.

N° individu	1re mesure	2e mesure	Écart
1	X_{11}	X_{12}	$X_{11} - X_{12}$
2	X_{21}	X_{22}	$X_{21} - X_{22}$
…			
i	X_{i1}	X_{i2}	$X_{i1} - X_{i2}$
…			
n	X_{n1}	X_{n2}	$X_{n1} - X_{n2}$

Conditions : les 2 mesures doivent être réalisées dans les conditions de mesurage suivantes :
- pièces numérotées et $n \geqslant 30$;
- même instrument de mesure ;
- même opérateur ;
- même localisation de la mesure sur la pièce (repérer les points de mesure) ;
- stabilité dimensionnelle de la pièce ;
- mesurage en aveugle : l'opérateur ne connait pas le résultat de la première mesure lors du 2e mesurage.

On a :

Écart = ($X_{\text{fabriqué par la machine}}$ + erreur$_{\text{mesure 1}}$) – ($X_{\text{fabriqué par la machine}}$ + erreur$_{\text{mesure 2}}$)

→ Écart = erreur$_{\text{mesure 1}}$ – erreur$_{\text{mesure 2}}$

D'après le théorème d'additivité des variances :

→ $S^2_{\text{écarts}} = 2S^2_r$

→ $S_r = \rightarrow \sqrt{\frac{S^2_{\text{écarts}}}{2}}$.

Expression de l'incertitude de mesure :

– Dans le cas le plus simple : conditions de répétabilité et sans erreur de justesse :
  - Si une seule mesure par individu → résultat = $x \pm 2\ S_r$
  - Si n mesures par individu → résultat = $\pm \frac{2\ S_r}{\sqrt{n}}$.

– Dans les autres cas : conditions de reproductibilité, erreur de justesse, relation entre fidélité et niveau moyen de la mesure, etc. : se référer aux normes NF ISO 5725 – 1,2,3,4,5,6 et NF X06-044.

2.4.4 Règles à suivre en cas de grande variabilité des résultats en expérimentation

• **Inventorier les sources possibles de variabilité.**	– Méthode de recherche par diagramme d'Ischikawa structuré en 5 M ou autres familles adaptées au problème.
• **Réduire au maximum la variabilité des individus.**	– Contrôler l'homogénéité des individus : • Même fournisseur, même lot ; • Même caractéristiques.
• **Réduire la variabilité due au process ou à l'expérimentation.**	– Mesures de production : • Fixer des conditions de process les plus constantes possible ; • Contrôler leur stabilité ; • Consigner les événements dans un journal de processus. – Mesures d'expérimentation : (cf. chap. 9) • Contrôler la stabilité et la dispersion des facteurs fixes ; • Vérifier l'aléarisation des facteurs non contrôlés ; • Fixer et respecter un protocole d'expérimentation rigoureux ; • Tenir méticuleusement à jour le journal d'expérimentation.
• **Réduire la variabilité due au processus de mesure.**	– Fixer et respecter un protocole de mesure rigoureux : • Étalonnage et vérification de l'appareil de mesure ; • Conditions de mesures.
• **Augmenter le nombre de répétitions de la mesure.**	**– En cas de variabilité due aux individus mesurés :** prendre plusieurs individus pour chaque mesure. **– En cas de variabilité due au processus de mesure :** prendre plusieurs mesures sur chaque individu.

2.4.5 Vocabulaire (NF X 07-001)

Mesurages

Ensemble d'opérations ayant pour but de déterminer la valeur d'une grandeur.

Mesurande :
Grandeur soumise à mesurage.

Principe de mesure :
Base scientifique d'une méthode de mesure.

Méthode de mesure :
Ensemble des opérations, en termes généraux, mises en œuvre lors d'un mesurage selon un principe donné.

Mode opératoire :
Ensemble des opérations mises en œuvre lors d'un mesurage selon une méthode donnée.

Processus de mesure :
Totalité des informations, équipements et opérations relatifs à un mesurage donné :
- Principe ;
- Méthode ;
- Mode opératoire ;
- Paramètres influents ;
- Étalons.

Échelle de repérage :
Série de valeurs d'une grandeur ou d'une propriété données, déterminées d'une manière définie et adoptées par convention.

Grandeur mesurable :
Attribut d'un phénomène, d'un corps ou d'une substance, qui est susceptible d'être distingué qualitativement et déterminé quantitativement.

Unité de mesure :
Grandeur déterminée, adoptée par convention, utilisée pour exprimer quantitativement des grandeurs de même dimension.

Résultats de mesure

Valeur d'une grandeur mesurée, obtenue par mesurage.

Exactitude de mesure :
Étroitesse de l'accord entre le résultat d'un mesurage et la valeur vraie de la grandeur mesurée.

Répétabilité des mesurages :
Étroitesse de l'accord entre les résultats des mesurages successifs d'un même mesurande, effectués dans les mêmes conditions.
La répétabilité peut s'exprimer quantitativement par une caractéristique de dispersion des résultats : S_r.

Reproductibilité des mesurages :
Étroitesse de l'accord entre les résultats des mesurages du même mesurande, dans le cas où les mesurages individuels seraient effectués en faisant varier les conditions telles que :
- Méthode de mesure ;
- Contrôleur ;
- Instrument de mesure ;
- Lieu ;
- Temps ;
- Conditions d'utilisation.

Écart-type expérimental :
Pour une série de n mesurages du même mesurande : S_r.

Incertitude de mesure :
Estimation de l'étendue des valeurs dans laquelle se situe la valeur vraie d'une grandeur mesurée.

Biais de mesure :
Erreur systématique qui, lors de plusieurs mesurages du même mesurande, reste constante ou varie de façon prévisible.

Instruments de mesure

Dispositif destiné à faire un mesurage, seul ou en conjonction avec d'autres équipements.

Calibre :
Pour une étendue d'échelle, ensemble des valeurs de la grandeur mesurée pour lesquelles l'instrument de mesure présente des valeurs pour une position particulière de ses commandes.

Sensibilité :
Quotient de l'accroissement de la réponse d'un instrument de mesure par l'accroissement correspondant du signal d'entrée.

Résolution :
Expression quantitative de l'aptitude d'un dispositif indicateur à faire apparaître significativement la distinction entre des valeurs très voisines de la grandeur d'entrée.

Exactitude :
Aptitude d'un instrument de mesure à donner des indications proches de la valeur vraie d'une grandeur mesurée.

Classe de précision :
Nombre ou symbole indiquant les limites des erreurs.

Erreur de justesse :
Composante systématique de l'erreur d'un instrument de mesure.

Fidélité :
Aptitude d'un instrument de mesure à donner, dans des conditions d'utilisation définies, des réponses très voisines lors de l'application répétée d'un même signal d'entrée.

Étalonnage :
Ensemble des opérations établissant, dans des conditions spécifiées, la relation entre les valeurs indiquées par un appareil de mesure et les valeurs connues correspondantes d'une grandeur mesurée.

2.5. Examen visuel des données

Avant d'aborder la phase d'analyse des données, il est extrêmement prudent de procéder à un examen visuel des données, afin de détecter les éléments auxquels on peut éventuellement remédier tant que les conditions de relevé sont réunies.

Cet examen consiste à rechercher :

- **Les données manquantes :**
- Informations de traçabilité ;
- Relevé d'une ou plusieurs observations.
  En cas de données manquantes ne résultant pas d'un oubli auquel on aura remédié, noter sur le document de relevé la raison de son absence (non disponible, échantillon égaré, éprouvette détruite, etc.).
- **Les données suspectes :**
- Ordre de grandeur des données cohérent avec les ordres de grandeurs connus.
  En cas de d'incohérence, vérifier l'étalonnage et les gammes de mesure des appareils de mesure.
- Valeur suspecte d'une observation.
  → Rechercher les valeurs extrêmes et vérifier leur caractère aberrant (cf. 5.4.7).
  En cas de résultat manifestement aberrant, reprendre si possible une mesure en notant « l'incident » sur le document de relevé.
  → Rechercher les erreurs de transcription (décimales, erreur de désignation de la valeur mesurée, etc.).
  → Rechercher les valeurs impossibles (ex : 12,03 avec un moyen de mesure au 1/20e, valeur négative d'une cote, etc.).
- **Les anomalies portant sur les séries de valeurs :**
- Tendance générale croissante ou décroissante anormale ;
- Fréquence suspecte de certaines valeurs ou de certains chiffres ;
- Longue suite de valeurs identiques ou au contraire, alternance trop régulière.
  En cas de suspicion d'anomalie, vérifier les conditions de relevé et le cas échéant le sérieux du relevé réalisé par une personne non impliquée dans l'étude.

Règles impératives :

- **Aucune donnée suspecte ou anormale ne doit être modifiée ou éliminée du document original de relevé sans une raison parfaitement objective et fondée.**
- **Conserver les originaux de documents de relevé.**

3 OUTILS DE REPRÉSENTATION GRAPHIQUE D'UNE DISTRIBUTION

- Les représentations graphiques sont des outils simples et très efficaces d'observation et de compréhension synthétiques de données.
- Elles constituent l'étape préalable à toute analyse de données.
- **Dans de nombreux cas, une ou plusieurs représentations graphiques des données, à condition qu'elles soient correctement choisies et élaborées, suffisent à l'analyse, au diagnostic ou au contrôle des résultats, sans qu'il y ait besoin d'utiliser des outils plus élaborés.**
- Par leur simplicité, elles sont utilisables par tous et permettent donc d'impliquer l'ensemble des acteurs de production dans une action qualité.

3.1. Série statistique et distribution de fréquences

Série statistique

- Une série statistique à une dimension est une suite d'observations relatives à une variable sur un certain nombre *n* d'individus.
  Exemples : – La suite de 50 valeurs de la cote *x* mesurée sur 50 pièces,
  – La suite d'apparition de pièces défectueuses dans un lot de contrôle.
- Une série statistique à deux dimensions est une suite d'observations relatives à deux variables sur un certain nombre *n* d'individus.
  Exemple : – La suite de 10 couples de valeurs (effort, déformation) relevée sur une éprouvette lors d'un test de traction.

Distribution de fréquences

- Si le nombre d'observations est élevé et/ou s'il y a plusieurs valeurs identiques, on condense la série statistique en distribution de fréquences, dans laquelle on enregistre la fréquence de chaque valeur observée, c'est à dire le nombre d'occurrences de cette valeur.
  – La fréquence absolue d'une valeur correspond à l'effectif des individus sur lesquels on a relevé cette valeur. On assimile le terme « effectif » au terme « fréquence absolue » ;
  – La fréquence relative d'une valeur correspond à son pourcentage de l'effectif total de la série
- On peut également utiliser la fréquence cumulée (absolue ou relative) qui associe à chaque valeur d'une suite ordonnée la somme des fréquences des valeurs inférieures ou égales à cette valeur.
  Exemple : – Distribution de fréquences du nombre de défauts par meuble sur 100 meubles.

Nombre de défauts/meuble	Fréquence absolue	Fréquence relative en %	Fréquence absolue cumulée	Fréquence relative cumulée en %
0	2	4	2	4
1	7	14	9	18
2	21	42	30	60
3	9	18	39	78
4	10	20	49	98
5	1	2	50	100
Total	50	100		

- Dans le cas de variable(s) qualitative(s), la fréquence correspond au nombre d'occurrences de la modalité.
Exemple : – Distribution de fréquences du type de défauts relevés sur les plans de toilette en 43 semaines de production.

Type de défauts	Fréquence absolue	Fréquence relative (arrondie)	Fréquence cumulée	Fréquence relative cumulée
Cassure	43	44,8	43	44,8
Rayure	23	24	66	68,8
Tache	5	5,2	71	74
Clou	0	0	71	74
Débris	2	2,1	73	76,1
Hernie	0	0	73	76,1
Perçage	0	0	73	76,1
Postformage	2	2,1	75	78,3
Coup	1	1	76	79,3
Couleur	1	1	77	80,3
Autres	19	19,8	96	≈100
Total	96	100		

- Lorsque le nombre de valeurs observées distinctes est élevé ou lorsque la variable est continue, on regroupe les valeurs en classes qui se caractérisent par leurs limites, leur amplitude ou intervalle de classe, leur centre de classe et leur effectif (cf. 3.3).
Exemple : – Distribution de fréquences d'une profondeur de perçage.

Centre de classe	classes	effectif
13,15	]13,1 , 13,2]	3
13,25	]13,2 , 13,3]	6
13,35	]13,3 , 13,4]	14
13,45	]13,4 , 13,5]	7
13,55	]13,5 , 13,6]	5
13,65	]13,6 , 13,7]	1

3.2. Fonctions et principes d'une représentation graphique.

Fonctions	Critères d'appréciation
Permettre l'analyse des données : • Appréhender rapidement les traits les plus caractéristiques d'une distribution. • Repérer les phénomènes significatifs : variation accidentelle, tendance, etc. • Identifier les singularités. • Faciliter le débroussaillage d'un problème. • Comparer les données entre elles. • Susciter des hypothèses.	• Adéquation du type de graphique à l'objectif d'analyse. ➙ Formulation préalable explicite de l'objectif d'analyse et choix raisonné du type de graphique le plus adapté. • Fidélité de la représentation des données. ➙ Choix judicieux de l'échelle et de la précision des graduations. • Clarté et lisibilité. ➙ Soin et économie de la mise en forme. • Efficacité. ➙ Formulation explicite des conclusions d'analyse. • Rentabilité. ➙ Simplicité du graphique et rapidité d'exécution.

Permettre la gestion et le suivi des données : • Suivre l'évolution des données Qualité ; • Documenter le manuel Qualité.	• Traçabilité des graphiques : → légende, date, titre, références des fichiers de données… • Standardisation des conditions de relevé : taille des échantillons, uniformité des périodes, etc. • Standardisation des mises en page : échelle, amplitude.
Permettre la communication • En groupe de travail ; • Dans l'atelier ; • Dans un rapport écrit ; • Dans une revue de projet.	• Pertinence du choix du type de graphique / objectif d'analyse ; • Lisibilité du graphique : titre, légende, désignation claire des variables ; • Qualité de la mise en page ; • Simplicité de lecture.

3.3. Représentation d'une distribution à un caractère

Ces graphiques servent à visualiser la répartition des effectifs ou des fréquences des différentes modalités, valeurs ou classes du caractère étudié.

Rappel

- Un caractère qualitatif prend différentes modalités.
  Exemple : – Dans un relevé de défauts, les différents types de défauts sont des modalités.
- Un caractère quantitatif discret prend différentes valeurs isolées.
  Exemple : – Dans un comptage de pannes, le nombre de pannes par machine et par an prend des valeurs isolées : 1, 3, 10, etc.
- Un caractère quantitatif continu prend différentes valeurs regroupées en classes.
  Exemple : – Dans un relevé de mesures d'une cote, les valeurs mesurées seront regroupées en classes :]10 ; 10.1] ,]10.1 ; 10.2], etc.

Principe

Chaque modalité, valeur ou classe du caractère étudié est représentée par un secteur dont la surface (ou un bâton dont la hauteur) est proportionnelle à la fréquence de cette modalité, valeur ou classe.
Les valeurs, modalités ou classes sont portées en abscisses.
Les fréquences absolues ou relatives sont portées en ordonnées.

3.3.1 Caractère qualitatif

Diagramme à bandes

Les hauteurs de bandes sont proportionnelles aux fréquences. Les largeurs de bandes sont constantes.

Note : *Sur EXCEL ce type de graphique est disponible dans le menu « assistant graphique » sous le nom d'« histogramme » (la variable en x n'est pas une variable quantitative continue découpée en classes, mais une variable qualitative découpée en modalités ou catégories).*

Exemple : *– Distribution des défauts relevés sur un lot, selon leur niveau de gravité.*

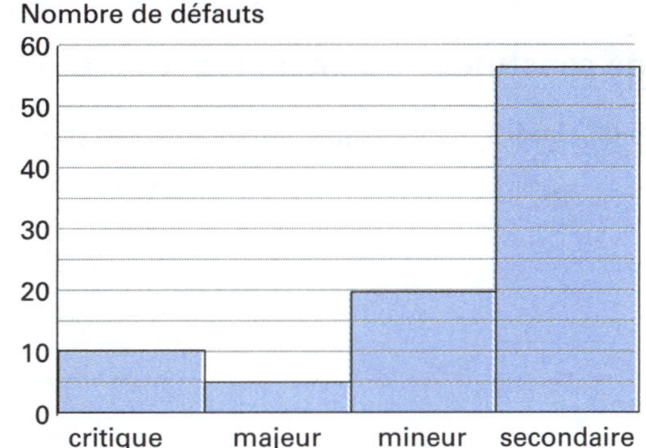

Graphiques à secteurs

Chaque modalité est représentée par un secteur circulaire dont la surface (ou l'angle au centre) est proportionnelle à sa fréquence.

Note : Ce type de graphique est peu lisible dans le cas de nombreuses modalités et/ou de faibles fréquences.

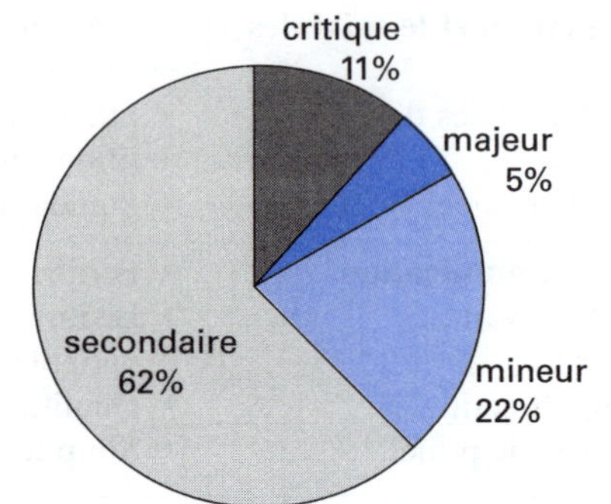

3.3.2 Caractère quantitatif

Caractère quantitatif discret

Diagramme en bâtons

Les hauteurs des bâtons sont proportionnelles aux fréquences.

Exemple : – Distribution des effectifs de machines selon leur nombre de pannes par an.

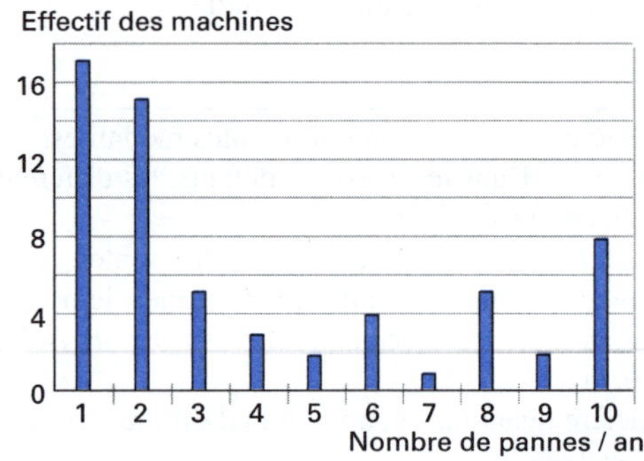

Caractère quantitatif continu

Histogramme

Les valeurs de la variable sont groupées en classes auxquelles correspondent des rectangles dont les largeurs sont proportionnelles aux amplitudes de ces classes, et dont les aires sont proportionnelles aux fréquences de ces classes.

*Nota : **Si toutes les classes ont une même amplitude**, les hauteurs des rectangles sont proportionnelles aux effectifs ou aux fréquences.*

Règles de construction d'un histogramme

Nombre de classes	Calcul du nombre de classes : $k \approx \sqrt{N}$ ou $k = 1 + \frac{10 \cdot \log N}{3}$	Valeurs usuelles : $N < 50$ → k = 5 à 7 $50 \leqslant N \leqslant 100$ → k = 6 à 10 $100 \leqslant N \leqslant 250$ → k = 7 à 12 $N > 250$ → k = 10 à 20
Étendue	$w = valeur_{maxi} - valeur_{mini}$	

Intervalle de classe (amplitude de classe)	$h \approx \frac{w}{k}$ arrondi à un multiple de la résolution de mesure. Il est impératif de procéder à cet arrondi, faute de quoi apparaîtrait un histogramme en « peigne » (cf. 5.2.2).
Limite inférieure de la première classe	• Valeur mini moins la moitié de la résolution de mesure.

On peut toutefois, pour faciliter l'établissement de l'histogramme et les calculs ultérieurs, prendre des limites de classes correspondantes à des valeurs « rondes » en précisant la nature des bornes des intervalles de classes :

- $[lim_{inf} ; lim_{sup}[$ → la classe contient les valeurs égales à lim_{inf} et ne contient pas les valeurs égales à lim_{sup}.
- $]lim_{inf} ; lim_{sup}]$ → la classe ne contient pas les valeurs égales à lim_{inf} et contient les valeurs égales à lim_{sup}.

Attention : Le choix des amplitudes et des limites de classe influe grandement sur l'allure générale de l'histogramme.

Échelle	L'échelle est choisie de telle sorte que l'histogramme s'inscrive dans un carré ou dans un rectangle légèrement allongé en abscisse.

Note : *Sur EXCEL :*

dans le menu « Outils » : Utilitaires d'analyse et Histogramme

Exemple

Distribution des profondeurs de perçage sur une perceuse BIESSE ROVER.

13,5	13,31	13,37	13,34	13,44	13,39
13,44	13,14	13,24	13,54	13,48	13,69
13,22	13,55	13,33	13,35	13,4	13,57
13,2	13,36	13,33	13,55	13,36	13,41
13,3	13,4	13,21	13,34	13,37	13,44
13,41	13,4	13,53	13,25	13,27	13,18

Nombre de classes	$n = 36 \rightarrow k = \sqrt{36} = 6$
Étendue	$w = x_{max} - x_{min} = 13{,}69 - 13{,}14 = 0{,}55$
Intervalle de classes	$h = w/k = 0{,}55/6 = 0{,}0916$ arrondi à 0,1

Limite inférieure de la première classe

• 13,14 – 0,05 = 13,135 →

Centre de classe	classes	effectif
13,185	13,135 ; 13,235	5
13,285	13,235 ; 13,335	10
13,385	13,335 ; 13,435	10
13,485	13,435 ; 13,535	6
13,585	13,535 ; 13,635	4
13,685	13,635 ; 13,735	1

• En prenant une limite « ronde », on obtient le tableau des effectifs suivant :

Centre de classe	classes	effectif
13,15	]13,1 ; 13,2]	3
13,25	]13,2 ; 13,3]	6
13,35	]13,3 ; 13,4]	14
13,45	]13,4 ; 13,5]	7
13,55	]13,5 ; 13,6]	5
13,65	]13,6 ; 13,7]	1

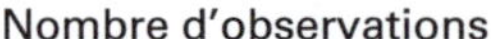

Histogramme des profondeurs de perçage sur BIESSE ROVER

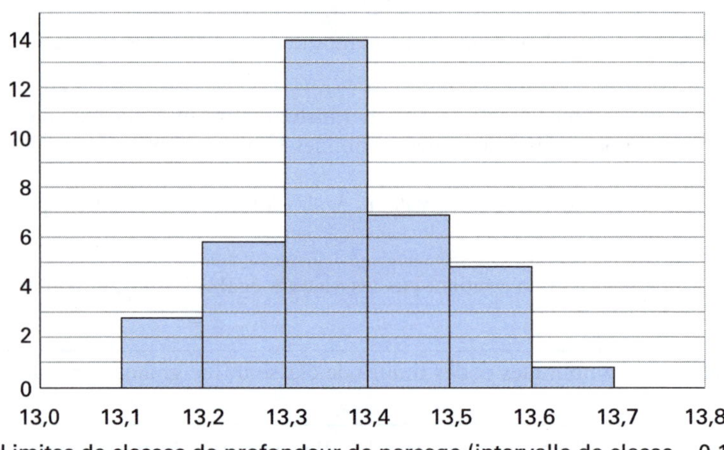

Attention : si on choisit des intervalles de classes inégaux :
On porte les classes en abscisses et les effectifs ou les fréquences en ordonnées, de telle sorte que les surfaces des rectangles correspondant aux classes soient proportionnelles à leur fréquence.

Exemple : – Distribution des longueurs de pièces courtes en mm.

Intervalle unité : 50 = PGDC des intervalles de classe.

classes	effectifs	Nb d'intervalle par classe	Effectifs par intervalle unité
200 ; 250	50	1	50/1 = 50
250 ; 350	500	2	500/2 = 250
350 ; 500	600	3	600/3 = 200
500 ; 600	200	2	200/2 = 100

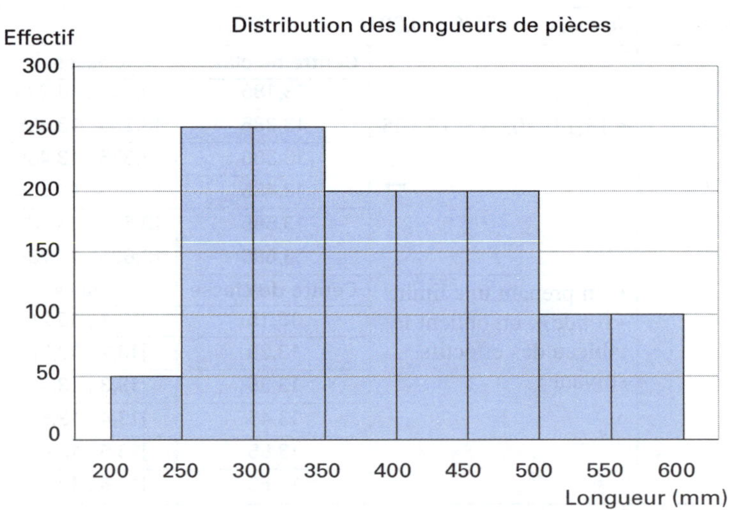

Histogrammes cumulatifs

Histogramme des fréquences cumulées.

Centre de classes	classe	effectif	Effectif cumulé
13,15	]13,1 , 13,2]	3	3
13,25	]13,2 , 13,3]	6	9
13,35	]13,3 , 13,4]	14	23
13,45	]13,4 , 13,5]	7	30
13,55	]13,5 , 13,6]	5	35
13,65	]13,6 , 13,7]	1	36

Les hauteurs des rectangles correspondant aux classes sont proportionnelles à la fréquence cumulée des individus plus petits ou égaux à la limite supérieure de la classe. On obtient le polygone des fréquences cumulées (absolues ou relatives) en joignant les sommets correspondant aux limites supérieures de classe.

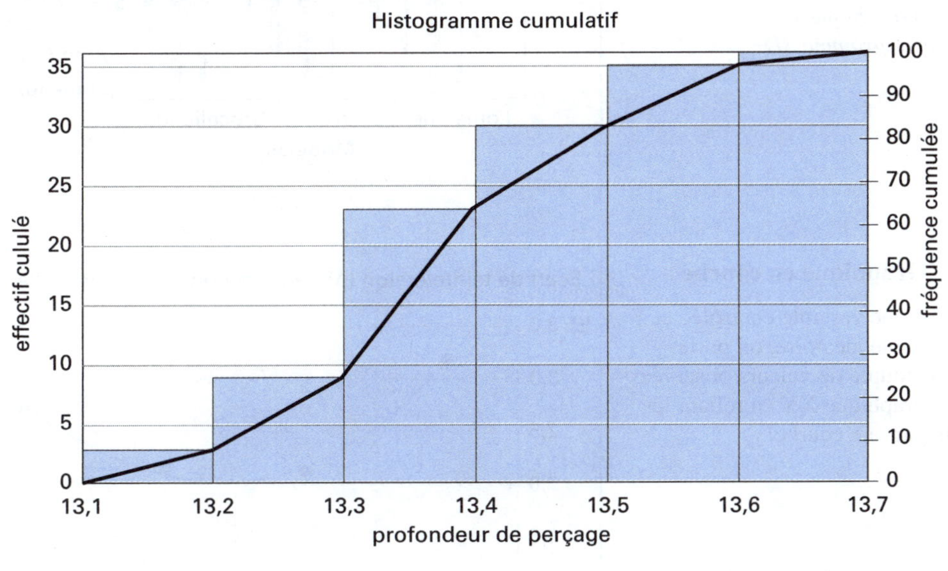

3.4. Représentation d'une distribution à deux caractères

Stéréogramme d'une série statistique double

On porte sur un plan XOY les modalités, valeurs ou classes correspondant aux caractères étudiés, et sur un axe OZ les effectifs correspondant aux différentes cases du tableau de contingence.

Note : Sur EXCEL : Dans le menu « Graphique » : histogramme 3D.

Exemple : – Distribution de défauts sur un ensemble de portes extérieures selon le modèle de porte et la localisation des défauts.

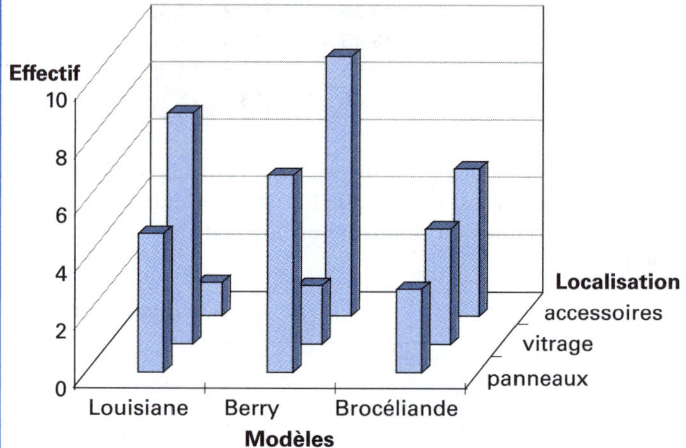

Graphique en courbe

Si X est une variable contrôlée et Y une variable aléatoire, on porte chaque couple de valeurs observées sur un graphique XY en reliant les points par une courbe.

Note : Sur EXCEL : dans le menu « Graphique » : nuage de points reliés par une courbe lissée ou nuage de points + courbe de tendance adaptée.

Écart de teinte/étalon (ΔE) en fonction de la dilution de la teinte

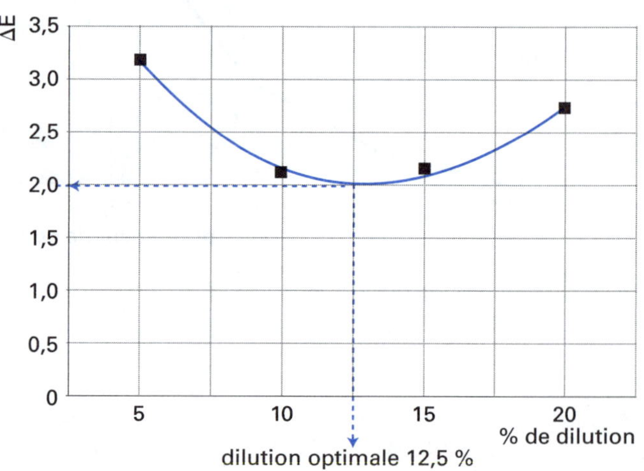

***Lecture :** si on s'impose un ΔE mini, la dilution optimale est de 12,5 %.*

Graphique en nuage de points

Si X et Y sont des variables aléatoires, on porte chaque couple de valeurs observées sur un graphique XY.

Analyse d'un graphique en nuage de point : cf. 5.3.

Note : Sur EXCEL : Dans le menu « Graphique » : nuage de points et éventuellement option « courbe de tendance.

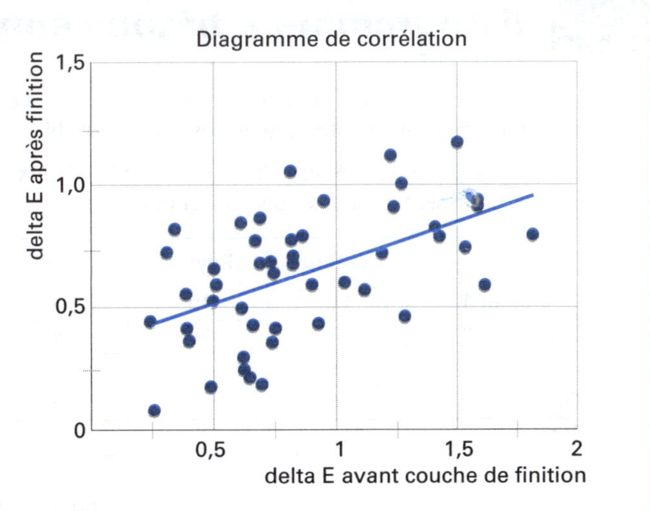

3.5. Autres types de représentations graphiques

3.5.1 Graphique en radar

Si plusieurs critères quantitatifs sont évalués, on porte les valeurs prises par chaque critère sur des axes rayonnant à partir d'un centre.
Ce type de graphique est utilisé pour comparer plusieurs individus sur un ensemble de critères.
Il permet de visualiser et de comparer les points forts et les points faibles de chaque individu.

Exemple :

Représentation des profils de non-qualité de plusieurs modèles de portes extérieures.

Note : On peut porter sur ce type de graphique le profil minimum acceptable ou les plages d'acceptabilité des différents critères.

Exploitation : Les modèles A et B se distinguent par leurs défauts de fonctionnement et par une très bonne résistance, le modèle C se distingue par un défaut de résistance et par un très bon fonctionnement.

Note : Au-delà de trois modèles, il est préférable de tracer un graphique par modèle et de les juxtaposer pour les comparer.

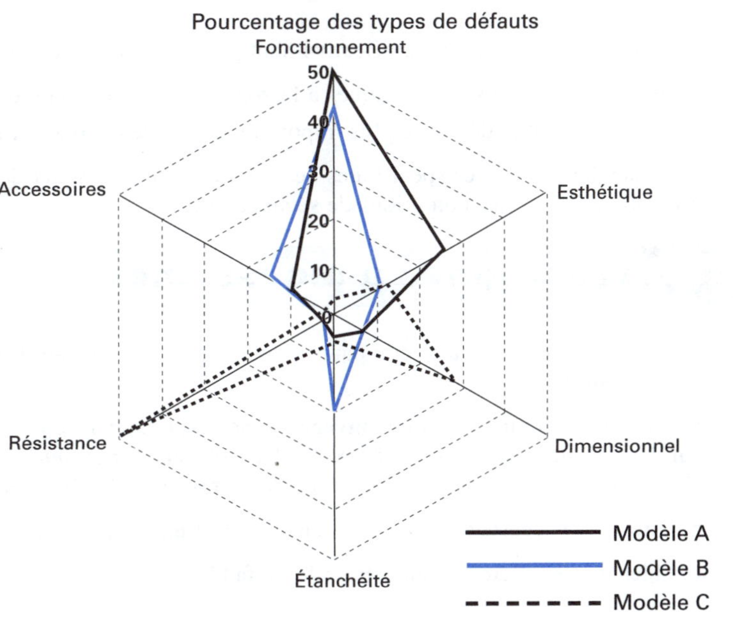

3.5.2 Histogramme à bâtons empilés

Graphique utilisé pour visualiser la contribution en fréquence de chaque catégorie d'une variable *y* par rapport au total pour différentes catégories d'une variable *x*.

Exemple : – Étude des défauts de finition sur bandeaux lumineux de salle de bains. Quatre opérateurs se répartissent sur deux zones de finition :

	Coulure	Rayure	Tache	Teinte	Autres	Total
Opérateur 1	26	15	3	2	1	47
Opérateur 2	47	18	4	2	3	74
Opérateur 3	25	2	2	2	2	33
Opérateur 4	26	3	5	3	2	39
Total	124	38	14	9	8	193

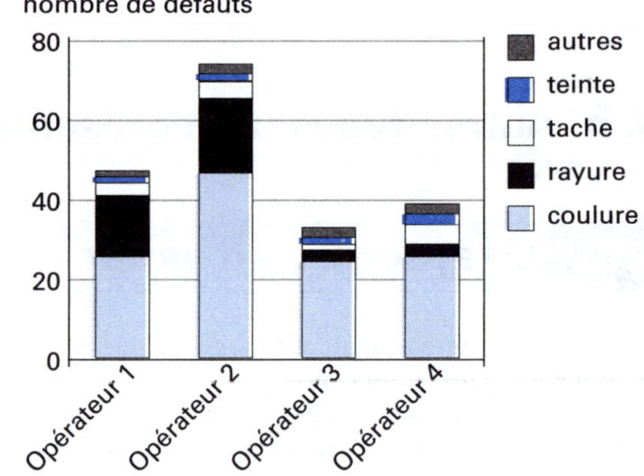

Exploitation : Le graphique ci-contre permet de visualiser :

- La contribution de chaque opérateur sur l'ensemble des défauts et pour chaque type de défaut.
- La répartition de chaque type de défaut chez chaque opérateur.

Éléments de diagnostic :

- L'opérateur 2 fait le plus de défauts et notamment plus de coulures que les trois autres.

  → Vérifier le mode opératoire de cet opérateur (réglage du pistolet, distance de vaporisation, etc.).
- Les opérateurs 1 et 2 font significativement plus de rayures que les deux autres.

  → Rechercher les causes spécifiques à la zone A → vérifier l'état des échelles de la zone A.
- Les coulures sont le défaut le plus important sur les deux zones et pour tous les opérateurs.

  → Rechercher les causes spécifiques de coulures communes aux deux zones : viscosité du produit, orientation des pièces, conditions de séchage, etc.

3.5.3 Les « boîtes à moustaches »

Ces graphiques permettent de comparer visuellement deux échantillons en tenant compte de la variabilité des résultats.

Exemple : – Comparaison des niveaux sonores en atelier de deux types de lames de tronçonnage sur des échantillons de 50 plateaux de Hêtre d'épaisseur 36 mm.
(L'erreur type correspond à l'écart type de la moyenne de 50 observations. cf. 4.3.1)

Exploitation : On constate que les deux lames se distinguent nettement.

Note : bien que la différence soit nette, elle est faible.

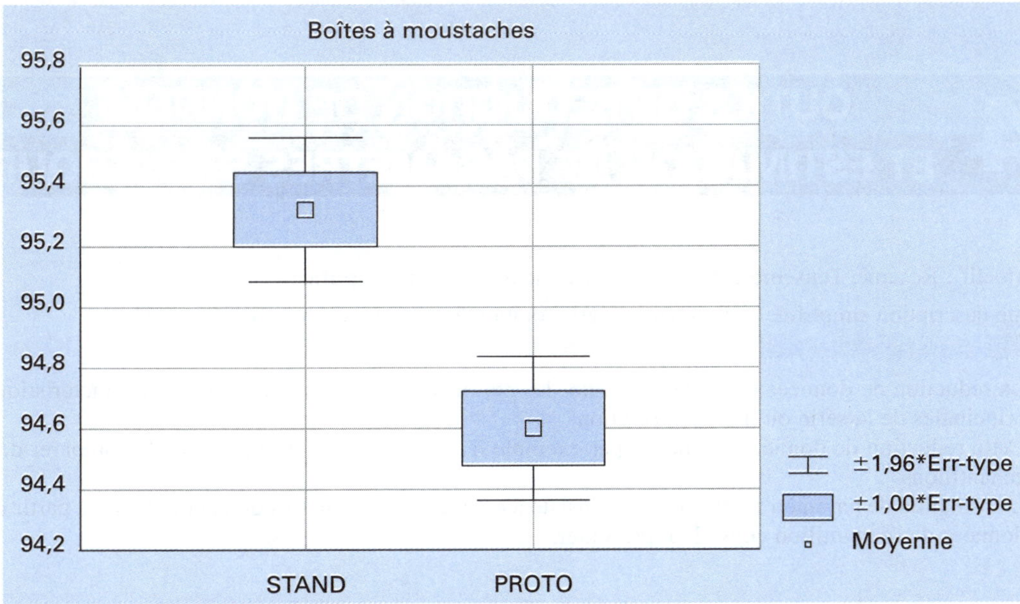

(Boîte à moustache - STATISTICA – StatSoft France)

3.6. Options des graphiques

Les logiciels de type tableur ou autres logiciels de statistiques permettent d'établir une multitude de représentations graphiques de données, adaptées à différents objectifs d'analyse.

Certaines fonctionnalités graphiques apportent une aide à l'analyse des données :

– Superposition de séries de données dans un même graphique ;

– Ajout d'une courbe de tendance ;

– Équation de la courbe de tendance et coefficient de détermination ;

– Superposition d'une courbe théorique sur une distribution observée ;

– Ajout de barres d'erreurs à une série de données ;

– Établissement d'une moyenne mobile ;

– Affichage de catégories et de séries multiniveaux.

D'autres fonctionnalités améliorent la lisibilité et l'esthétique des graphiques.

→ **Devant cette multitude de possibilités, il est indispensable, pour satisfaire les critères de qualité d'un graphique, de suivre une procédure stricte :**

- **Définir clairement l'objectif d'analyse de données.**
- **Limiter l'objectif à un point particulier.**
- **Déterminer le type de graphique adapté à cet objectif.**
- **Mettre en forme les données conformément aux impératifs de ce type de graphique (adaptation et mise en forme du tableau de données).**
- **Établir le graphique voulu.**
- **Mettre en forme le graphique pour améliorer sa lisibilité.**
- **Analyser le graphique et compléter la mise en forme pour permettre une utilisation ultérieure. (Échelle, axes, graduations, légende, etc.)**
- **Mettre en évidence les points remarquables.**
- **Documenter le graphique des données de traçabilité (nom des fichiers de données, date, titre, etc.).**

4 OUTILS DE RÉDUCTION DE DONNÉES ET ESTIMATION DE PARAMÈTRES STATISTIQUES

Objectif : Résumer l'ensemble des données en une description simplifiée.

Cette description simplifiée se fera par un petit nombre de valeurs typiques représentatives.

- La réduction de données consiste à calculer les paramètres permettant de saisir les caractéristiques principales de la série ou de la distribution.
  Cette réduction de données permettra par exemple d'analyser une distribution ou de comparer deux échantillons.
- L'estimation de paramètres statistiques consiste à estimer les paramètres de la population à partir des données de l'échantillon censé la représenter.

Recommandations

Valeurs arrondies

- Un paramètre statistique doit être arrondi au même rang que le dernier chiffre significatif des mesures de la série ou au rang inférieur.
  Exemple : – Dans un relevé de cotes au 1/100, l'écriture 8,10 ne signifie pas la même chose que la valeur 8,1. Une mesure étant un résultat approché, on a :

  8,095 < **8,10** < 8,105

  8,05 < **8,1** < 8,15

  Par contre, dans le cas d'une valeur exacte comme une limite de classe par exemple, l'écriture 8,1 est équivalente à l'écriture 8,10.
- L'arrondi doit être « au mieux » (par défaut si le dernier chiffre est < 5, par excès si le dernier chiffre est ≥ 5).
- Conserver les décimales dans les calculs intermédiaires et arrondir le résultat final.

Ordres de grandeur

Compte tenu des possibilités d'erreur lors du relevé et/ou lors de la transcription des valeurs sur calculette ou micro-ordinateur, vérifier toujours les ordres de grandeur des valeurs relevées et des résultats de calculs.

Données sources

- Une série statistique est une suite d'observations individuelles (cf. 2.1).
- Une distribution de fréquence issue d'un regroupement des observations en classes ou modalités est un tableau des fréquences associées à ces classes ou modalités.

  → **Il est préférable de calculer les paramètres statistiques à partir des valeurs individuelles chaque fois que possible, plutôt qu'à partir des valeurs groupées en classes car, dans ce cas, on commet une petite erreur en remplaçant les valeurs individuelles par le centre de la classe à laquelle elles appartiennent.**

Symboles utilisés

- Le symbole «Σ » (sigma) signifie : Somme.

  Pour symboliser la somme de n termes x d'indice i, on écrit :

  $\sum_{i=1}^{n} x_i$ = somme des x_i pour i variant de 1 à $n = x_1 + x_2 + \ldots + x_{n-1} + x_n$

- S'il n'y a pas d'ambiguïté possible sur l'indice, on simplifie l'écriture en utilisant la symbolisation « Σx_i » .

- Dans le cas contraire, on indique l'indice sur lequel doit se faire la sommation.

  Exemple : $\sum_i n_{ij}$ signifie que l'on fait la somme sur les i de toutes les valeurs de n pour un indice j constant.

  $\sum_i n_{ij}$ = total des effectifs de toutes les lignes dans la colonne j = « $n_{\bullet j}$ »

  $\sum_j n_{ij}$ = total des effectifs de toutes les colonnes dans la ligne i = « $n_{i \bullet}$ »

  $\sum_{ij} n_{ij}$ = total général = « $n_{\bullet\bullet}$ »

  Exemple : – Tableau des effectifs :

Indice j

Indice i	A_1	A_2	A_3	$\sum_j n_{ij}$
B_1	12	5	6	23
B_2	1	3	6	10
B_3	8	4	12	24
$\sum_i n_{ij}$	21	12	24	57

$23 = n_{1\bullet}$

$21 = n_{\bullet 1}$

$57 = n_{\bullet\bullet}$

4.1. Paramètres d'une série simple ou d'une distribution à un caractère

Une série ou une distribution à un caractère peut se caractériser par trois types de paramètres :

- Les paramètres de position ou localisation ;
- Les paramètres de dispersion ;
- Les paramètres de forme.

Les paramètres de position

Ces paramètres, ou *valeurs centrales*, servent à caractériser l'ordre de grandeur des observations. Ils concernent la *tendance centrale* de la distribution et permettent ainsi de localiser le « centre de gravité du nuage » de valeurs.

<table>
<tr>
<td rowspan="2">

La médiane

Symbole : $\tilde{x}$

Valeur de la variable telle qu'une moitié des valeurs lui soient inférieures ou égales, et l'autre moitié lui soient supérieures ou égales.

Médiane = Valeur équiprobable

</td>
<td>

Cas d'une série statistique

Soit n valeurs observées rangées dans l'ordre croissant : $x_1, x_2, \dots, x_n$:

Médiane = $x_{\frac{n+1}{2}}$ si n est impair ou $\frac{1}{2}\left(x_{\frac{n}{2}} + x_{\frac{n}{2}+1}\right)$ si n est pair.

Cas d'une distribution de fréquence *(caractère quantitatif continu par exemple) :*

- Si n est impair :

On détermine la classe médiane contenant la valeur de rang $\frac{n+1}{2}$

- Si n est pair :

On détermine une classe médiane formée par la réunion des deux classes contenant les valeurs de rang $\frac{n}{2}+1$ et $\frac{n}{2}$.

On détermine ensuite la médiane par interpolation linéaire dans la classe médiane, soit avec :

N : l'effectif de la série

N_k : l'effectif de la classe médiane.

X_k : la limite inférieure de la classe médiane.

X_{k+1} : la limite supérieure de la classe médiane.

E_k : nombre de valeurs inférieures à X_k.

$$\text{Médiane} = x_k + (x_{k+1} - x_k)\frac{\frac{N}{2} - E_k}{N_k}.$$

(cf. exemple p. 44)

</td>
</tr>
<tr>
<td>

- Si la distribution est symétrique : médiane = moyenne.
- Si la distribution est dissymétrique :

– médiane < moyenne dans le cas d'une asymétrie à gauche ;

– médiane > moyenne dans le cas d'une asymétrie à droite.

- La différence entre moyenne et médiane est donc un indicateur d'asymétrie (cf. 5.2).

</td>
</tr>
</table>

<table>
<tr><td rowspan="2">La valeur dominante ou mode.</td><td>
• Dans le cas d'une variable discrète:
Le mode est la valeur de la variable dont l'effectif est le plus important.
• Dans le cas d'une variable continue:
Le mode est le centre de la classe modale (classe de plus grand effectif).
Si une distribution possède deux modes (une dominante absolue et une dominante relative), elle est dite bimodale.
On utilise ce paramètre pour déterminer la valeur la plus fréquemment rencontrée : ex :Évaluation des temps de réglage.
Attention: le mode d'une somme n'est pas égal à la somme des modes. Exemple : le mode est à proscrire dans le cas d'une étude des temps d'une opération complexe par le relevé des temps des opérations élémentaires car le mode des temps de l'opération globale n'est pas égal à la somme des modes des temps élémentaires.
</td></tr>
<tr><td>
• Si la distribution est symétrique : mode = médiane= moyenne
• Si la distribution est dissymétrique:
mode < moyenne dans le cas d'une asymétrie à gauche (cf. 5.2.)
mode > moyenne dans le cas d'une asymétrie à droite.
</td></tr>
<tr><td rowspan="3">La moyenne arithmétique

Symbole :
$\overline{x}$</td><td>
• Si les n valeurs sont groupées en classe (distribution de fréquences) :
$$\overline{x} = \frac{\sum n_i x_i}{n}$$
Avec n_i : effectif de la classe de centre x_i
• Si les n valeurs x_i ne sont pas groupées en classe (série statistique) :
$$\overline{x} = \frac{\sum x_i}{n}$$
Rappel : Le regroupement en classes introduit une imprécision plus ou moins grande dans le calcul de la moyenne, il est donc préférable de calculer cette dernière à partir de la série statistique initiale
</td></tr>
<tr><td>
Propriétés de la moyenne :
• $\boxed{\overline{x \pm y} = \overline{x} \pm \overline{y}}$: la moyenne d'une somme (ou d'une différence) est égale à la somme (ou à la différence) des moyennes.
• $\boxed{\overline{xy} = \overline{x} \cdot \overline{y}}$ et $\boxed{\overline{x/y} = \overline{x}/\overline{y}}$: la moyenne d'un produit (ou d'un quotient) est égale au produit (ou au quotient) des moyennes.
</td></tr>
<tr><td>
Attention :
– La moyenne est un paramètre très sensible aux valeurs extrêmes.
– Son utilisation est trompeuse dans le cas d'une distribution bimodale.
</td></tr>
</table>

- **Pour les distributions unimodales et symétriques**

(Notamment pour une distribution Normale) : $\boxed{\text{Moyenne = mode = médiane}}$

- Sinon : la médiane prend une valeur intermédiaire entre le mode et la moyenne :

$$\boxed{\text{médiane} \approx \frac{\text{mode} + 2 \cdot \text{moyenne}}{3}}$$

Les paramètres de dispersion

Ces paramètres servent à étudier la manière dont les valeurs observées fluctuent autour d'une valeur centrale. Ils permettent, avec les paramètres de forme, de caractériser la « géométrie du nuage » de valeurs.

l'étendue : w	Ce paramètre mesure « la longueur du nuage » de valeurs. $w = x_{max} - x_{min}$
L'écart moyen absolu Symbole : e_m	$e_m = \frac{1}{2} \Sigma \lvert x_i - \bar{x} \rvert$ Si la distribution est normale: $e_m \approx 0{,}8\ \sigma$
Quantiles ou fractiles	On appelle quantiles ou fractiles d'ordre k, les valeurs qui partagent la population en k classes de même effectif.
Quartiles : q_i	Valeurs q_1, q_2, q_3, de la variable qui partagent la population en quatre parts de même effectif. *Note* : q_2 = médiane.
Déciles : d_i	Valeurs (d_1 à d_9) de la variable qui partagent la population en dix parts de même effectif. *Note* : d_5 = médiane.
Pourcentiles	Valeurs (d_1 à d_{99}) de la variable qui partagent la population en cent parts de même effectif.
Interquartile	Intervalle contenant la moitié de la population autour de la médiane $= q_3 - q_1$.
La variance : symbole : σ'^2	Ce paramètre représente la moyenne des carrés des écarts à la moyenne. • Si les données sont groupées en classes : $\sigma'^2 = \frac{\Sigma n_i (x_i - \bar{x})^2}{\Sigma n_i}$ Avec n_i : effectif de la classe de centre x_i. • Si les données ne sont pas groupées en classes : $\sigma'^2 = \frac{\Sigma (x_i - \bar{x})^2}{N}$ (N : effectif total).
L'écart type : Symbole: σ' (sigma)	L'écart type, encore appelé « déviation standard », est le plus utilisé des paramètres de dispersion. Il a la même dimension que la variable. La dispersion de la distribution est proportionnelle à l'écart type. $\sigma' = \sqrt{\sigma'^2}$

Attention : Certains auteurs utilisent les symboles « s^2 » et « s » pour désigner la variance et l'écart type d'une distribution. Ces symboles sont néanmoins généralement utilisés pour désigner l'estimation de la variance et de l'écart type d'une population à partir d'un échantillon (cf. 4.3.1).

Il est donc indispensable de définir soigneusement ces symboles lorsqu'on les utilise.

Le coefficient de variation. Symbole : CV	$CV = \frac{\sigma'}{\bar{x}}$ Le coefficient de variation représente une sorte d'écart type relatif servant à comparer des dispersions, indépendamment de la valeur de la variable.

Propriétés de la variance

- $\sigma'^2_{aX+b} = a^2 \sigma'^2_x$
- Si X et Y sont indépendantes :

$$\sigma'^2_{XY} = \sigma'^2_X \sigma'^2_Y + \overline{X}^2 \sigma'^2_Y \ \overline{Y}^2 \sigma'^2_X$$

$$\sigma'^2_{X \pm Y} = \sigma'^2_X + \sigma'^2_Y$$

Relation entre écart type et étendue E $(w) = d_n \sigma'$ (cf. 4.3.2).

Dans une distribution Normale, on a approximativement :

Effectif	Relation
Autour de 10	$\sigma' \approx w/3$
Autour de 30 (de 15 à 50)	$\sigma' \approx w/4$
Autour de 100 (de 50 à 200)	$\sigma' \approx w/5$
Autour de 500 (de 200 à 1 000)	$\sigma' \approx w/6$

(cf. DAGNELIE . Statistique théorique et appliquée T1 - *De Boeck Université*).

Les paramètres de forme

Ces paramètres servent à caractériser la forme d'une distribution sur les critères de symétrie et d'aplatissement du « nuage » de valeurs.

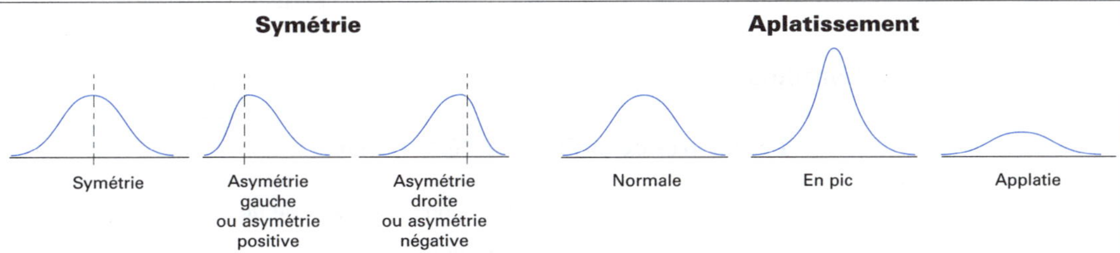

Moment centré d'ordre i : $m_i = \dfrac{\Sigma(x_i - \overline{x})^i}{n}$

	Pearson	Fisher
Coefficients d'asymétrie	$\dfrac{m_3^2}{\sigma'^6}$	$\dfrac{m_3}{\sigma'^3}$
Coefficients d'aplatissement	$\dfrac{m_4}{\sigma'^4}$	$\dfrac{m_4}{\sigma'^4} - 3$

Nota *: L'ensemble de ces paramètres est disponible sous EXCEL dans le menu Outils, commande : « Utilitaires d'analyse », outil « statistiques descriptives ».*

Plus spécifiquement les valeurs de la variance et de l'écart type d'un échantillon sont fournies par les fonctions « VAR.P » et « ECARTTYPEP ».

Exemple général

Détermination des paramètres statistiques de l'échantillon des profondeurs de perçage sur BIESSE ROVER (cf. p. 31).

• Série statistique : valeurs observées :

13,5	13,31	13,37	13,34	13,44	13,39
13,44	13,14	13,24	13,54	13,48	13,69
13,22	13,55	13,33	13,35	13,4	13,57
13,2	13,36	13,33	13,55	13,36	13,41
13,3	13,4	13,21	13,34	13,37	13,44
13,41	13,4	13,53	13,25	13,27	13,18

• Distribution de fréquences : valeurs regroupées en classes :

Centre de classe	Classes	Effectif	Effectif cumulé	Fréquence	Fréquence cumulée
13,15	]13,1 , 13,2]	3	3	0,083	0,083
13,25	]13,2 , 13,3]	6	9	0,167	0,25
13,35	]13,3 , 13,4]	14	23	0,389	0,639
13,45	]13,4 , 13,5]	7	30	0,194	0,833
13,55	]13,5 , 13,6]	5	35	0,139	0,972
13,65	]13,6 , 13,7]	1	36	0,028	1

• Paramètres de l'échantillon

Paramètres de position de l'échantillon	
Mode = 13,35 (centre de la classe modale).	• Si on considère la série de valeurs: Médiane = 13,38 • Si on considère le tableau de fréquences : Médiane = $13{,}3 + 0{,}1\left(\frac{18-9}{14}\right) = 13{,}37$
Moyenne $_{\text{(des valeurs individuelles)}}$: $\bar{x} = \frac{\sum x_i}{n}$ $= 13{,}378$	Moyenne $_{\text{(des valeurs groupées en classes)}}$: $\bar{x} = \frac{\sum n_i x_i}{n} = \frac{13{,}15 \times 3 + 13{,}25 \times 6 + \ldots + 13{,}65 \times 1}{36} = 13{,}372$
Paramètres de dispersion de l'échantillon	
Étendue : $w = X_{max} - X_{min} = 13{,}69 - 13{,}14$ $= 0{,}55$	Écart moyen : $e_m = 0{,}095$
Quartiles $q_1 = 13{,}305$ $q_3 = 13{,}44$	Interquartile = 0,135

Écart type (des valeurs individuelles)· $\sigma' = \sqrt{\frac{\Sigma(x_i - \bar{x})^2}{n}} = 0{,}121$	Écart type (des valeurs groupées en classes)· $\sigma' = \sqrt{\frac{\Sigma n_i(x_i - \bar{x})^2}{n}} = 0{,}120$
Coefficient de variation : CV = 0,121 / 13,378 = 0,9%	
Paramètres de forme de l'échantillon	
Asymétrie (Fisher) = 0,264	Aplatissement (Fisher) = – 0,02

4.2. Paramètres statistiques d'une série double ou d'une distribution à deux caractères

On utilise deux types de paramètres :

• Les paramètres servant à étudier isolément les différentes distributions marginales ou conditionnelles (cf. ci-dessous) de variables quantitatives. Ils ne concernent qu'une variable à la fois.

• Les paramètres servant à étudier les relations entre les variables d'une distribution à deux variables quantitatives. Les deux variables sont prises en compte simultanément.

Définitions préalables

• Une série double est une suite de couples de valeurs observées (x_i, y_i) des variables X et Y sur n individus.

Exemple : – Puissance consommée et niveau sonore dans différentes conditions d'usinage

N°	1	2	3	4	5	6	7	8	9	10	...	30
KW	2,64	3,04	2,28	4,56	4,96	3,56	4,56	6,08	4,64	5,04	...	4,48
dB	97,4	94,1	93,3	99,7	96,6	96,1	100,3	99,6	98,6	98,2	...	94,5

• Une distribution de fréquences à deux caractères résulte du regroupement des valeurs observées en classes ou catégories. Elle se présente sous la forme d'un tableau à double entrée indiquant les fréquences de chaque combinaison (x_i, y_i).

Présentation des données : tableau à double entrée $p \times q$:

• Si X et Y sont des caractères quantitatifs ayant respectivement p et q valeurs ou classes, le **tableau de corrélation** contient p lignes et q colonnes, définissant $p \times q$ cases dans lesquelles figurent les effectifs correspondants. (cf. exemple en 4.2.1).

• Si X et Y sont des caractères qualitatifs ayant respectivement p et q modalités, le **tableau de contingence** contient p lignes et q colonnes définissant $p \times q$ cases dans lesquelles figurent les effectifs correspondants. (cf. p. 39).

	Y_1	Y_2	....	Yj	...	Yq	Total
X_1	n_{11}	n_{12}		n_{1j}		n_{1q}	$n_{1.}$
X_2	n_{21}	n_{22}		n_{2j}		n_{2q}	$n_{2.}$
...			....		....		
Xi	n_{i1}	n_{i2}		n_{ij}		n_{iq}	$n_{i.}$
...							
Xp	n_{p1}	n_{p2}		n_{pj}		n_{pq}	$n_{p.}$
Total	$n_{.1}$	$n_{.2}$	....	$n_{.j}$	....	$n_{.q}$	N

• Notation

– « i » est l'indice des lignes, « j » est l'indice des colonnes.

– « n_{ij} » = effectif de la case à l'intersection de la ligne i et de la colonne j.

– « $n_{i\bullet}$ » = somme des effectifs de la ligne i.

– « $n_{\bullet j}$ » = somme des effectifs de la colonne j.

– « N » = effectif total.

• Distribution marginale ou totale = Distribution d'une des deux variables indépendamment de l'autre.

→ Distribution marginale des x = distribution des « $n_{i\bullet}$ » dans la dernière colonne.

→ Distribution marginale des y = distribution des « $n_{\bullet j}$ » dans la dernière ligne.

• Distribution conditionnelle ou liée = Distribution d'une des deux variables pour une modalité, valeur ou classe de l'autre variable = distribution dans une ligne ou une colonne particulière.

4.2.1 Les paramètres caractéristiques des distributions marginales et conditionnelles

Ils se déterminent comme les paramètres d'une distribution à un caractère :

		Distribution X	**Distribution Y**
Moyennes marginales		Moyenne de l'ensemble des x	Moyenne de l'ensemble des y
	Série de n couples	$\bar{x} = \frac{1}{n}\sum_i x_i$	$\bar{y} = \frac{1}{n}\sum_i y_i$
	N individus groupés en classes	en p classes d'indice i $\bar{x} = \frac{1}{N}\sum_i n_{i\bullet}x_i$	en q classes d'indice j $\bar{y} = \frac{1}{N}\sum_j n_{\bullet j}y_j$
Moyennes conditionnelles	N individus groupés en classes	Moyenne des x dans la classe j de y $\overline{x_j} = \frac{1}{n_{\bullet j}}\sum_i (n_{ij}x_i)$	Moyenne des y dans la classe i de x $\overline{y_i} = \frac{1}{n_{i\bullet}}\sum_j (n_{ij}y_j)$
Variances marginales		Variance de l'ensemble des x	Variance de l'ensemble des y
	Série de n couples	$\sigma'^2_x = \frac{1}{n}\sum(x_i-\bar{x})^2$	$\sigma'^2_y = \frac{1}{n}\sum(y_i-\bar{y})^2$
	N individus groupés en classes	$\sigma'^2_x = \frac{1}{N}\sum_i\left[n_{i\bullet}(x_i-\bar{x})^2\right]$	$\sigma'^2_y = \frac{1}{N}\sum_j\left[n_{\bullet j}(y_j-\bar{y})^2\right]$
Variances conditionnelles	N individus groupés en classes	Variance des x dans la classe j de y $\sigma'^2_{x/j} = \frac{1}{n_{\bullet j}}\sum_i\left[n_{ij}(x_i-\bar{x}_j)^2\right]$	Variance des y dans la classe i de x $\sigma'^2_{y/i} = \frac{1}{n_{i\bullet}}\sum_j\left[n_{ij}(y_j-\bar{y}_i)^2\right]$

Exemple : Distribution des opérations de montage selon le temps d'opération et le nombre de composants à assembler.

	De 1 à 3 minutes	**De 3 à 5 minutes**	**De 5 à 7 minutes**	**De 7 à 9 minutes**	**Total**
2 ou 3 composants	7	1	0	1	9
4 ou 5 composants	15	3	1	4	23
6 ou 7 composants	10	10	7	2	29
Total	32	14	8	7	61

La variable y (temps de montage) se distribuant en $q = 4$ classes d'indice j.

La variable x (nombre de composants) se distribuant en $p = 3$ classes d'indice i.

Distribution marginale des X :

Centres de classes : x_i	**Effectifs : n_i**
2,5	9
4,5	23
6,5	29
total	61

Distribution marginale des Y :

Centres de classes : y_j	2	4	6	8	**Total**
Effectifs : n_j	32	14	8	7	61

Moyenne marginale des X

$((9 \times 2{,}5) + (23 \times 4{,}5) + (29 \times 6{,}5)) / 61 = 5{,}16$

Moyenne marginale des X

$((32 \times 2) + (14 \times 4) + (8 \times 6) + (7 \times 8)) / 61 = 3{,}67$

Centres de classe	**$Y_1 = 2$**	**$Y_2 = 4$**	**$Y_3 = 6$**	**$Y_4 = 8$**	$n_{i\bullet}$	$n_{i\bullet} x_i$	$(x_i - \bar{x})^2$	$n_{i\bullet}(x_i - \bar{x})^2$
$X_1 = 2{,}5$	7	1	0	1	9	22,5	7,05	63,48
$X_2 = 4{,}5$	15	3	1	4	23	103,5	0,43	9,89
$X_3 = 6{,}5$	10	10	7	2	29	188,5	1,81	52,40
$n_{\bullet j}$	32	14	8	7	61	314,5		$\Sigma = 125{,}77$
$n_{\bullet j} y_j$	64	56	48	56	224			
$(y_i - \bar{y})^2$	2,80	0,11	5,42	18,73				
$n_{\bullet j}(y_i - \bar{y})^2$	89,47	1,50	43,35	131,11	$\Sigma = 265{,}43$			

Moyenne marginale des $y = \bar{y} = 224 / 61 =$ 3,67

Moyenne marginale des $x = \bar{x} = 314{,}5 / 61 =$ 5,16

Variance marginale des y : $\sigma'^2_y = 265{,}43 / 61 =$ 4,35

Variance marginale des x : : $\sigma'^2_x = 125{,}77 / 61 =$ 2,06

Moyenne conditionnelle des y pour $x_2 = 4{,}5$: $\bar{y}_{x2} = (15 \times 2 + 3 \times 4 + 1 \times 6 + 4 \times 8) / 23 =$ **3,48**

$(y_j - \bar{y}_{x2})^2$	2,185	0,272	6,359	20,446	
$n_{2j}(y_j - \bar{y}_{x2})^2$	32,78	0,817	6,359	81,784	$\Sigma = 121{,}74$

Variance conditionnelle des y pour x_2 : $\sigma'^2_{y/x2} = 121{,}74 / 23 = 5{,}29$

4.2.2 Paramètres relatifs à la relation entre les deux variables (cf. chap. 6)

Covariance : cov (x, y)	Ce paramètre mesure la « co-fluctuation » de deux variables x et y. La covariance est nulle si les deux variables sont indépendantes. • Série de couples (x_i, y_i) : $\text{cov}(x, y) = \frac{\sum [(x_i - \bar{x})(y_i - \bar{y})]}{n}$ • Séries regroupées en classes : $\text{cov}(x, y) = \frac{\sum_i \sum_j [n_{ij}(x_i - \bar{x})(y_j - \bar{y})]}{n}$
Coefficient de corrélation linéaire : r	Ce coefficient mesure le degré de liaison entre deux variables quantitatives. Il varie de –1 à +1. Il est nul en cas d'indépendance des variables et d'autant plus élevé en valeur absolue que la liaison est forte (cf. 5.3.1). $r = \frac{\text{cov}(x, y)}{\sigma'_x \sigma'_y}$
Coefficient de détermination : r^2	Ce coefficient donne la proportion de la dispersion de y explicable par la liaison linéaire entre x et y (cf. 5.3.1).

***Nota :** Ces paramètres sont disponibles sous EXCEL : Menu « Outils », commande « Utilitaires d'analyse », outils « covariance » et « corrélation ».*

Exemple – Valeurs de l'indice de rugosité Rp et de la mouillabilité à l'eau distillée relevées sur un échantillon de 12 éprouvettes en Moabi.

N°	1	2	3	4	5	6	7	8	9	10	11	12
Rp	35,1	46	42,4	47,4	58,7	60	56,1	36,9	44,6	54	39,2	30,6
θ°	27,4	36,2	35,8	6,4	18,8	27,4	6,6	26,4	26,8	30,4	35	43,6

Cov(x, y) = – 53,9	σ'_x = 9,243	σ'_y = 11,365	r = – 0,536	r^2 = 0,287

4.3. Estimation des paramètres statistiques d'une population

Les sections 4.1 et 4.2 donnent les outils de réduction de données concernant les individus réellement observés. Ces données ont été relevées sur des individus constituant un échantillon de la population que l'on souhaite étudier. Le but de cette section est de fournir les outils permettant d'étendre les résultats obtenus à l'ensemble de la population étudiée.

Objectifs

- Estimer les valeurs des paramètres statistiques de la population étudiée à partir des valeurs observées d'un (ou plusieurs) échantillon(s) tiré(s) de cette population.

  Exemple – Estimer la moyenne et l'écart-type d'une production sur une machine donnée (population) à partir d'un échantillon de pièces prélevées sur cette production.

- Évaluer la précision de ces estimations par la détermination de leurs intervalles de confiance.

  Exemple – L'estimation de la moyenne est de $10^{\pm 0.5}$.

- Évaluer le nombre d'observations nécessaires à l'obtention d'une précision donnée.

L'estimation des paramètres statistiques d'une population se fait à partir des paramètres statistiques d'un échantillon qui doit être représentatif de cette population. Si l'estimation se fait sur la base de plusieurs petits échantillons, l'ensemble de ceux-ci doit être représentatif de la population.

La validité des estimations dépend évidemment de cette condition de représentativité. Ainsi, par exemple, on veillera à prélever des pièces en sortie de machine et sur une production ininterrompue pour estimer la dispersion propre à la machine, alors qu'on les prélèvera dans le stock pour estimer la dispersion propre au process. (cf. 6.1.1).

4.3.1 Estimation des paramètres d'une population à partir d'un échantillon

En règle générale :

- **Prendre un échantillon de N mini = 30 et si possible N = 50 voire N = 100.**
- **Si $N < 30$: les conditions de validité des estimations sont plus contraignantes.**

Estimation de la moyenne

Symboles :

Valeur vraie dans la population	Valeur estimée par l'échantillon
m , m_0 ou μ	x

Estimation :

Données de l'échantillon	Estimation de *m* par :
Valeurs non groupées en classes	$\bar{x} = \frac{\Sigma x_i}{n}$
Valeurs groupées en classes	$\bar{x} = \frac{\Sigma n_i x_i}{\Sigma n_i}$

Distribution de la moyenne :

Les moyennes des échantillons (si leur effectif n est suffisant: $n \geq 30$) tirés d'une même population de moyenne m et d'écart type σ se distribuent selon une loi normale :

$\bar{x} \rightarrow N\left(m , \sigma / \sqrt{n}\right)$ (cf. p. 91). On voit que la variabilité des moyennes d'échantillons est d'autant plus faible que les échantillons sont plus grands.

Note: si les échantillons sont petits, la normalité des moyennes est soumise à la condition de normalité de la population mère.

Précision de l'estimation de la moyenne :

Connaissant la loi de distribution de la moyenne, on peut définir la précision de l'estimation de la moyenne de la population en définissant un intervalle, dont on peut raisonnablement croire qu'il contient la vraie valeur de la moyenne recherchée.

– Degré ou niveau de confiance = Probabilité qu'a l'intervalle de contenir la vraie valeur. Ce niveau de confiance, appelé « $1 - \alpha$ » est généralement fixé à 95% ou 99%.

– Intervalle de confiance : intervalle qui a $(1 - \alpha)$ chances de contenir la vraie valeur.

– Limites de confiance : valeurs limites de l'intervalle de confiance.

Précision de l'estimation : valeur de l'intervalle de confiance de l'estimation de la moyenne.

	Si σ de la population est connu	Si σ est estimé par s
Si la distribution est Normale	• Effectif des échantillons: n : quelconque. • $\bar{x} \pm \frac{1{,}96\sigma}{\sqrt{n}}$	Effectif des échantillons : n : quelconque • $\bar{x} \pm \frac{ts}{\sqrt{n}}$
Si la distribution est inconnue	• Effectif des échantillons : $n > 5$ • $\bar{x} \pm \frac{1{,}96\sigma}{\sqrt{n}}$	• Effectif des échantillons : $n > 30$ • $\bar{x} \pm \frac{1{,}96\sigma}{\sqrt{n}}$

Avec :

σ : écart type de la population s'il est connu ;

s : écart type estimé (cf. paragraphe suivant) si σ est inconnu ;

n : effectif de l'échantillon ;

t : valeur lue dans une table des fractiles de la loi de Student pour $\nu = (n - 1)$ d.d.l et $p = 1 - \alpha/2$.

Si $\alpha = 5\%$: $p = 0{,}975$ (cf. annexe 6.2).

Notes : *Les valeurs de t peuvent être obtenues sur EXCEL par l'utilisation de la fonction LOI. STUDENT.INVERSE en indiquant une probabilité = α.*

La demi-valeur de l'intervalle de confiance est fournie par Excel par la fonction « Intervalle.Confiance ».

Attention : la vraie valeur de la moyenne existe indépendamment de son estimation. La signification de l'intervalle de confiance est : sur un grand nombre d'estimations, l'intervalle de confiance ainsi calculé encadre la vraie valeur de la moyenne 95 fois sur 100 et non pas : la vraie valeur de la moyenne a 95 chances sur 100 d'être dans un intervalle de confiance donné. La vraie valeur de la moyenne est une constante, l'intervalle de confiance est une variable aléatoire, et non l'inverse.

- **Nombre d'observations nécessaires à l'estimation d'une moyenne :**

La précision de l'estimation est d'autant plus grande que l'effectif de l'échantillon est plus grand.
Pour un niveau de confiance de 95%:

Pour une précision absolue a : $\bar{X} \pm a$: effectif nécessaire $n \approx \frac{4\,s^2}{a^2}$

→ **Il faut quadrupler le nombre d'observations pour doubler la précision.**

– Pour une précision relative $r\%$ de $\bar{X}$: $\bar{X}$ à $\pm\, r\%$: Effectif nécessaire $n \approx \frac{4CV^2}{r^2}$ avec $CV = \frac{s}{\bar{x}} \times 100$

Estimation de l'écart type

- **Symboles :**

Valeur vraie dans la population	Valeur estimée par l'échantillon
σ ou σ_0	σ^*, s ou $\hat{\sigma}$

L'estimateur de l'écart type d'une population à partir d'un échantillon est aussi désigné sur certaines calculettes par σ_{n-1} ou par s_{n-1}.

• Estimation :

Données de l'échantillon	Estimation de σ par :
Valeurs non groupées en classe.	$s = \sqrt{\frac{\Sigma(x_i - \bar{x})^2}{n-1}}$ Si l'effectif de l'échantillon est < 15 : $\sigma^* = s \,.\, B_n$ Avec B_n donné dans tableau ci-contre. (NF X 06-060)
Valeurs groupées en classes.	$s = \sqrt{\frac{\Sigma n_i(x_i - \bar{x})^2}{\Sigma n_i - 1}}$

n	Bn	n	Bn	n	Bn
		6	1,050	11	1,025
2	1,254	7	1,043	12	1,023
3	1,128	8	1,036	13	1,021
4	1,085	9	1,031	14	1,020
5	1,063	10	1,028	15	1,018

Notes : *Les estimations de la variance et de l'écart type d'une population à partir d'un échantillon sont fournies par Excel par les fonctions : « VAR » et « ECARTTYPE »*

• Précision de l'estimation de l'écart type

Dans le cas d'une distribution Normale :

– *Intervalle de confiance bilatéral* (Risque a = 5%) :

$$\sqrt{\frac{(n-1)\,s^2}{\chi^2_{1-\alpha/2}}} < \sigma < \sqrt{\frac{(n-1)\,s^2}{\chi^2_{\alpha/2}}}$$

$$\text{avec } \left(1 - \frac{\alpha}{2}\right) = 0{,}975 \quad \text{et} \quad \frac{\alpha}{2} = 0{,}025$$

– *Précision relative D_r en fonction de l'effectif de l'échantillon*

Ce tableau donne la précision relative (marge d'erreur de ± D_r) de l'estimation de s et de s^2 en fonction de l'effectif de l'échantillon. (Niveau de confiance : $1 - \alpha = 0{,}95$).

N	D_r sur s	D_r sur s^2	N	D_r sur s	D_r sur s^2	N	D_r sur s	D_r sur s^2
10	56,9%	143,0%	50	20,5%	42,8%	90	15,0%	30,6%
15	42,2%	97,6%	55	19,5%	40,4%	95	14,6%	29,7%
20	35,0%	77,7%	60	18,6%	38,5%	100	14,2%	28,9%
25	30,5%	66,3%	65	17,8%	36,7%	150	11,5%	23,3%
30	27,4%	58,6%	70	17,1%	35,2%	200	9,9%	20,0%
35	25,1%	53,1%	75	16,5%	33,9%	250	8,8%	17,8%
40	23,2%	48,9%	80	16,0%	32,7%	500	6,2%	12,5%
45	21,8%	45,5%	85	15,4%	31,6%	1000	4,4%	8,8%

Exemple – Un écart type estimé sur un échantillon de 30 pièces est précis à ± 27,4 % de la valeur estimée.

– *Limite supérieure de l'intervalle de confiance unilatéral de σ.* (Risque α = 5%)

$$\sigma \leqslant \sqrt{\frac{(n-1)\,.\,s^2}{\chi^2_\alpha}}$$

Les valeurs de $\chi^2\left(1-\frac{\alpha}{2}\right)$, $\chi^2\frac{\alpha}{2}$, χ^2_α sont lues dans une table des fractiles de la loi du χ^2 pour $(n-1)$ d.d.l et $P = 1-\frac{\alpha}{2}$, $P = \frac{\alpha}{2}$ et $P = \alpha$. (cf. annexe 8.2)

Note: *Les valeurs de* $\chi^2\left(1-\frac{\alpha}{2}\right)$, $\chi^2\frac{\alpha}{2}$, χ^2_α *peuvent être obtenues sur EXCEL en indiquant des valeurs de probabilité respectivement égales à* $\frac{\alpha}{2}$, $1-\frac{\alpha}{2}$, $1-\alpha$ *par la fonction « KHIDEUX.INVERSE ».*

Exemple général

Estimation des paramètres statistiques de la population des profondeurs de perçage sur BIESSE ROVER à partir de l'échantillon prélevé :

Centre de classe	Classes	Effectif	Effectif cumulé	Fréquence	Fréquence cumulée
13,15	]13,1 , 13,2]	3	3	0,083	0,083
13,25	]13,2 , 13,3]	6	9	0,167	0,25
13,35	]13,3 , 13,4]	14	23	0,389	0,639
13,45	]13,4 , 13,5]	7	30	0,194	0,833
13,55	]13,5 , 13,6]	5	35	0,139	0,972
13,65	]13,6 , 13,7]	1	36	0,028	1

Estimation des paramètres de la population

Moyenne estimée de la population: $\overline{X} = 13{,}38$	Intervalle de confiance de la moyenne estimée : $\bar{x} \pm \frac{1{,}96s}{\sqrt{n}} = 13{,}38 \pm \frac{1{,}96 \times 0{,}123}{\sqrt{36}} = 13{,}38 \pm 0{,}04$
Nombre d'observations nécessaires à l'estimation de la moyenne :	Précision souhaitée : ± 0,025 $\rightarrow n \approx \frac{4\,s^2}{a^2} \approx 4 \times 0{,}123^2 / 0{,}025^2 \approx 100$
	Précision souhaitée : ± 0,05 $\rightarrow n \approx \frac{4\,s^2}{a^2} \approx 4 \times 0{,}123^2 / 0{,}05^2 \approx 25$
Écart type estimé de la population : $s = \sqrt{\frac{\sum_{i=1}^{n}(x_i-\bar{x})^2}{n-1}} = 0{,}123$	Intervalle de confiance bilatéral de σ (α = 5%) $\sqrt{\frac{(n-1)\,s^2}{\chi^2_{1-\alpha/2}}} < \sigma < \sqrt{\frac{(n-1)\,s^2}{\chi^2_{\alpha/2}}} \rightarrow$ $\sqrt{\frac{35 \times 0{,}123^2}{53{,}16}} < \sigma < \sqrt{\frac{35 \times 0{,}123^2}{22{,}5}} \rightarrow 0{,}1 < \sigma < 0{,}16$
(0,122 à partir des valeurs groupées en classes)	Limite supérieure de l'intervalle de confiance unilatéral (α = 5%): $\sigma < \sqrt{\frac{(n-1).s^2}{\chi^2_\alpha}} \rightarrow \sigma < \sqrt{\frac{35 \times 0{,}123^2}{22{,}5}} \rightarrow \sigma < 0{,}153$
Coefficient de variation CV = 0,123/13,38 = 0,009 ≈ 1%	

Estimation d'un pourcentage

• **Symboles**

Valeur vraie dans la population	Valeur estimée par l'échantillon
p	$\hat{p}$

• **Estimation**

Le pourcentage p dans la population est estimé par le pourcentage $\hat{p}$ dans l'échantillon :

$$\hat{p} = \frac{k}{n}$$

Avec k : Nombre d'individus présentant le caractère étudié et n : effectif de l'échantillon.

• **Précision de l'estimation d'un pourcentage**

– *Cas des grands échantillons :* n > 100

Si np et nq >10 et si $n/N < 0{,}1$

Intervalle de confiance ($1-\alpha = 95\%$) :

$$\hat{p} \pm 2\sqrt{\frac{\hat{p}\,\hat{q}}{n}} \text{ avec } \hat{q} = 1 - \hat{p}$$

– *Cas des petits échantillons* (ou si np ou $nq < 10$)

Les limites de l'intervalle de confiance sont données dans le tableau figurant en annexe 9.

• **Nombre d'observations nécessaire**

Pour avoir une **précision absolue de ± *a*** sur un pourcentage estimé, il faut avoir un effectif d'échantillon n :

$$n = 4\frac{pq}{a^2}$$

→ **Pour doubler la précision il faut quadrupler l'effectif de l'échantillon.**

Pour avoir une **précision relative de ± a_r** sur un pourcentage estimé, il faut avoir un effectif d'échantillon n :

$$n = 4\frac{q}{a_r^2 p}$$

Note : *La prédétermination de n impose de connaître au préalable la valeur approximative de p.*

Exemple : Observations instantanées.

• On souhaite déterminer le pourcentage d'activité d'un poste de travail par la méthode des observations instantanées. On souhaite pouvoir faire cette estimation avec une précision absolue de ± 5%. La valeur attendue se situe aux alentours de 75%.

→ Nombre d'observations à réaliser : $4\,(0{,}75 \times 0{,}25) / 0{,}05^2 = 300$

• Le pourcentage d'activité observé est de 72%. Quelle est la précision de l'estimation?

→ $0{,}72 \pm 2\sqrt{(0{,}72 \times 0{,}28)/300} = 72\% \pm 5{,}2\%$

→ le pourcentage d'activité de ce poste est compris entre 66,8% et 77,2%.

4.3.2 Estimation des paramètres d'une population à partir de plusieurs petits échantillons de même taille

Dans le cas ou l'on ne dispose pas d'un échantillon suffisamment grand pour estimer les paramètres de la population, on peut utiliser les résultats issus de plusieurs petits échantillons, tels que ceux issus des cartes de contrôles ou d'autres types de prélèvements.

Paramètre de la population à estimer	**Estimation par :**
Moyenne de la population.	• La moyenne $\overline{\overline{x}}$ des moyennes $\overline{x}_i$ des k échantillons de n individus : $m = \overline{\overline{x}} = \dfrac{\sum \overline{x_i}}{k}$
Écart-type estimé s de la population (Les coefficients b_n et d_n figurent dans le tableau ci-dessous)	• La moyenne des étendues des échantillons de n individus : $s = \dfrac{\overline{w}}{d_n}$ (Avec $\overline{w}$ = moyenne des étendues.)
	• La moyenne des écarts type des échantillons de n individus : $s = \dfrac{\overline{\sigma'_e}}{b_n}$ avec $\sigma'_e = \sqrt{\dfrac{\sum(x_i - \overline{x})^2}{n}}$
	• La racine carrée de la moyenne des carrés des écarts type estimés. $S = \sqrt{\dfrac{\sum s_i^2}{k}}$

Tableau des coefficients b_n et d_n (NF X60 031)

n	d_n	b_n	n	d_n	b_n	n	d_n	b_n	n	d_n	b_n
2	1,128	0,564	6	2,534	0,869	10	3,078	0,923	14	3,407	0,945
3	1,693	0,724	7	2,704	0,888	11	3,173	0,930	15	3,472	0,949
4	2,059	0,798	8	2,847	0,903	12	3,258	0,936	20	3,735	0,962
5	2,326	0,841	9	2,970	0,914	13	3,336	0,941	25	3,931	0,97

Exemple :

Estimation des paramètres de distribution d'une cote appui-outil sur moulurière WEINIG 22A à partir de 30 échantillons de 5 pièces prélevés lors du remplissage de cartes de contrôle.

N° échant.	*1*	*2*	*3*	*4*	*5*	*6*	*7*	*8*	*9*	*10*
	24,92	24,89	24,89	24,88	24,87	24,89	24,91	24,92	24,88	24,92
	24,93	24,86	24,9	24,89	24,91	24,91	24,91	24,91	24,87	24,92
	24,94	24,92	24,92	24,92	24,94	24,94	24,87	24,91	24,87	24,9
	24,9	24,9	24,89	24,92	24,91	24,9	24,9	24,92	24,9	24,93
	24,91	24,91	24,92	24,91	24,94	24,89	24,88	24,91	24,92	24,9
moyenne	24,920	24,896	24,904	24,904	24,914	24,906	24,894	24,914	24,888	24,914
w	0,040	0,060	0,030	0,040	0,070	0,050	0,040	0,010	0,050	0,030
σ'_e	0,014	0,021	0,014	0,016	0,026	0,019	0,016	0,005	0,019	0,012
s	0,016	0,023	0,015	0,018	0,029	0,021	0,018	0,005	0,022	0,013
N° échant.	**11**	**12**	**13**	**14**	**15**	**16**	**17**	**18**	**19**	**20**
	24,89	24,92	24,89	24,92	24,92	24,88	24,9	24,89	24,88	24,89
	24,89	24,9	24,93	24,86	24,94	24,89	24,9	24,88	24,92	24,88
	24,93	24,89	24,92	24,91	24,9	24,92	24,93	24,9	24,9	24,92
	24,93	24,91	24,88	24,9	24,91	24,89	24,9	24,88	24,9	24,91
	24,9	24,91	24,91	24,9	24,93	24,89	24,92	24,93	24,91	24,9
moyenne	24,908	24,906	24,906	24,898	24,920	24,894	24,910	24,896	24,902	24,900
w	0,040	0,030	0,050	0,060	0,040	0,040	0,030	0,050	0,040	0,040
σ'_e	0,018	0,010	0,019	0,020	0,014	0,014	0,013	0,019	0,013	0,014
s	0,020	0,011	0,021	0,023	0,016	0,015	0,014	0,021	0,015	0,016
N° échant.	**21**	**22**	**23**	**24**	**25**	**26**	**27**	**28**	**29**	**30**
	24,87	24,93	24,92	24,9	24,9	24,92	24,89	24,9	24,9	24,92
	24,93	24,9	24,92	24,91	24,89	24,87	24,91	24,87	24,88	24,91
	24,9	24,91	24,84	24,89	24,92	24,91	24,89	24,92	24,92	24,91
	24,92	24,94	24,88	24,9	24,9	24,92	24,91	24,87	24,9	24,88
	24,91	24,91	24,91	24,9	24,91	24,88	24,91	24,92	24,88	24,91
moyenne	24,906	24,918	24,894	24,900	24,904	24,900	24,902	24,896	24,896	24,906
w	0,060	0,040	0,080	0,020	0,030	0,050	0,020	0,050	0,040	0,040
σ'_e	0,021	0,015	0,031	0,006	0,010	0,021	0,010	0,022	0,015	0,014
s	0,023	0,016	0,034	0,007	0,011	0,023	0,011	0,025	0,017	0,015

Moyenne estimée de la population = 24,90

Écart-type estimé de la population : s

Par la moyenne des *w*	Par la moyenne des σ'_e	Par la moyenne des s^2
Moyenne des *w* = 0,0423	Moyenne des σ'_e = 0,016	Moyenne des s^2 = 0,0004
S = 0,018	S = 0,019	S = 0,02

5 OUTILS STATISTIQUES D'ANALYSE DE DONNÉES

5.1. Objectifs

Ce chapitre a pour objectif de fournir au technicien qualité les outils nécessaires à l'analyse des données dans les différentes étapes d'une action qualité (cf. 1).

- Dans de très nombreux cas, les outils les plus simples sont les seuls nécessaires et suffisent à tirer des conclusions valides à condition qu'ils soient utilisés avec toute la rigueur nécessaire. Ainsi par exemple, l'analyse d'une distribution peut ne nécessiter qu'un simple examen visuel de l'histogramme et un calcul de paramètres statistiques.
- Dans d'autres cas, il sera nécessaire d'utiliser des outils plus élaborés mais plus délicats à manipuler. Tel sera le cas, par exemple, quand les conclusions tirées d'une première analyse ne sont pas flagrantes ou lorsque le problème en lui-même nécessite l'utilisation de tels outils.

Quand on cherche à mettre quelque chose en évidence, il convient de se souvenir que l'incertitude attachée à la conclusion peut avoir deux origines :

- Une valeur réelle minime de ce qu'on cherche à mettre en évidence.

  Dans ce cas, il est fréquent que le résultat, réel ou pas, soit de toute façon négligeable.

  Exemples : une erreur de réglage de 0,005 observée sur une machine destinée à fabriquer des pièces avec un IT de 0,5 peut être considérée comme négligeable et ne nécessite pas qu'on teste sa significativité statistique.

- Un manque de puissance de l'observation ou de l'expérimentation liée la plupart des cas à des effectifs d'échantillons trop faibles.

  Ainsi, un pourcentage de défauts de 5 % observé sur un lot de 25 pièces ne peut pas représenter très précisément le pourcentage réel dans l'ensemble de la production.

Il sera donc souhaitable, si le coût et le temps de relevé le permettent, de constituer des échantillons d'effectif suffisant : on lèvera ainsi facilement les incertitudes de conclusion.

5.2. Analyse d'une distribution à un caractère

Dans la fonction qualité en production, l'analyse d'une distribution simple consiste en général à répondre à cinq questions principales :

- La distribution a-t-elle l'allure typique attendue ? Si non, pourquoi ?
- Le moyen de production (ou le processus) est-il capable de «tenir» un IT imposé ?
- Le moyen de production (ou le processus) est-il bien réglé sur la valeur cible ?
- Le moyen de production (ou le processus) est-il capable, dans les conditions du prélèvement, de satisfaire les spécifications imposées ?
- Quel serait, dans les conditions correspondant au prélèvement, le pourcentage de rebuts ?

Pour répondre à ces questions, on utilise des outils statistiques appropriés.

5.2.1 Interprétation d'un histogramme

L'analyse d'un histogramme constitue le premier et le plus simple outil d'analyse d'une distribution. Elle se prolonge par une analyse des paramètres statistiques de la distribution et, éventuellement, par des tests d'hypothèse.

<table>
<tr><th>Critères d'analyse</th><th>Points caractéristiques</th><th>Paramètres statistiques et indicateurs</th><th>Test</th></tr>
<tr><td rowspan="7">Allure générale</td><td rowspan="3">Forme en cloche ou autre forme typique</td><td rowspan="2">Fréquences cumulées théoriques et observées.</td><td>Henry (cf. p. 67)</td></tr>
<tr><td>Kolmogorov (cf. p. 71)</td></tr>
<tr><td>Effectifs théoriques et observés.</td><td>χ^2</td></tr>
<tr><td rowspan="2">Symétrie (cf. 4.1).</td><td>Écart entre mode, moyenne, médiane.</td><td>= 0 si distribution Normale.
= 0 si distribution Normale.</td></tr>
<tr><td>Coefficient d'asymétrie (Fisher = Pearson).</td><td>> 0 → dispersion limitée à gauche
< 0 → dispersion limitée à droite</td></tr>
<tr><td>Aplatissement (cf.4.1).</td><td>Coefficient d'aplatissement (Fisher = Pearson – 3).</td><td>Pearson = 3 si distribution Normale.
> 3 → distribution trop pointue.
< 3 → distribution trop aplatie.</td></tr>
<tr><td colspan="3">Note : Les logiciels de statistiques ou Excel fournissent les valeurs de ces deux coefficients qui permettent d'évaluer la Normalité de la distribution.</td></tr>
<tr><td>Qualité du réglage</td><td>Centrage par rapport à la valeur cible</td><td>Écart entre la moyenne observée et la valeur cible :
$moy_{obs} - moy_{théo}$</td><td>Test de comparaison d'une moyenne observée à une moyenne théorique
$t = \dfrac{moy_{obs} - moy_{théo}}{\dfrac{s}{\sqrt{n}}}$
Test de Student. ($n < 30$)
ou
Loi Normale ($n > 30$)
(cf. 5.4.3.1).</td></tr>
<tr><td>Adéquation entre la précision demandée et la précision du moyen de production ou du processus.</td><td>Dispersion par rapport à l'intervalle de tolérance imposé.</td><td>Indicateurs de capabilité intrinsèque :
Cp, Pp</td><td rowspan="2">Valeur seuil (cf. 6.1.4).</td></tr>
<tr><td>Capacité à satisfaire les spécifications demandées.</td><td>Centrage / cible ET, dispersion / IT.</td><td>Indicateurs de capabilité opérationnelle :
Cpk, Ppk</td></tr>
<tr><td>% prévisible de rebuts.</td><td>Localisation de la distribution par rapport aux limites de tolérance.</td><td>Proba ($Ti \leqslant X \leqslant Ts$).</td><td>Utilisation de la loi Normale réduite (cf. p. 66) ou traitement par logiciel de statistiques.</td></tr>
</table>

Exemple : – Première analyse de l'histogramme de la distribution des profondeurs de perçages sur Biesse Rover (cf. p. 44).

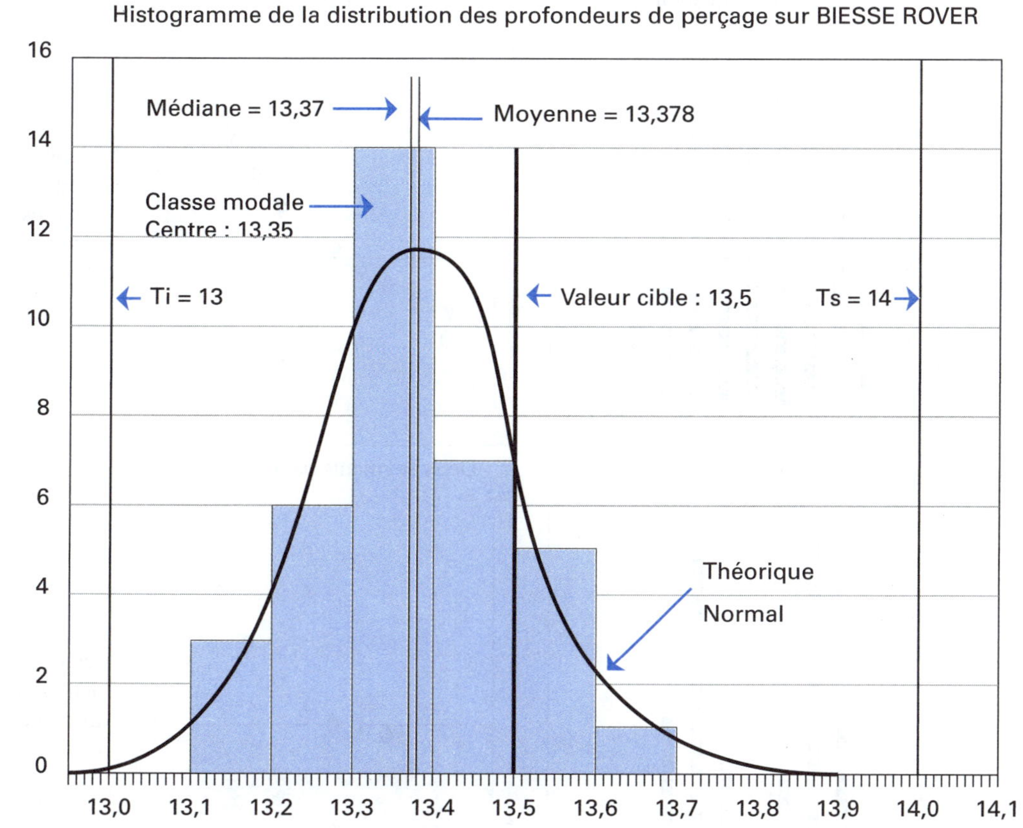

(Histogramme – STATISTICA – StatSoft France)

Analyse de l'histogramme	
Analyse visuelle : • Allure en cloche. • Unimodal. • A peu près symétrique. • Décalage de la distribution par rapport à la cible. • Dispersion compatible avec IT.	**Paramètres statistiques :** Moyenne : 13,378 Médiane : 13,37 Classe modale : 13,35 Écart type : 0,123 Coef. Aplatissement (Pearson) : 2,998 ≈ 3 Coef. Asymétrie : 0,264 ≈ 0

- Prélèvement en un seul échantillon en cours d'usinage
  → Évaluation de la dispersion à court terme : D i = 6 x 0,123 mm = 0,738 mm
- C*p* = 1 / 0,738 = 1,355 et C*pk* = Cpk_i = (13,378 – 13) / (0,738 / 2) = 1,024
  → capabilité opérationnelle un peu faible. Prévision du pourcentage de rebuts ≈ 0,1 % (cf. chap 6).

5.2.2 Identification des anomalies courantes

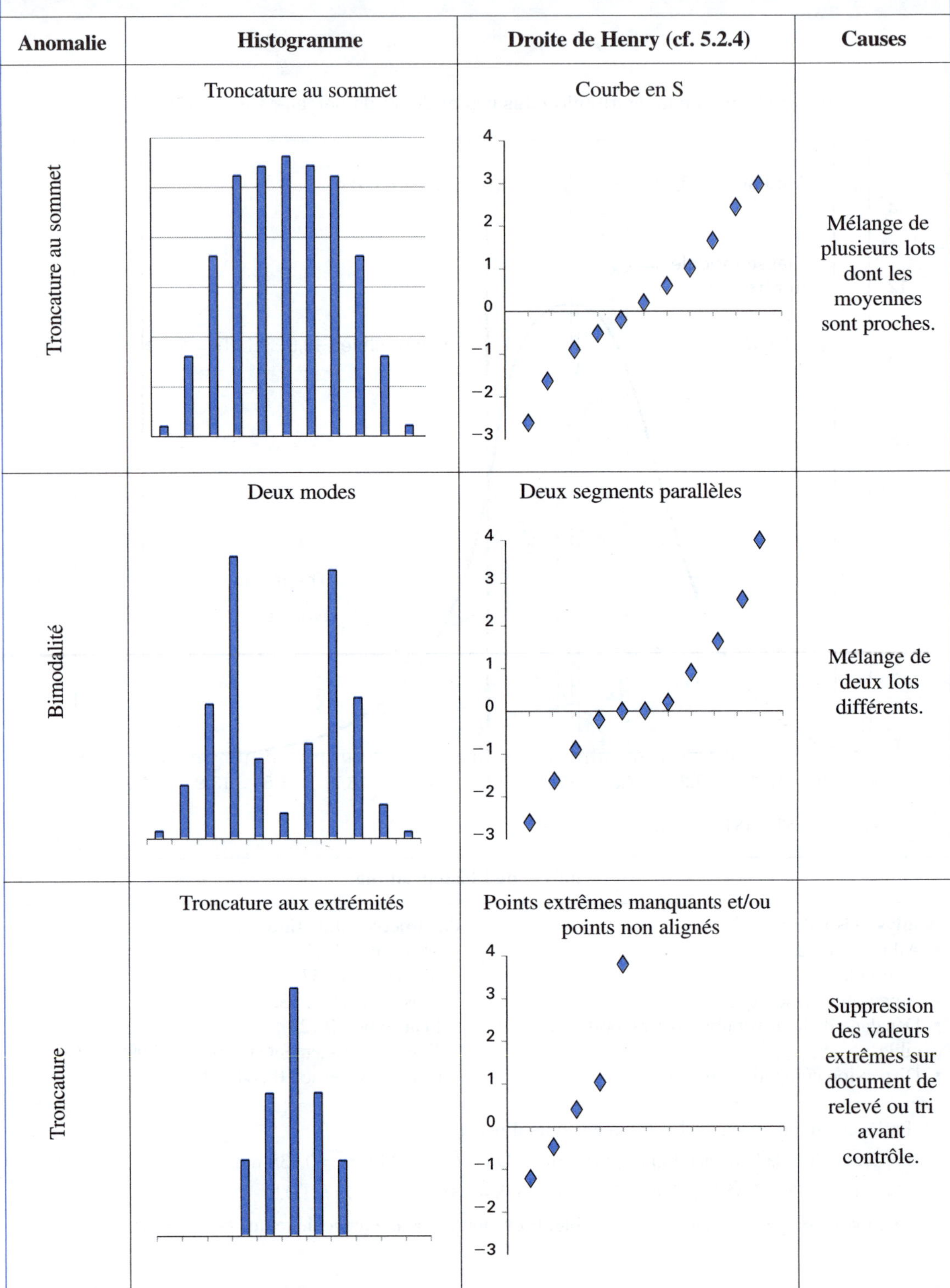

Anomalie	Histogramme	Droite de Henry (cf. 5.2.4)	Causes
Troncature au sommet	Troncature au sommet	Courbe en S	Mélange de plusieurs lots dont les moyennes sont proches.
Bimodalité	Deux modes	Deux segments parallèles	Mélange de deux lots différents.
Troncature	Troncature aux extrémités	Points extrêmes manquants et/ou points non alignés	Suppression des valeurs extrêmes sur document de relevé ou tri avant contrôle.

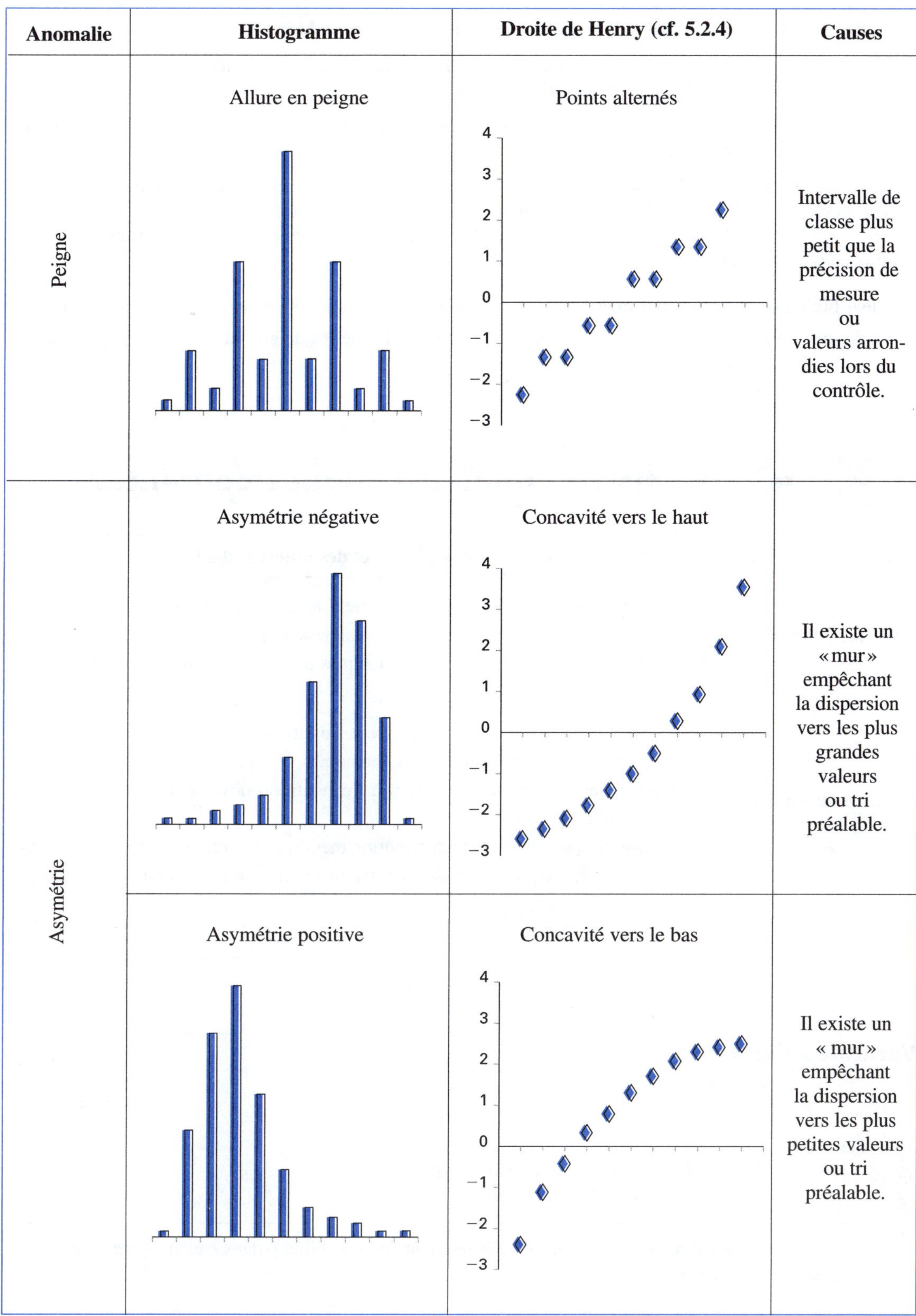

Anomalie	Histogramme	Droite de Henry (cf. 5.2.4)	Causes
Peigne	Allure en peigne	Points alternés	Intervalle de classe plus petit que la précision de mesure ou valeurs arrondies lors du contrôle.
Asymétrie	Asymétrie négative	Concavité vers le haut	Il existe un « mur » empêchant la dispersion vers les plus grandes valeurs ou tri préalable.
	Asymétrie positive	Concavité vers le bas	Il existe un « mur » empêchant la dispersion vers les plus petites valeurs ou tri préalable.

De telles distributions peuvent suivre d'autres lois que la loi Normale :

- Distributions exponentielle ou de Weibull : caractérisant la longueur des intervalles de temps entre deux réalisations d'un événement tel qu'une panne.
- Distribution Bêta : bornée des deux cotés, elle s'applique aux processus ayant des limites naturelles inférieures et supérieures.
- Distribution Log-Normale : asymétrie positive. Elle s'applique aux grandeurs résultant de la multiplication d'un grand nombre d'effets indépendants. Si une variable x suit une loi Log-Normale, Log x suit une loi Normale. (Pour estimation de capabilité, *cf.* M. Pillet- Appliquer la maîtrise statistique des procédés – *Ed. d'Organisation*).
- Distribution de Rayleigh : asymétrie positive. Si deux variables indépendantes u et v sont Normales et de même variance, la variable $x = \sqrt{u^2 + v^2}$ suit une loi de Rayleigh. (cf. P. Souvay – La statistique, outil de la qualité – *Afnor Gestion*).

5.2.3 Quelques distributions théoriques courantes

L'analyse des données comporte deux phases et des objectifs distincts	
Analyse descriptive	• Mettre en forme les données sous formes de tableaux (cf. 2). • Représenter les données sous forme graphique (cf. 3). • Déterminer les paramètres caractéristiques de la distribution observée (Cf. 4.1 et 4.2).
Analyse inférentielle	• Vérifier si la distribution observée peut s'assimiler à une distribution théorique connue et, dans la plupart des cas, attendue. • Étendre les informations relatives à l'échantillon observé à l'ensemble de la population. • Utiliser les propriétés de la distribution théorique à laquelle s'assimile la distribution observée pour faire des prévisions relatives à l'ensemble de la population.

Variables discrètes

Binomiale	Fonction	$P_x = C_n^x \, p^x \, (1-p)^{n-x}$ avec : n = nombre d'essais p = probabilité de l'événement $q = 1 - p$ ***Note :*** *La valeur* P_x *est fournie par EXCEL (fonction «Loi Binomiale»).*
	Variable	x = nombre de réalisations d'un événement de probabilité p dans n essais successifs et indépendants.

Loi		
Binomiale (suite)	Allure typique	Diagramme en bâtons : • Forme en *i* si $p \leqslant 1/(n+1)$. • Forme en *j* si $p \geqslant n/(n+1)$. • Forme en cloche si : $1/(n+1) < p < n/(n+1)$. Distribution binomiale B (50, 0, 05) 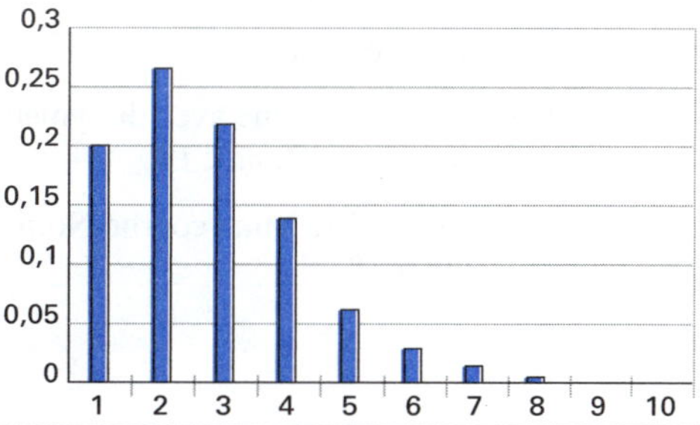
	Paramètres	Moyenne : $m = np$ Variance : $\sigma^2 = npq$ $n = m^2/(m - \sigma^2)$ $p = 1 - \sigma^2/m$ • Si $npq > 18$, la distribution s'assimile à une loi Normale : N $\left(np, \sqrt{npq}\right)$
	Domaine d'application	D'une manière générale : chaque fois que l'on est en présence d'une répétition d'épreuves ayant deux résultats possibles de probabilités constantes. ***Exemple :*** – Probabilité d'avoir un nombre x de pièces défectueuses dans un lot échantillon de *n* pièces, connaissant le pourcentage moyen de défauts. (Il est nécessaire que *n* soit petit devant l'effectif N du lot : $n/N < 0,10$).
	Exemple	**Contrôle de réception :** Dans un lot de 250 pièces on prélève un échantillon de 20 pièces. A partir de combien de pièces mauvaises dans l'échantillon doit-t-on conclure que le lot contient plus de 3 % de pièces défectueuses ? Risque d'erreur admis = 5% → Intervalle de confiance unilatéral = 95% • Le nombre de pièces défectueuses dans un échantillon de 20 pièces issu d'un lot contenant 3 % de pièces mauvaises suit une loi binomiale B (20, 0,03) (cf. annexe 3). • On calcule ou on lit dans une table de la loi B ($n = 20$) : $P(k \leqslant 0) = P(k = 0) = 0,5438$ $P(k \leqslant 1) = P(k = 0) + P(k = 1) = 0,8802$ → Seuil d'acceptation : A = 1 $P(k \leqslant 2) = P(k = 0) + P(k = 1) + P(k = 2) = 0,979 > 0,95$ → Dans un échantillon issu d'un lot ayant 3 % de pièces défectueuses, la probabilité d'obtenir plus de deux pièces mauvaises < 5% → **Seuil de rejet : R = 2.** *Cette valeur est fournie par EXCEL par la fonction « CRITERE.LOI.BINOMIALE ».*
Poisson	Fonction	$P(x) = \dfrac{e^{-m} m^x}{x!}$ avec : $m = np$ x = nombre de réalisations de l'événement. *la valeur P(x) est fournie par EXCEL par la fonction « LOI.POISSON ».*
	Variable	• Cas limite d'une distribution binomiale si $n \to \infty$ et $p \to 0$ (En pratique : si $n > 50$ et $np \leqslant 5$) : x = nombre de réalisations d'un événement de probabilité *p* dans n essais successifs et indépendants. • Processus de Poisson : x = nombre de réalisations, au cours d'un intervalle de temps T, d'un même événement de probabilité *p* par unité de temps (loi de Poisson de paramètre $m = p$T).

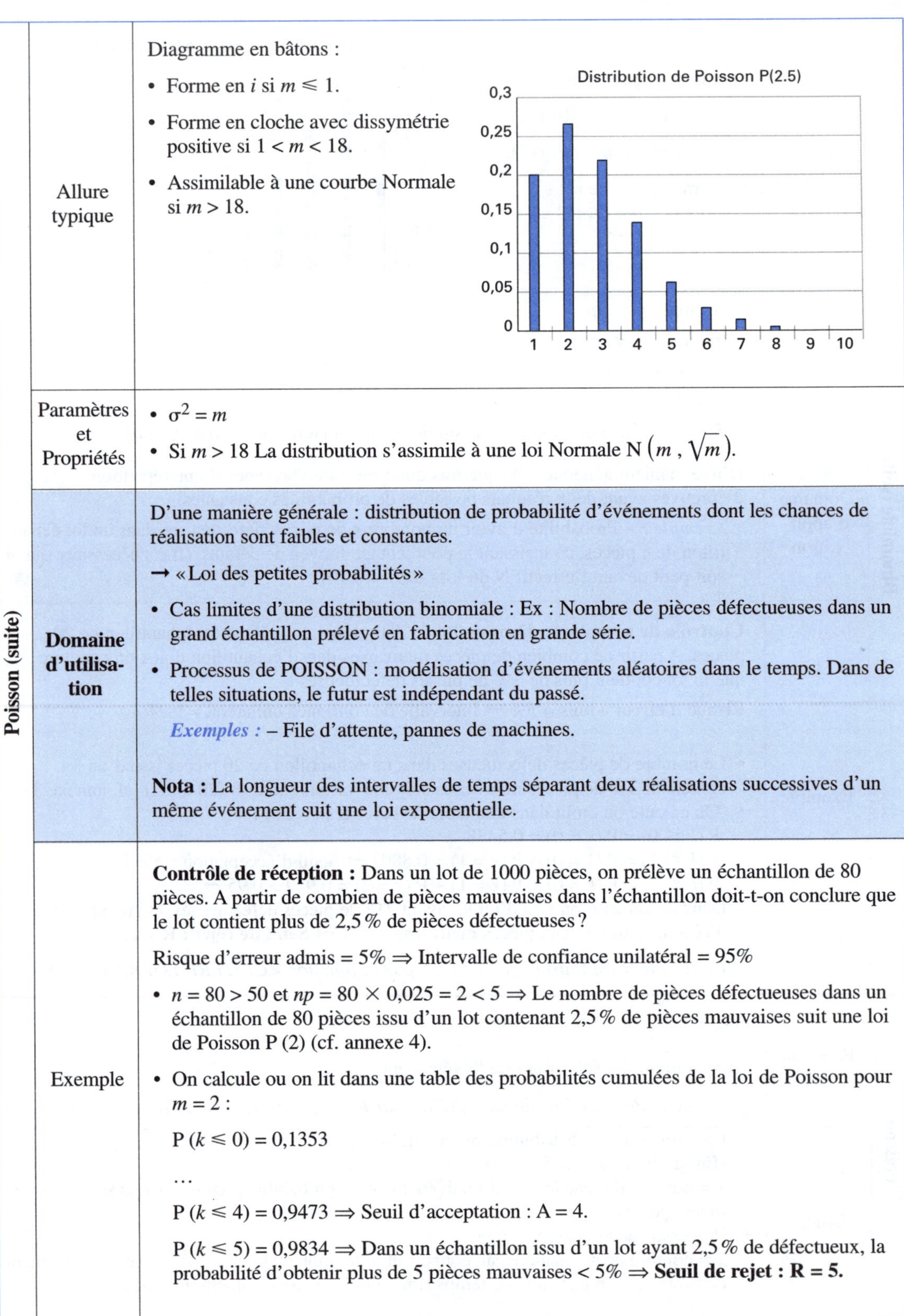

Poisson (suite)	Allure typique	Diagramme en bâtons : • Forme en *i* si $m \leqslant 1$. • Forme en cloche avec dissymétrie positive si $1 < m < 18$. • Assimilable à une courbe Normale si $m > 18$.
	Paramètres et Propriétés	• $\sigma^2 = m$ • Si $m > 18$ La distribution s'assimile à une loi Normale N $\left(m\ ,\ \sqrt{m}\right)$.
	Domaine d'utilisation	D'une manière générale : distribution de probabilité d'événements dont les chances de réalisation sont faibles et constantes. → « Loi des petites probabilités » • Cas limites d'une distribution binomiale : Ex : Nombre de pièces défectueuses dans un grand échantillon prélevé en fabrication en grande série. • Processus de POISSON : modélisation d'événements aléatoires dans le temps. Dans de telles situations, le futur est indépendant du passé. *Exemples :* – File d'attente, pannes de machines. **Nota :** La longueur des intervalles de temps séparant deux réalisations successives d'un même événement suit une loi exponentielle.
	Exemple	**Contrôle de réception :** Dans un lot de 1000 pièces, on prélève un échantillon de 80 pièces. A partir de combien de pièces mauvaises dans l'échantillon doit-t-on conclure que le lot contient plus de 2,5 % de pièces défectueuses ? Risque d'erreur admis = 5% ⇒ Intervalle de confiance unilatéral = 95% • $n = 80 > 50$ et $np = 80 \times 0{,}025 = 2 < 5$ ⇒ Le nombre de pièces défectueuses dans un échantillon de 80 pièces issu d'un lot contenant 2,5 % de pièces mauvaises suit une loi de Poisson P (2) (cf. annexe 4). • On calcule ou on lit dans une table des probabilités cumulées de la loi de Poisson pour $m = 2$: $P(k \leqslant 0) = 0{,}1353$ … $P(k \leqslant 4) = 0{,}9473$ ⇒ Seuil d'acceptation : A = 4. $P(k \leqslant 5) = 0{,}9834$ ⇒ Dans un échantillon issu d'un lot ayant 2,5 % de défectueux, la probabilité d'obtenir plus de 5 pièces mauvaises < 5% ⇒ **Seuil de rejet : R = 5.**

Variables continues

Loi Normale

<table>
<tr><td>Cas général d'application</td><td colspan="2">La loi Normale s'applique à tout phénomène dans lequel la fluctuation de la variable est due à un grand nombre de petites causes indépendantes dont les effets s'additionnent.</td></tr>
<tr><td>Fonction de densité de probabilité</td><td>$y = \frac{1}{\sigma\sqrt{2\pi}} e^{-\frac{(x-m)^2}{2\sigma^2}}$</td><td>Paramètres caractéristiques :
• m = moyenne.
• σ = écart type.</td></tr>
<tr><td>Allure typique</td><td>Fonction densité de probabilité : $f(x)$
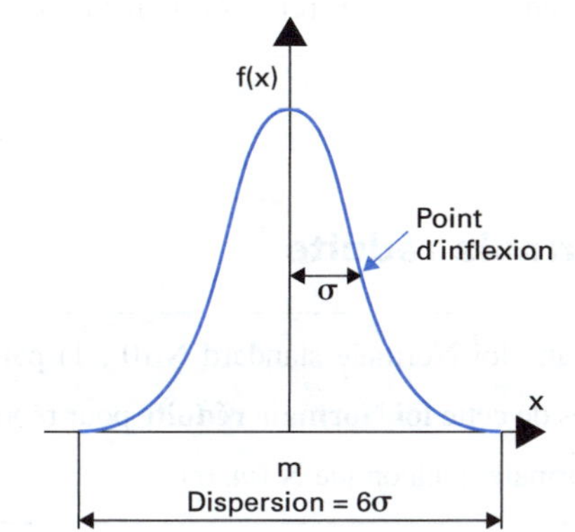
</td><td>Fonction de répartition : F(x)
(Courbe des fréquences cumulées)
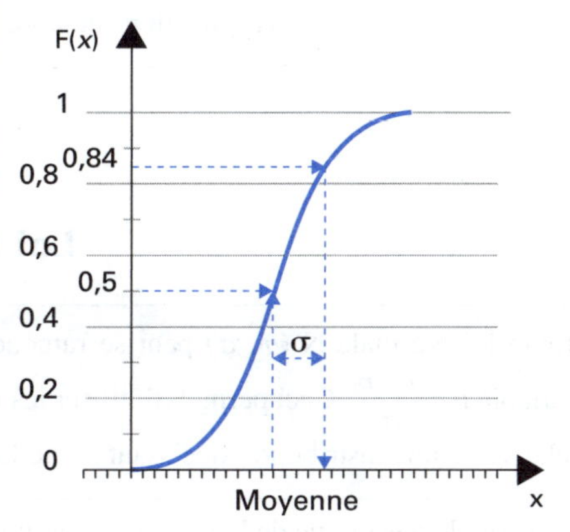
</td></tr>
<tr><td>Points particuliers de $f(x)$</td><td colspan="2">• maximum : $(m, 1/\sigma\sqrt{2\pi})$.
• points d'inflexion : $(m + \sigma, 1/\sigma\sqrt{2\pi e})$.</td></tr>
<tr><td>Relations entre paramètres</td><td>• Mode = médiane = moyenne.</td><td>• $(q_3 - q_1) / 2 = \frac{2\sigma}{3}$ (cf. p. 42).
• $w = d_n \sigma$ avec d_n fonction de la taille de l'échantillon (cf. p. 43).</td></tr>
<tr><td>Valeurs typiques</td><td>A retenir :
<table><tr><th>Intervalle centré sur m</th><th>probabilité</th></tr><tr><td>± s</td><td>68%</td></tr><tr><td>± 2 s</td><td>95,45%</td></tr><tr><td>± 3s</td><td>99,73%</td></tr></table></td><td>Autres fréquences typiques :
<table><tr><th>Intervalle centré sur m</th><th>probabilité</th></tr><tr><td>± 0,67s</td><td>50 %</td></tr><tr><td>± 1,96s</td><td>95%</td></tr><tr><td>±2,58s</td><td>99%</td></tr><tr><td>± 3,09s</td><td>99,8%</td></tr></table></td></tr>
<tr><td></td><td colspan="2">Dispersion = intervalle de 6 σ centré sur la moyenne = $\bar{x} \pm 3\sigma$</td></tr>
</table>

Théorèmes importants	• Si deux variables X et Y indépendantes suivent des lois Normales $N_x (m_x , \sigma_x)$ et $N_y (m_y , \sigma_y)$ alors : leur somme (X + Y) suit une loi Normale $N\left(m_x + m_y , \sqrt{\sigma_x^2 + \sigma_y^2}\right)$ leur différence (X – Y) suit une loi Normale $N\left(m_x - m_y , \sqrt{\sigma_x^2 + \sigma_y^2}\right)$ ⇒ Application en cotation statistique (cf. 6.3).
	• La moyenne des échantillons de n individus tirés d'une population ayant une distribution Normale N (m, σ) suit une loi Normale : $N\left(m, \frac{\sigma}{\sqrt{n}}\right)$. **Nota :** si la taille des échantillons est suffisante, la condition de Normalité de la population n'est pas nécessaire (Théorème central limit). ⇒ Applications en comparaison de moyennes (cf. 5.4) et en contrôle qualité (cf. 7.2.1).

Loi Normale réduite

Toute loi Normale N (m, σ) peut se ramener à une loi Normale standard N (0 , 1) par le changement de variable $u = \frac{x - m}{\sigma}$. Ceci permet d'utiliser les tables de cette **loi Normale réduite** pour répondre aux questions relatives à une distribution obéissant à une loi Normale quelconque N (m, σ).

La variable u est issue de la variable x par un centrage par rapport à la moyenne : $(x – m)$ et une réduction par l'écart type : /σ.

Fonction de densité de probabilité	$$y = \frac{1}{\sqrt{2\pi}} e^{-\frac{u^2}{2}}$$	Paramètres caractéristiques : • moyenne = 0 • écart type = 1
Allure typique	Fonction densité de probabilité : $f(u)$	Fonction de répartition : F (u)
Points particuliers de $f(u)$	• maximum : (0 ; 0,4). • Points d'inflexion : (±1 ; 0,24).	

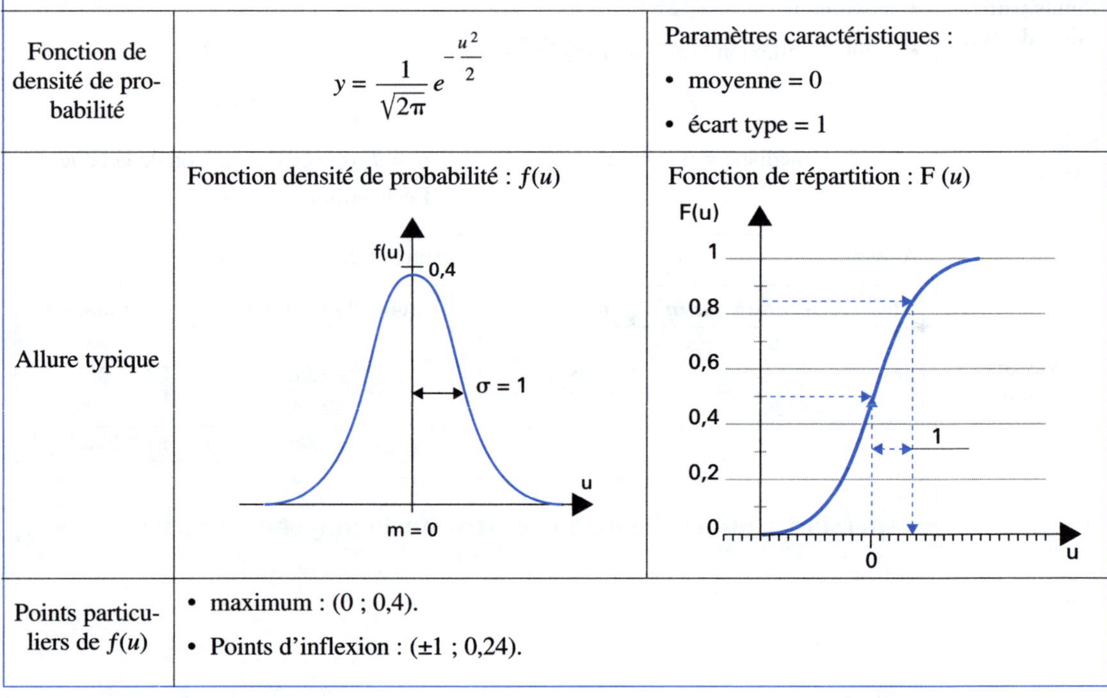

Applications	• **Détermination du pourcentage prévisible de pièces hors tolérances.** *Exemple :* – % de rebuts en corroyage. Cote à fabriquer : $80^{\pm 0,15} \Rightarrow$ Ti = 79,85 et Ts = 80,15. Données issues des premiers contrôles : – Moyenne des cotes fabriquées : $m = 80{,}05$; – Écart type des cotes fabriquées : $s = 0{,}06$; Hypothèse de Normalité de la distribution : acceptée. **Principe du calcul :** Proba (Ti $\leqslant$ X $\leqslant$ Ts) = Proba ($u_i \leqslant$ U $\leqslant u_s$) ; P (79,85 $\leqslant$ X $\leqslant$ 80,15) = P ($u_{79,85} \leqslant$ U $\leqslant u_{80,15}$) = Π ($u_{80,15}$) – Π ($u_{79,85}$) ; → On fait le changement de variable : $$u_s = u_{80,15} = \frac{Ts - m}{s} = \frac{80{,}15 - 80{,}05}{0{,}06} = 1{,}67$$ $$u_i = u_{79,85} = \frac{Ti - m}{s} = \frac{79{,}85 - 80{,}05}{0{,}06} = -3{,}33$$ → On lit dans une table de la loi Normale réduite pour α = 5% (cf. annexe 5.1) : Π ($u_{80,15}$) = Π (1,67) = 0,9525 ; Π ($u_{79,85}$) = Π (–3,33) = 1 – Π (3,33) = 1– 0,99957 = 0,00043. *Note : EXCEL fournit la valeur de P (u) par la fonction « LOI.NORMALE.STANDARD »* 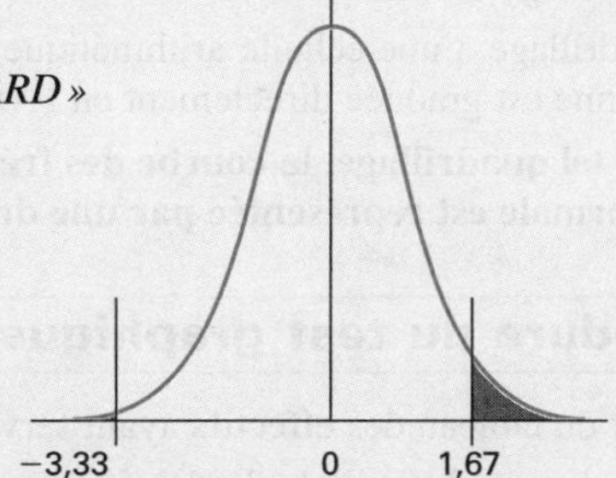 → On en tire le % prévisible de rebuts : % de rebuts = 1 – (0,9525 – 0,00043) = 0,0479 ≈ 4,8%. *Note :* Si les limites de tolérances Ts et Ti sont symétriques par rapport à la **moyenne obtenue**, le pourcentage de rebuts s'obtient directement par l'expression : % rebuts = 2 [1 – Π (Ts)].

5.2.4 Tests de Normalité (NF X 06050)

Si l'allure générale de l'histogramme ne permet pas d'accepter ou de refuser nettement l'hypothèse de Normalité de la distribution, il est nécessaire de faire un test de Normalité.

Test graphique de la droite de Henry

Principe :

D'une manière générale, les droites de Henry sont des tracés de la fonction des fréquences cumulées sur un graphique transformant la tracé en « S » de la fonction de répartition d'une distribution Normale en un tracé rectiligne. Le «test» consiste alors à apprécier la qualité de l'ajustement à une loi Normale par la qualité de l'alignement obtenu.

Cette anamorphose peut être obtenue de deux façons :

– Sur un quadrillage arithmétique : en utilisant en ordonnées les valeurs de la variable Normale réduite u correspondantes aux valeurs de la fonction des fréquences cumulées $F(x)$.
– Sur un quadrillage gausso-arithmétique : en adoptant une échelle gaussienne sur l'axe des ordonnées pour les valeurs de la fonction des fréquences cumulées $F(x)$.

- Si la distribution, de moyenne m et d'écart type σ, est Normale, les fréquences cumulées $F_{obs}(x_i)$ observées sont égales aux valeurs correspondantes de la fonction de répartition de la loi Normale théorique $N(m, \sigma)$ (cf. 5.2.3).
  $F_{obs}(x_i) = F_{théo}(x_i) = \Pi\left(\frac{x_i - m}{\sigma}\right) = \Pi(u_i)$
- A chaque valeur lsx_i, limite supérieure des classe, on associe la valeur u_i attendue, lue dans une table de la loi Normale réduite, pour laquelle $\Pi(u_i) = F_{obs}(lsx_i)$. Si la distribution est Normale les points obtenus s'alignent sur la droite d'équation :
  $u_i = \frac{1}{\sigma} lsx_i - \frac{m}{\sigma}$ de la forme $y = ax + b$.
- On acceptera l'hypothèse de Normalité de la distribution si l'alignement des points est satisfaisant.
- Si l'ajustement est incertain, on peut utiliser le test de χ^2 ou le test de Kolmogorov.

Graphique des fréquences cumulées sur un quadrillage gausso-arithmétique

(feuille vierge en annexe 14).

Ce quadrillage a une échelle arithmétique en abscisse et une échelle gaussienne en ordonnée. L'échelle gaussienne est graduée directement en $F(x_i) = \Pi(u_i)$, fonction de répartition de la loi Normale.

Sur un tel quadrillage, la courbe des fréquences cumulées (fonction de répartition) d'une distribution Normale est représentée par une droite.

Procédure du test graphique de la droite de Henry

A partir du tableau des effectifs ayant servi à tracer l'histogramme de la distribution :

- Pour chaque classe, calculer les fréquences et des fréquences cumulées $F_{obs}(lsxi)$.
- Porter sur un quadrillage gausso-arithmétique les points ($lsxi$, $F_{obs}(lsxi)$).
  – Les *lsxi* correspondent aux limites supérieures de classe.
  – Pour plus de précision, exploiter au maximum la plage disponible sur l'axe des x.
- Évaluer la qualité de l'ajustement des points autour d'une droite :
  Si, en éliminant éventuellement le premier et le dernier point, les points sont approximativement alignés, on acceptera l'hypothèse de Normalité de la distribution.
- Si l'ajustement est satisfaisant, tracer la droite. On peut alors estimer sur le graphique certains paramètres statistiques de la distribution :
  ➜ Médiane = valeur $X_{0,5}$ correspondant à $F(x) = 0,50$
  $\Rightarrow$ Si la distribution est symétrique : moyenne = médiane $\Rightarrow m \approx X_{0,5}$
  ➜ L'écart type par les valeurs $X_{0,84}$ et $X_{0,16}$ correspondant aux valeurs $F(x) = 0,84$ et $F(x) = 0,16$.
  Rappel : 68 % des valeurs appartiennent à l'intervalle $[m - \sigma, m + \sigma]$ (cf. p. 65).
  $\Rightarrow s \approx (X_{0,84} - X_{0,16}) / 2$.
  ➜ Les pourcentages de rebuts :
  % rebuts < Ti = $F_{(Ti)}$
  % rebuts > Ts = $1 - F_{(Ts)}$

Attention : Ces estimations sont très peu précises car elles dépendent de la qualité de l'ajustement linéaire. Si l'on doit utiliser ces paramètres ultérieurement, il faut les estimer par le calcul selon les formules données en 4.3.1.

Exemple : – Vérification de la Normalité de la distribution des profondeurs de perçage sur BIESSE ROVER (cf. Histogramme en 5.2.1).

Graphique sur quadrillage standard.

Note : EXCEL permet de tracer rapidement une droite de Henry à partir des limites supérieures de classe et des valeurs de t_i correspondant aux fréquences cumulées observées.

Calculs pour le tracé de la droite de Henry (Sur EXCEL)

Données de distribution						
Classes	]13,1;13,2]	]13,2;13,3]	]13,3;13,4]	]13,4;13,5]	]13,5;13,6]	]13,6;13,7]
Centre de classe : x_i	13,15	13,25	13,35	13,45	13,55	13,65
limite supérieure : lsx_i	13,2	13,3	13,4	13,5	13,6	13,7
Effectif : n_i	3	6	14	7	5	1
Fréquences : f_i	0,083	0,167	0,389	0,194	0,139	0,028
Fréquences cumulées observées $F_{obs}(lsx_i)$	0,083	0,250	0,639	0,833	0,972	1
Estimation de la moyenne et de l'écart type						
$n_i x_i$	39,45	79,5	186,9	94,15	67,75	13,65
$n_i (x_i - \bar{x})^2$	0,148	0,090	0,007	0,042	0,158	0,077
moyenne : m =	13,372					
écart type : s =	0,122					
Éléments de calcul pour le test de Henry						
u_i correspondant aux $F_{obs}(lsx_i)$:	–1,38	–0,67	0,36	0,97	1,91	∞

Note : *La valeur des u_i correspondant aux F_{obs} (lsx_i) est obtenue sur EXCEL par la fonction « LOI. NORMALE.STANDARD.INVERSE».*

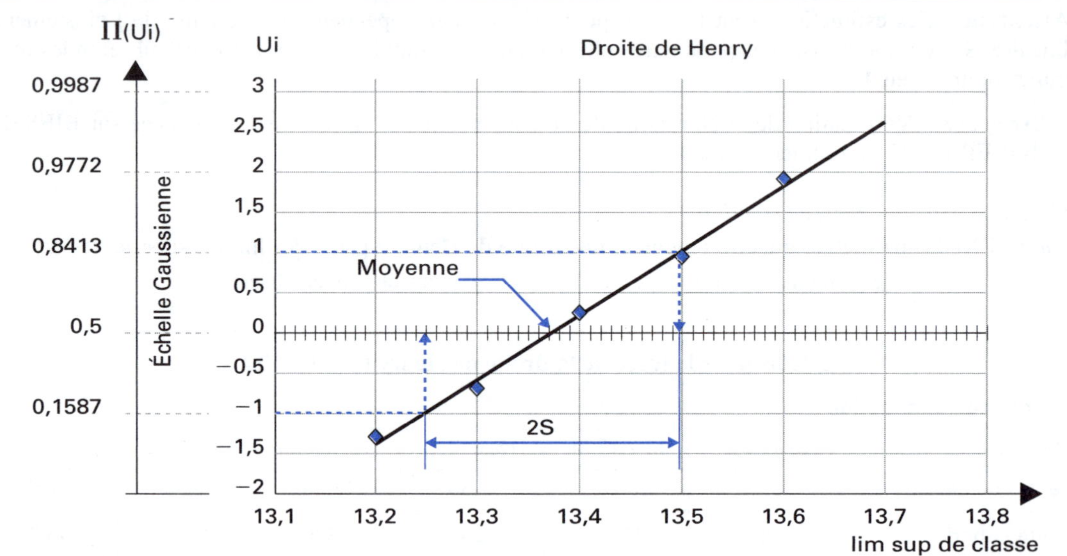

Sur ce graphique, la moyenne s'estime par l'abscisse du point d'intersection de la droite avec l'axe des *x*, et l'écart type par la moitié de l'écart entre les abscisses des points de la droite correspondant à $u_i = 1$ et $u_i = -1$.

Diagrammes Quantile - Quantile

Les logiciels spécialisés fournissent ces droites de Henry sous le nom de « Tracé Quantile - Quantile » à partir de l'ensemble des valeurs de l'échantillon. Les valeurs de *u* étant les « quantiles » (cf. annexe 1 : vocabulaire) de la distribution Normale réduite correspondant aux différentes valeurs des fréquences cumulées de la distribution étudiée.

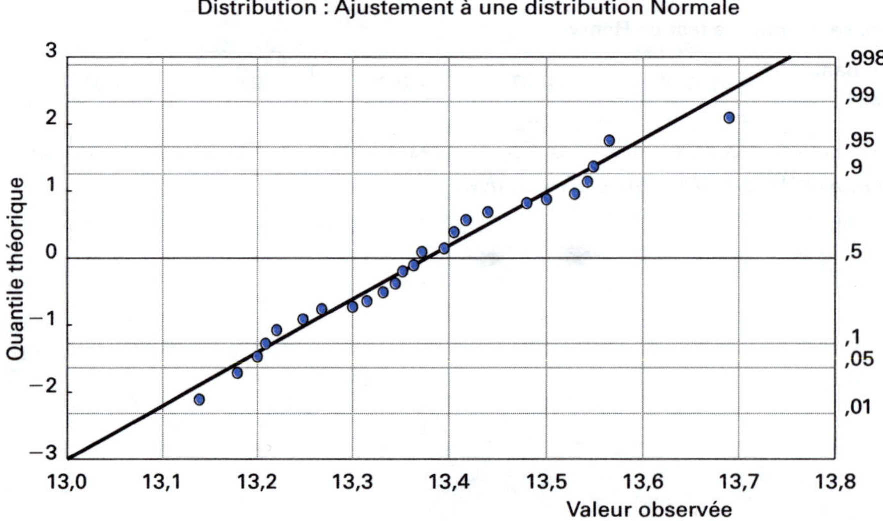

Un autre type de diagramme proposé est le « Tracé Probabilité - Probabilité » dans lequel la fonction de répartition observée est tracée en relation avec la fonction de répartition théorique.

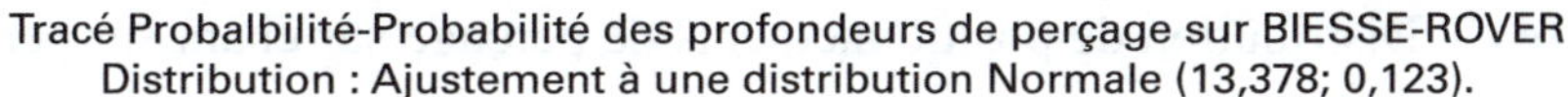

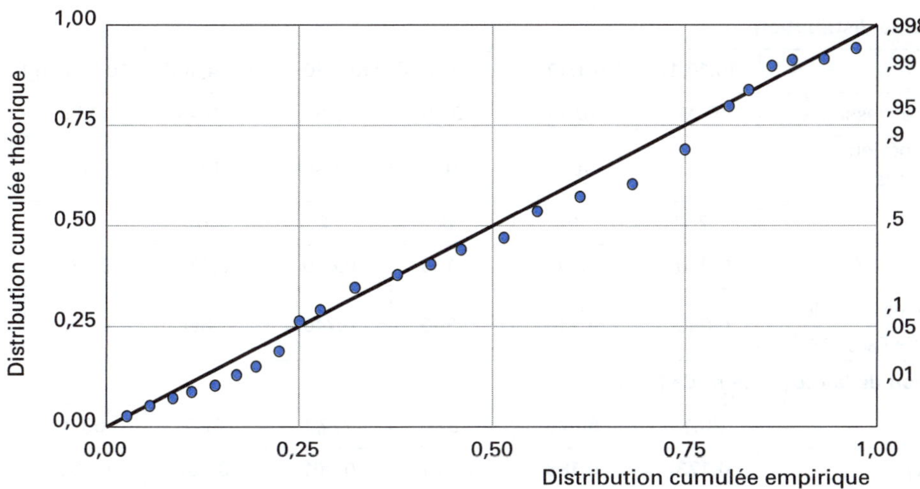

Dans ces deux types de graphiques, la qualité de l'ajustement à une loi Normale s'évalue par la qualité de l'alignement des points.

Dans l'exemple donné, ces alignements peuvent être considérés comme juste acceptables.

Test de Kolmogorov

Dans le cas où l'ajustement ne paraît pas satisfaisant, notamment dans la zone centrale du graphique, on peut faire le test de Kolmogorov.

Principe

- Ce test est fondé sur la comparaison entre les fréquences cumulées observées $F_{obs}(x_i)$ dans l'échantillon et les fréquences cumulées théoriques $F_{théo}(x_i)$ correspondant à une distribution Normale N. (m, s). $F_{théo}(x_i) = \Pi(u_i)$ avec $u_i = (x_i - m) / s$.
- On détermine l'écart maximum entre ces deux fréquences : max. $|F_{obs}(x_i) - F_{théo}(x_i)|$ et on le compare à une valeur seuil.

  Valeur seuil (α = 5% et n $\geq$ 5) pour une distribution Normale définie par une moyenne et un écart type estimés = $0{,}886 / \sqrt{n + 1{,}5}$.

  (cf. Dagnélie – Théorie et méthodes statistique – vol 2 – *Ed. J. Duculot*).
- Si cet écart maximum est supérieur à la valeur seuil, on rejette l'hypothèse de Normalité.
- Pour tracer les limites du test de Kolmogorov sur le tracé de la droite de Henry, il suffit de porter l'écart maximum admissible **de part et d'autre de la droite de Henry théorique correspondant à une distribution Normale N (*m* , *s*)**. *m* et *s* étant les estimations de m_0 et σ calculées à partir des valeurs de l'échantillon.

Rappel : la droite de Henry théorique correspondant à la distribution N (*m* ,*s*) passe par des points caractéristiques :

- Sur papier millimétré : (*m* , 0) , (*m–s*, –1), (*m+s* , 1), (*m–*2*s* , –2), etc.
- Sur papier gausso-arithmétique : (*m* , 50%), (*m–s* , 16%), (*m+s* , 84%), (*m*–1,96*s*, 2,5 %), (*m*+1,96*s* , 97,5%), etc.

Exemple : – Distribution de positionnements de perçage sur chant sur perceuse DUBUS.

Données de distribution

Classes	]10;10,1]	]10,1;10,2]	]10,2;10,3]	]10,3;10,4]	]10,4;10,5]	]10,5;10,6]	]10,6;10,7]
Centre de classe : x_i	10,05	10,15	10,25	10,35	10,45	10,55	10,65
limite supérieure de classe : lsx_i	10,1	10,2	10,3	10,4	10,5	10,6	10,7
Effectif : n_i	2	5	8	22	6	6	1
Fréquences : f_i	0,040	0,100	0,160	0,440	0,120	0,120	0,020
Fréquences cumulées observées $F_{obs}(lsx_i)$	0,040	0,140	0,300	0,740	0,860	0,980	1,000
Estimation de la moyenne et de l'écart type							
$n_i x_i$	20,1	50,75	82	227,7	62,7	63,3	10,65
$n_i (x_i - \bar{x})^2$	0,173	0,188	0,071	0,001	0,067	0,255	0,094
moyenne : $m =$	10,344						
écart type : $s =$	0,132						
Éléments de calcul pour le test de Henry							
u_i correspondant aux $F_{obs}(lsx_i)$:	–1,75	–1,08	–0,52	0,64	1,08	2,05	∞
Droite de henry correspondant à la distribution théorique N (*m, s*).							
$a = 1 / s =$	7,60						
$b = - m / s$	–78,62						
Éléments de calcul pour le test de Kolmogorov.							
$u_i = (lsx_i - \bar{x}) / s$	–1,85	–1,09	–0,33	0,43	1,19	1,95	2,71
Fréquence cumulée théorique $F_{théo}(u_i)$:	0,032	0,137	0,369	0,665	0,882	0,974	0,997
$\lvert F_{obs}(lsx_i) - F_{théo}(u_i) \rvert$	0,008	0,003	0,069	0,075	0,022	0,006	0,003
Seuil du test Kolmogorov	**0,123**						

Note : *Les $F_{théo}(u_i)$ sont obtenues sur EXCEL par la fonction « Loi Normale Standard ».*

Pour le tracé des limites sur graphique de Henry :

• Sur papier Gausso-Arithmétique : limites des $F_{obs} = F_{théo} \pm$ valeur seuil du test Kolmogorov.

Limite sup des $F_{obs}(lsx_i)$	0,155	0,260	0,492	0,788	1	1	1
Limite inf des $F_{obs}(lsx_i)$	0	0,013	0,246	0,541	0,759	0,851	0,873

• Sur papier standard : limites des $u_i = u_i$ correspondants aux limites des $F_{obs}(lsx_i)$.

Limite sup. des u_i	–1,01	–0,64	–0,02	0,80	≈∞	≈∞	≈∞
Limite inf. des u_i	≈∞	–2,21	–0,69	0,10	0,70	1,04	1,14

Note : *Les valeurs limites de u_i sont obtenues sur EXCEL par la fonction « Loi Normale Standard Inverse».*

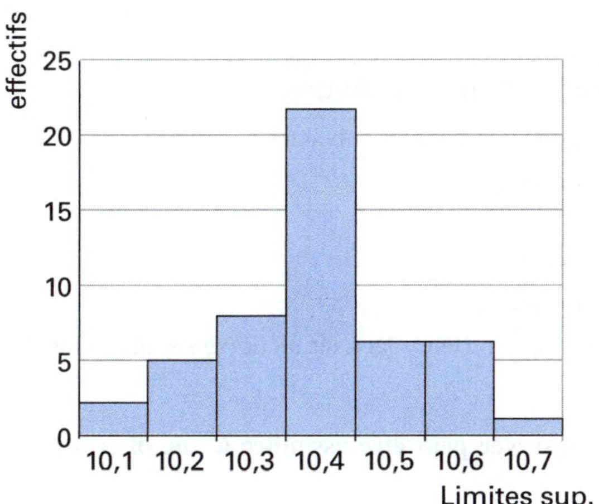

L'histogramme n'ayant pas une allure typiquement Normale, le test graphique de Henry est conseillé. L'alignement des points n'est pas très satisfaisant. Le test de Kolmogorov montre que l'écart entre les fréquences observées et les fréquences théoriques correspondant à une loi Normale N (10,344 ; 0,132) est toujours inférieur à la valeur seuil.

On acceptera donc l'hypothèse de Normalité de la distribution et on considérera qu'elle suit une loi Normale N (10,344 ; 0,132).

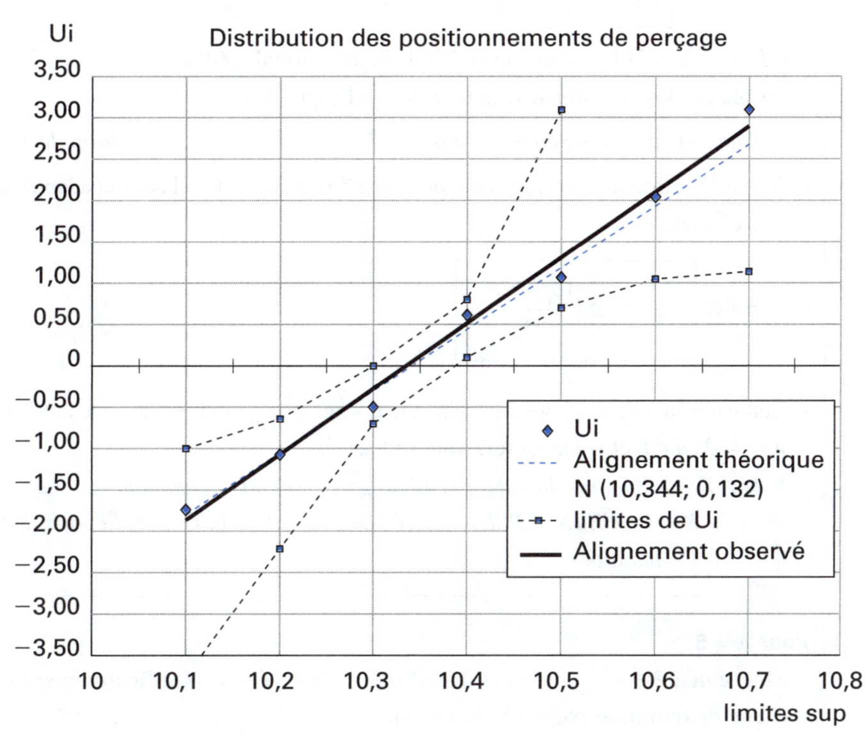

Test du χ^2 (cas d'une vérification de l'ajustement à une loi Normale)

Ce test est un des plus fréquemment utilisés pour vérifier l'ajustement d'une distribution observée à une distribution théorique connue *a priori*.

Objectif : Tester la Normalité d'une distribution

Procédure

- A partir d'une distribution observée , on a les données suivantes :
  - Une distribution en k classes d'effectifs o_i ;
  - Un effectif total $N = \sum o_i$;
  - Les limites supérieures de classes lsx_i ;
  - Un risque α donné (En général : $\alpha = 5\%$) ;
  - Un histogramme et un test par la droite de Henry laissant un doute sur la Normalité de la distribution.

On veut savoir si la distribution observée peut être assimilée à une distribution Normale N. (*m, s*).

- Calculer la moyenne *m* et l'écart type s de la distribution.
- Calculer les effectifs théoriques t_i de chaque classe :
  - Pour chaque limite supérieure de classe lsx_i :
  - Calculer $$u_i = \frac{lsx_i - m}{s}$$
  - Déterminer $\Pi(u_i)$ dans une table de la loi Normale réduite (cf. annexe 5.1).
  - Calculer les effectifs théoriques $t_i = N\left(\Pi(u_i) - \Pi(u_{i-1})\right)$.

  Note : *$\Pi(u_i)$ est disponible sous EXCEL par la fonction « Loi Normale Standard ».*
- Si tous les effectifs théoriques ne sont pas ≥ 5 regrouper des classes et adapter le nombre *k* de classes.
- Calculer $$\chi^2 = \sum_{i=1}^{i=k} \frac{(o_i - t_i)^2}{t_i}$$
- Comparer la valeur χ^2 obtenue à la valeur seuil $\chi^2_{1-\alpha}(\nu)$ lue dans une table du χ^2 pour $\nu = (k-3)$ ***d.d.l.*** et $\boldsymbol{\alpha}$ choisi (cf. Annexe 8.2).

  Note : *EXCEL fournit la valeur seuil de $\chi^2_{1-\alpha}(\nu)$ par la fonction « KHIDEUX.INVERSE » en spécifiant la valeur 0,05 dans la boîte de dialogue « Probabilité ».*

Règle de décision

Pour $\alpha = 5\%$

- **Si χ^2 calculé $\geq \chi^2_{0,95}(\nu)$: la distribution observée est significativement différente d'une distribution Normale N. (m, s).**
- **Si χ^2 calculé $< \chi^2_{0,95}(\nu)$: la distribution observée n'est pas significativement différente d'une distribution Normale N. (*m, s*).**

Exemple : – Distribution d'hygrométrie dans des plots de hêtre de 27 mm

(voir données de distribution dans tableau page 76)

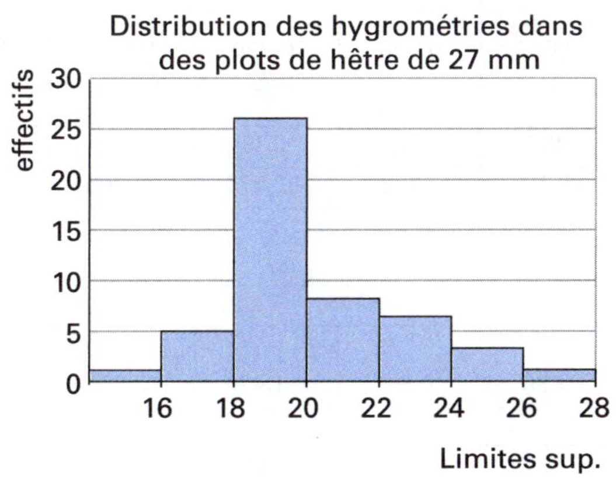

On observe une asymétrie positive caractéristique d'un phénomène borné à gauche :

En phase de séchage, H % tend vers le point d'équilibre hygroscopique correspondant aux conditions de température et d'humidité relative du stockage de ces plots

L'histogramme montre que tous les plots n'ont pas atteint cet équilibre et qu'ils ne sont pas encore stabilisés. Quand cet équilibre sera atteint, le H % fluctuera très peu autour de cette valeur.

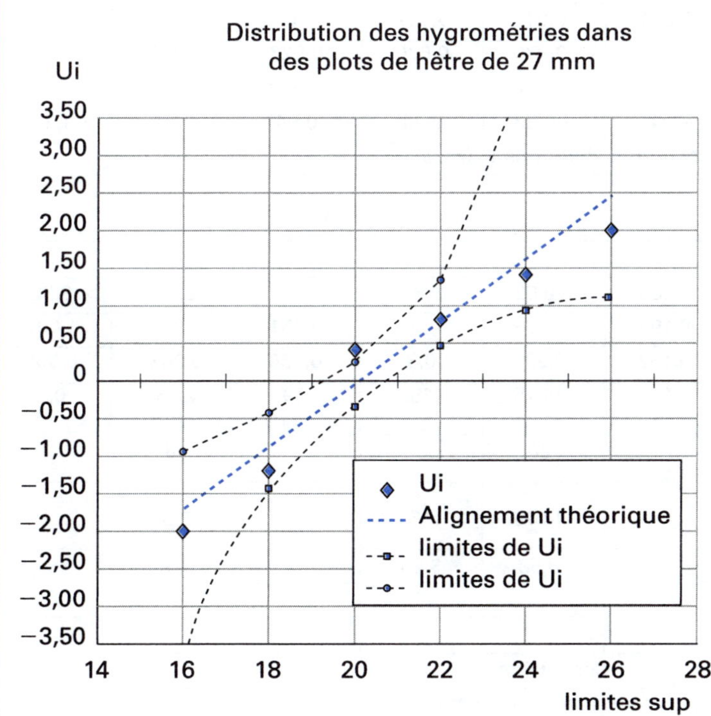

On observe que le point correspondant à H ⩽ 20% est hors limites.

⇒ On rejette l'hypothèse de Normalité.

Tests de Normalité

Données de distribution							
Classes	]14;16]	]16;18]	]18;20]	]20;22]	]22;24]	]24;26]	]26;28]
Centre de classe : x_i	15	17	19	21	23	25	27
Limite supérieure de classe : lsx_i	16	18	20	22	24	26	28
Effectif : n_i	1	5	26	8	6	3	1
Fréquences : f_i	0,020	0,100	0,520	0,160	0,120	0,060	0,020
Fréquences cumulées observées $F_{obs}(lsx_i)$	0,020	0,120	0,640	0,800	0,920	0,980	1,000
Estimation des moyennes et écart type							
$n_i x_i$	15	85	494	168	138	75	27
$n_i (x_i - \bar{x})^2$	25,402	46,208	28,122	7,373	52,570	73,805	48,442
Moyenne : m =	20,040						
Écart type : s =	2,399						
Éléments de calcul pour le test de Henry							
u_i correspondant aux $F_{obs}(lsx_i)$:	–2,05	–1,17	0,36	0,84	1,41	2,05	
Éléments de calcul pour le test Kolmogorov							
$u_i = (lsx_i - \bar{x}) / s$	– 1,68	– 0,85	– 0,02	0,82	1,65	2,48	3,32
Fréquence cumulée théorique $F_{théo}(u_i)$	0,046	0,198	0,493	0,793	0,951	0,994	1,000
$\lvert F_{obs}(lsx_i) - F_{théo}(u_i) \rvert$	0,026	0,078	0,147	0,007	0,031	0,014	0,000
Seuil du test Kolmogorov 0,123							
Limite sup. des $F_{obs}(lsx_i)$	0,170	0,321	0,617	0,917	1	1	1
Limite inf. des $F_{obs}(lsx_i)$	0,000	0,074	0,370	0,670	0,827	0,870	0,876
Limite sup. des u_i	–0,96	–0,46	0,30	1,38	$\simeq +\infty$	$\simeq +\infty$	$\simeq +\infty$
Limite inf. des u_i	$\approx -\infty$	–1,45	–0,33	0,44	0,94	1,13	1,16
Droite de henry correspondant à la distribution théorique N (*m, s*)							
$a = 1 / s$ =	0,42						
$b = - m / s$	–8,35						
Éléments de calcul pour test de Ch^{i2}							
$u_i = (lsx_i - \bar{x}) / s$	–1,68	–0,85	–0,02	0,82	1,65	2,48	3,32
$\Pi(u_i)$	0,046	0,198	0,493	0,793	0,951	0,994	1,000
$\Pi(u_i) - \Pi(u_{i-1})$	0,046	0,152	0,295	0,3	0,158	0,043	0,006
Effectifs théoriques : t_i	2,3	7,6	14,75	15	7,9	2,15	0,3
Regroupement des effectifs observés	6		26	8		10	
Regroupement des effectifs théoriques	9,9		14,75	15		10,35	
(obs-théo)^2 / théo	1,53		8,58	3,26		0,01	
Chi^2 observé	13,38						
Seuil chi^2 (0,05, ddl = 1)	**3,84**						
Conclusions							
Test de Kolmogorov	anormalité de la distribution						
Chi^2 (5 %, ddl = 4–3)	anormalité de la distribution						
Bilan : anormalité de la distribution							

5.3. Analyse d'une distribution à deux caractères

Pour mettre en évidence une relation linéaire entre deux variables quantitatives, on utilise deux « outils »statistiques proches.

- **« L'outil » Corrélation si ces deux variables ont une distribution aléatoire**.

  La corrélation mesure l'interdépendance entre ces variables.
- **« L'outil » Régression si l'une de ces variables a une distribution contrôlée** et joue le rôle de variable explicative.

  La régression linéaire permet de définir un modèle expliquant une variable par une autre.
- Dans les deux cas, on utilise l'outil graphique « diagramme de corrélation ». Ce diagramme s'obtient sous Excel par l'option « nuage de points » dans le menu « graphique ».
- Dans les deux cas les individus sur lesquels sont relevées les données doivent être indépendants. Ainsi les couples (x_i, y_i) sont indépendants 2 à 2. Tel n'est pas le cas si l'on relève des observations successives sur les mêmes individus (ex : durcissement d'un vernis, jaunissement d'une teinte au cours du temps).

5.3.1 La corrélation

Coefficient de corrélation : $r = \dfrac{\text{cov}\,(xy)}{\sigma_x\,\sigma_y}$ (cf. 4.2.2).

Note : *Le coefficient de corrélation est donné dans Excel par la fonction « COEFFICIENT. CORRELATION».*

Tracé d'un diagramme de corrélation	• Relever n couples (x_i, y_i) de mesures sur n individus. • Porter les couples (x_i, y_i) sur un graphique. – Choisir les échelles de telle sorte que le graphique soit inscriptible dans un carré ; – Si une variable est supposée explicative, la porter de préférence en x.

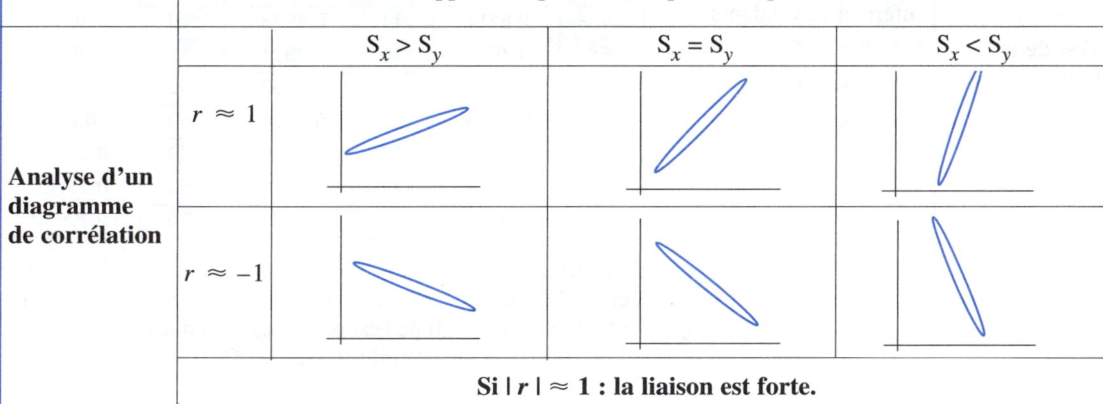

Analyse d'un diagramme de corrélation

	$S_x > S_y$	$S_x = S_y$	$S_x < S_y$
$0<r<1$		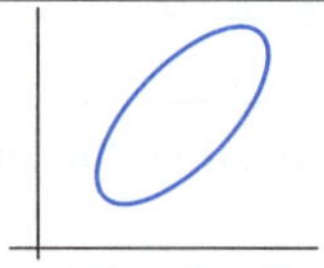	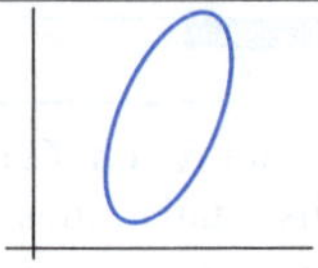

Si r > 0 : la liaison est positive.

	$S_x > S_y$	$S_x = S_y$	$S_x < S_y$
$-1<r<0$	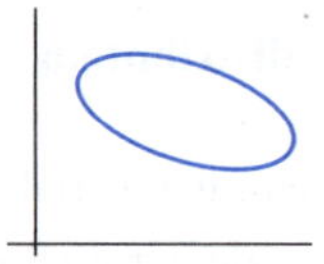	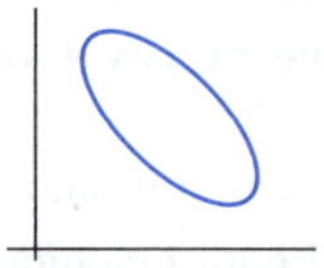	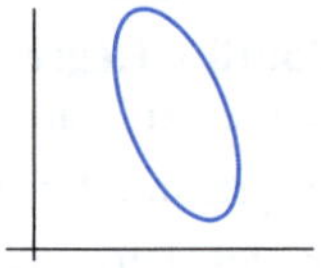

Si r <0 : la liaison est négative.

Dans les deux cas ci-dessus : r est lié à l'allongement du nuage de points :

Allongement du nuage	r	
Longueur = 1,5 largeur	$\|r\| \approx 0{,}4$	Si le diagramme est inscrit dans un carré
Longueur = 2 largeur	$\|r\| \approx 0{,}6$	
Longueur = 3 largeur	$\|r\| \approx 0{,}8$	

(cf. P. Dagnélie – Statistique théorique et appliquée – *De Boeck Université* – 1998).

	$S_x > S_y$	$S_x = S_y$	$S_x < S_y$
$r=0$	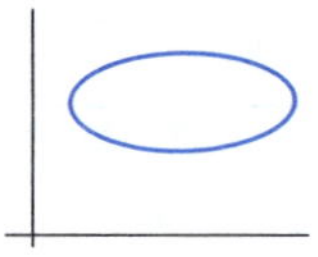	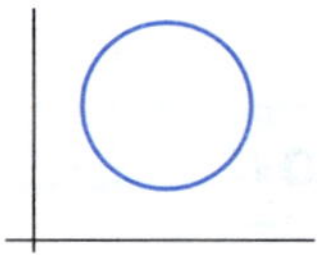	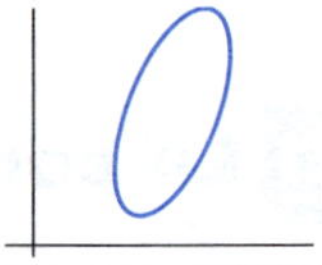

Si r <0 : la liaison est négative.

Test de la liaison

Avant de conclure sur l'intensité de la liaison, il faut vérifier que cette liaison est significative. Un fort coefficient de corrélation n'est pas obligatoirement le signe d'une liaison significative si le nombre n de couples (x_i , y_i) est petit.

En pratique, pour un risque d'erreur de 5 %, on ne pourra pas conclure à l'existence d'une liaison si $|r|$ est inférieur aux valeurs ci-contre avec :

$\nu = n - 2$ d.d.l

n	|r| seuil	n	|r| seuil	n	|r| seuil
1	0,9969	11	0,5529	25	0,3809
2	0,95	12	0,5324	30	0,3494
3	0,8783	13	0,5139	35	0,3246
4	0,8114	14	0,4973	40	0,3044
5	0,7545	15	0,4821	45	0,2875
6	0,7067	16	0,4683	50	0,2732
7	0,6664	17	0,4555	60	0,25
8	0,6319	18	0,4438	70	0,2319
9	0,6021	19	0,4329	80	0,2172
10	0,5760	20	0,4227	90	0,2050

Lecture : Un coefficient de corrélation $r = 0{,}5$ calculé sur un échantillon de 30 couples est nettement significatif (seuil entre 0,38 et 0,35). Il ne l'est pas s'il est calculé sur un échantillon de 10 couples (seuil : 0,632).

<table>
<tr><td>Intensité de la liaison</td><td colspan="3">Si la liaison est significative :
• $|r|$ mesure l'intensité de la liaison ;
• r^2 mesure la qualité de la liaison en exprimant le % des variations de y explicables par les variations de x.
Ex : si $r = 0,75$, ceci signifie que les variations de x expliquent $0,75^2$ soit 56 % des variations de y.
Note : EXCEL fournit la valeur de r^2 par la fonction « Coefficient. Détermination ».</td></tr>
<tr><td rowspan="3">Droite de régression</td><td colspan="3">Si la liaison est significative, on peut déterminer la droite de régression linéaire d'équation $y = ax + b$.
Avec $a = \dfrac{\text{cov}(x, y)}{V(x)} = r\dfrac{\sigma_y}{\sigma_x}$ et $b = \overline{y} - a\,\overline{x}$
D'où $\boxed{y = r\dfrac{\sigma_y}{\sigma_x}(x - \overline{x}) + \overline{y}}$
avec σ_y et σ_x écarts type des distributions marginales des y et des x (cf. 4.2.1).</td></tr>
<tr><td colspan="3">Tracé de la droite de régression par la méthode graphique de Mayer :
• Déterminer la médiane des $x_i \Rightarrow$ on constitue deux sous-ensembles de couples E_1 et E_2 de part et d'autre de cette médiane.
• Calculer les points moyens dans chaque sous-ensemble :
Dans E_1 : point moyen M_1 de coordonnées $(\overline{x}_1 ; \overline{y}_1)$.
Dans E_2 : point moyen M_2 de coordonnées $(\overline{x}_2 ; \overline{y}_2)$.
• La droite de régression passe par M_1 et M_2.</td></tr>
<tr><td colspan="3">Tracé de la droite de régression sous EXCEL.
Excel permet de tracer une droite de régression : après sélection de la série de données, menu « Insertion », commande « Courbe de tendance », cocher « Linéaire « et choisir dans « Options » l'affichage de l'équation et de r^2.</td></tr>
<tr><td>Précautions à prendre dans une interprétation de corrélation</td><td colspan="3">Faire systématiquement un graphique de corrélation et ne pas conclure sur la seule valeur du coefficient r.</td></tr>
<tr><td>Pièges d'une étude de corrélation sans graphique</td><td>Un faible coefficient de corrélation signifie qu'il n'y a pas de liaison linéaire entre les variables. Il peut néanmoins exister une relation non linéaire. 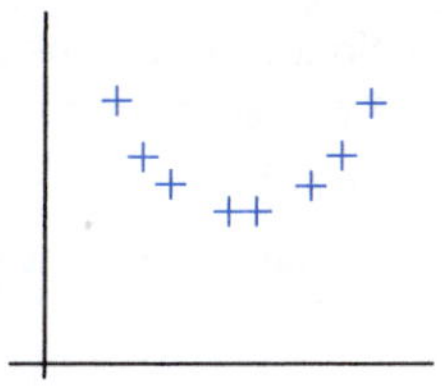</td><td>Un mélange de sous-populations peut masquer une relation existant entre les variables dans l'une des sous-populations. 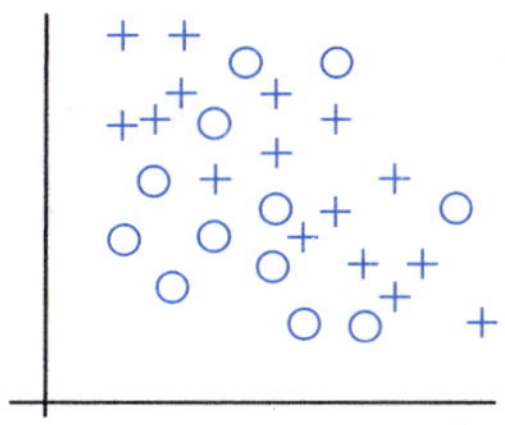</td><td>Un point aberrant peut entraîner un fort coefficient r. 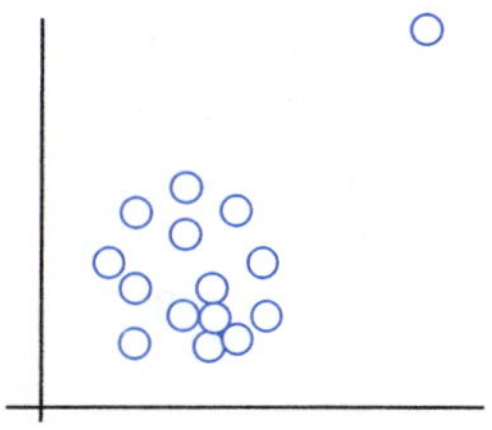</td></tr>
</table>

Pièges d'une étude de corrélation sans graphique

A		B		C		D	
x	y	x	y	x	y	x	y
10	8,04	10	9,14	10	7,46	8	6,58
8	6,95	8	8,14	8	6,77	8	5,76
13	7,58	13	8,74	13	1274	8	7,71
9	8,81	9	8,77	9	7,11	8	8,84
11	8,33	11	9,26	11	781	8	8,47
14	9,96	14	8,1	14	8,84	8	7,04
6	7,24	6	6,13	6	6,08	8	5,25
4	4,26	4	3,1	4	5,39	19	12,5
12	10,84	12	9,13	12	8,15	8	5,56
7	4,82	7	7,26	7	6,42	8	7,91
5	5,68	5	4,74	5	5,73	8	6,89

« Comment les chiffres peuvent masquer la réalité ».

Les 4 distributions A, B, C, D ont :

– Même moyenne des x : 9 , et même moyenne des y : 7,5

– Même coefficient de corrélation : 0,82 et r^2=0,67

– Même équation de la droite de régression : $y = 0,5\ x + 3$

(Exemple tiré de A. MOLES– Les sciences de l'Imprécis – *Seuil*).

- **L'existence d'une liaison entre variables ne signifie pas obligatoirement que cette liaison soit une relation de cause à effet. Celles-ci peuvent ne pas avoir de relation directe mais avoir une cause commune.**

Exemple 1 : – Liaison entre l'indice de rugosité Rp et la mouillabilité à l'eau distillée sur du Moabi.

n	Rp	θ °
1	35,1	27,4
2	46	36,2
3	42,4	35,8
4	47,4	6,4
5	58,7	18,8
6	60	27,4
7	56,1	6,6
8	36,9	26,4
9	44,6	26,8
10	54	30,4
11	39,2	35
12	30,6	43,6

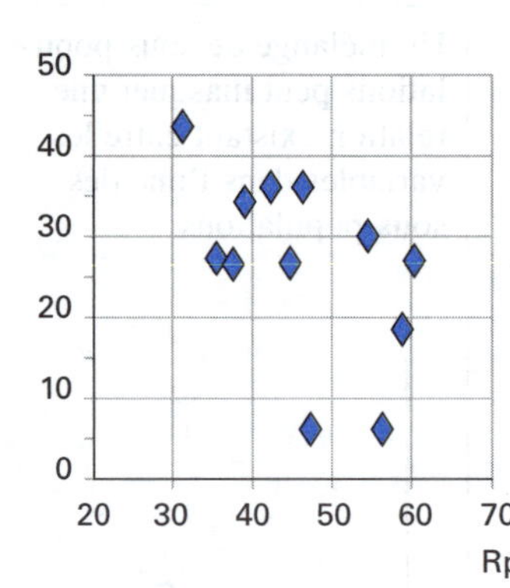

- Coefficient de corrélation :

  $r = -\ 0,536$

- Pour n = 12 : ddl = 12 – 2 = 10

  Au risque α =5% :

  $|r|_{seuil} = 0,576$

  La liaison n'est pas significative.

- Nota : Si on considère que les valeurs 4 et 7 sont aberrantes,

  $r = 0,578 \Rightarrow$

  La liaison devient significative.

Exemple 2 : – Liaison entre la teinte avant couche de finition et la teinte après couche de finition sur des panneaux MDF plaqués.

Nota : les couples (x_i ; y_i) relevés sur des éprouvettes différentes sont bien indépendants.

n	Δ_E avant	Δ_E après	n	Δ_E avant	Δ_E après
1	0,24	0,44	25	0,75	0,63
2	0,26	0,07	26	0,82	0,77
3	0,31	0,72	27	0,82	0,67
4	0,34	0,81	28	0,82	1,05
5	0,39	0,41	29	0,83	0,71
6	0,39	0,54	30	0,86	0,79
7	0,4	0,36	31	0,9	0,58
8	0,49	0,17	32	0,93	0,43
9	0,5	0,52	33	0,96	0,93
10	0,5	0,65	34	1,04	0,6
11	0,51	0,58	35	1,12	0,56
12	0,61	0,84	36	1,2	0,71
13	0,62	0,29	37	1,22	1,12
14	0,62	0,48	38	1,24	0,89
15	0,63	0,24	39	1,27	1
16	0,65	0,21	40	1,29	0,45
17	0,66	0,42	41	1,41	0,81
18	0,67	0,76	42	1,43	0,79
19	0,69	0,18	43	1,51	1,16
20	0,69	0,67	44	1,54	0,74
21	0,69	0,86	45	1,59	0,93
22	0,73	0,68	46	1,6	0,91
23	0,74	0,35	47	1,62	0,58
24	0,75	0,41	48	1,82	0,79

- Coefficient de corrélation : $r = 0,532$
- pour $n = 48$, ddl = 48 – 2 = 46

  $|r|_{seuil} \approx 0,28 \Rightarrow$ la liaison est nettement significative.
- L'équation de la droite de régression est :

  $y = 0,33\,x + 0,34$
- $r^2 = 0,28 \Rightarrow$ La variabilité de teinte avant couche de finition n'expliquent que 28 % de la variabilité de teinte après couche de finition.

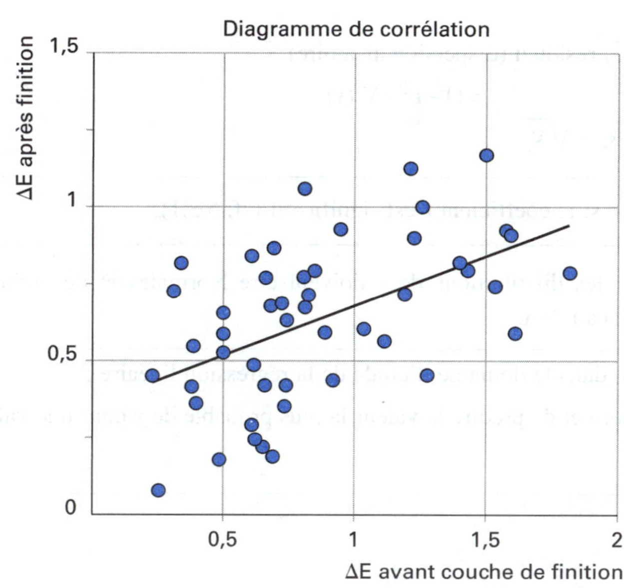

5.3.2 La régression linéaire

Domaine d'utilisation	Recherche d'une relation expliquant une des deux variables par l'autre. La variable expliquée y est appelée variable dépendante. La variable explicative x est appelée variable indépendante.
Forme des données	Les données se présentent sous la forme d'un tableau à double entrée dans lequel on a fixé a priori k valeurs de x pour chacune desquelles on dispose de valeurs aléatoires de y. Voir exemple ci-dessous.
Principe	La régression linéaire de y en x consiste à définir, **si elle existe**, une relation linéaire entre les variables x et y du type $y = ax + b$.
Détermination de la droite de régression	• Le diagramme de régression est formé des k points moyens conditionnels $(x_i, \bar{y}_i)$. • **Si les points sont à peu près alignés,** on peut chercher à déterminer l'équation $y = ax + b$ de la droite qui s'ajuste le mieux aux points du diagramme. Coefficient de régression : $a = \dfrac{\text{cov}\,(x, y)}{v\,(x)} = r\,\dfrac{\sigma_y}{\sigma_x}$ (cf. 4.2.2). et ordonnée à l'origine : $b = \bar{y} - a\,\bar{x}$ d'où $\boxed{y = r\,\dfrac{\sigma_y}{\sigma_x}(x - \bar{x}) + \bar{y}}$
Dispersion aléatoire et dispersion systématique	La variance V (y) des valeurs de y peut se décomposer en deux parts : $V\,(y) = V_s + V_r$ • Un pourcentage r^2 explicable par la liaison linéaire (dispersion systématique due à la régression). • Un pourcentage $(1 - r^2)$ résiduel (dispersion aléatoire) $V_r = (1 - r^2)\,V\,(y)$ L'écart type résiduel = $s_r = \sqrt{V_r}$
Test de la liaison	La liaison est significative si le coefficient r est significatif (cf. 5.3.1).
Conditions de validité	Si l'échantillon est petit, les distributions de y doivent être Normales et de variance constante pour chaque niveau de x.
Prévision	Pour une valeur comprise dans le domaine d'étude de la régression linéaire : La droite de régression permet de prédire la valeur la plus probable de y pour une valeur de x donnée.

Exemple 1 : – Liaison entre la clarté de la teinte (ΔL) après couche de finition et grammage de finition sur des panneaux MDF plaqués. (ΔL mesure l'écart d'une teinte par rapport à un étalon sur l'échelle noir-blanc).

N°	Gram.	ΔL après fini.	ΔL moy
1	20	1,57	1,03
2		1,09	
3		1	
4		1,05	
5		0,43	
6	22	1,03	0,41
7		0,69	
8		–0,01	
9		0,42	
10		– 0,09	
11	24	0,12	– 0,12
12		– 0,16	
13		– 0,32	
14		– 0,02	
15		– 0,24	
16	26	– 0,97	– 0,49
17		– 0,79	
18		– 0,52	
19		– 0,02	
20		– 0,15	
21	28	– 0,58	– 0,84
22		– 1,03	
23		– 1,18	
24		– 0,81	
25		– 0,62	

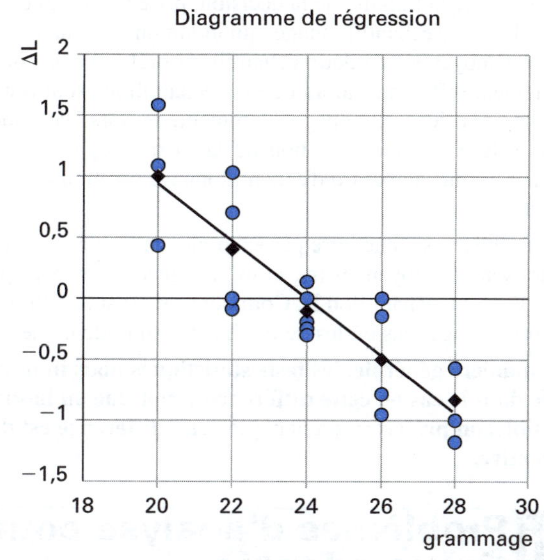

- $r = 0{,}89 \Rightarrow$ liaison significative.
- $r^2 = 0{,}795 \Rightarrow$ 79,5 % de la variabilité de ΔL peuvent s'expliquer par les variations de grammage, 20,5 % de cette variabilité ne s'expliquent pas par les variations de grammage.
- l'équation de régression est :
  $y = -\,0{,}232\,x + 5{,}566$
- Écart type de la dispersion totale $s_y = 0{,}736$.
- $S_r = (1 - r^2)\,S^2_y = 0{,}205 \times 0{,}736^2 = 0{,}333$.

Nota : La dispersion des ΔL pour une même valeur de grammage peut être estimée par la moyenne corrigée des écarts type « intra» (cf. 4.3.3).

Grammage	20	22	24	26	28
σ_{intra}	0,362	0,422	0,157	0,363	0,232
$s_r \approx \dfrac{\overline{s_{intra}}}{b_n}$ avec $b_n = 0{,}841$ soit $s_r \approx 0{,}365$					

- Le réglage optimum de grammage correspond à un ΔL nul, soit 24 gr/m^2.
- Pour cette valeur de grammage, le ΔL prévu sera :
  $\Delta L = -\,0{,}232 \times 24 + 5{,}566 \pm 3 \times 0{,}333$ soit **ΔL attendu ≈ 0 ± 1.**

5.4. Tests statistiques utilisables dans une action qualité

Les tests d'hypothèse sont des outils permettant de valider ou de rejeter les hypothèses, relatives à la population, que l'on émet à partir de données d'un échantillon.

Le problème de la fiabilité de la décision, prise au vu des données relevées sur un échantillon, tient à l'existence du hasard d'échantillonnage, qui induit une fluctuation des paramètres statistiques. Si, par exemple, on calcule les moyennes de deux échantillons prélevés dans un même lot de pièces, ces deux moyennes sont généralement différentes alors que les échantillons sont issus de la même population. Cette différence est due au hasard d'échantillonnage. Comment, dès lors, dans une comparaison de deux échantillons dont on ne sait pas s'ils proviennent ou non de la même population, savoir si une différence observée entre deux moyennes est due au hasard d'échantillonnage ou au fait que les échantillons sont issus de deux populations différentes ?

Un tel problème se rencontre par exemple, dans une comparaison de deux réglages A et B réalisée par une comparaison des moyennes m_A et m_B des pièces obtenues par un réglage A sur un échantillon A, et par un réglage B sur un échantillon B. Comment savoir si la différence constatée entre m_A et m_B est due au hasard d'échantillonnage (cas où les deux réglages sont identiques) ou à une différence effective de réglage ?

D'une manière générale, les tests statistiques nous indiquent la probabilité d'observer une différence donnée dans le cas où cette différence serait due au hasard d'échantillonnage. Si cette probabilité est trop faible, on préférera parier que cette différence est due à autre chose que le hasard et qu'elle est significative.

5.4.1 Problèmes d'analyse courants et tests statistiques adaptés

Dans l'analyse de données relatives à la fonction qualité, on rencontre principalement trois types de situations :

1) L'analyse d'une distribution d'un échantillon censé représenter une population :

- Quelles sont les estimations des paramètres statistiques de la population au vu de ceux de l'échantillon ?
  ⇒ Dans ce type de situation, on utilisera les outils d'estimation de paramètres et on s'intéressera aux intervalles de confiance des estimations (cf. 4.3).
- Peut-on considérer que l'échantillon est issu d'une population ayant une distribution typique ? Par exemple : la population suit-elle une loi Normale ?
  ⇒ Dans ce type de situation, le test (test d'ajustement) sera fondé sur les écarts entre fréquences observées et fréquences théoriques.
- Peut-on considérer qu'un paramètre statistique (moyenne, variance, pourcentage) est égal à une valeur donnée ?
  ⇒ Dans ce type de situation, le test de comparaison (test de conformité) sera fondé sur l'écart entre la valeur observée et la valeur donnée.

2) La comparaison de deux échantillons :

- Les paramètres statistiques (moyenne, variance, pourcentage) sont-ils significativement différents ?
  ⇒ Dans ce type de situation, le test de comparaison (test d'égalité) sera fondé sur l'écart entre les valeurs de ces paramètres.
- Les distributions des deux échantillons sont-elles identiques ?
  ⇒ Dans ce type de situation, le test sera fondé sur les écarts entre les effectifs observés et les effectifs théoriques.

3) L'étude de la liaison entre deux variables.

- Les variables sont-elles indépendantes ?
  ⇒ Dans ce type de situation, le test sera fondé sur la valeur du coefficient de corrélation dans le cas de deux variables quantitatives ou sur les écarts entre effectifs observés et effectifs théoriques dans le cas d'au moins une variable qualitative.

Type	Problème	Test		Paragraphe
Analyse d'une distribution	Détection d'observations aberrantes	Test de Grubbs		5.4.7
	Estimation de paramètres statistiques	Estimation à partir d'un échantillon	Estimation de m , σ et p	4.3.1
			Intervalles de confiance de m , σ et p	
			Effectif d'échantillon nécessaire	
		Estimation de m et σ à partir de plusieurs petits échantillons		4.3.2
	Analyse de paramètres	Comparaison à une valeur de référence	moyenne	5.4.3.1
			Écart type	5.4.3.2
			pourcentage	5.4.3.3
	Ajustement d'une distribution à une distribution théorique	Ajustement à une loi Normale	Henry	p.67
			Kolmogorov	p.71
			χ^2 khi deux	p.74
		Ajustement à une distribution quelconque	χ^2	5.4.3.4
Comparaison de deux distributions	Comparaison sur une variable quantitative	Organisation générale des tests		5.4.4.1
		Comparaison de deux variances : Snedecor		5.4.4.2
		Comparaison de deux moyennes		5.4.4.3
	Comparaison sur une variable qualitative	La variable a deux classes	Comparaison de 2 pourcentages	5.4.4.4
		La variable a k classes ou modalités : comparaison de deux distributions	Test de χ^2 Égalité de deux distributions	5.4.4.5
	Comparaison de deux classements	Test de m classements		5.4.6
Liaison entre deux variables	Tableau des tests			5.4.5.1
	Deux variables qualitatives	Les variables ont deux modalités ou classes	Comparaison de 2 pourcentages	5.4.4.4
		Une variable, au moins, a plus de deux classes	Test de χ^2	5.4.5.2
	Deux variables quantitatives	Deux variables aléatoires	Corrélation	5.3.1
		Une variable contrôlée et une variable aléatoire	Régression	5.3.2
	Une variable qualitative et une variable quantitative	La variable qualitative a deux classes ou modalités	Cf. comparaison de deux distributions sur une variable quantitative	
		La variable qualitative a plus de deux classes ou modalités	Analyse de variance	Chap 9
			Comparaison de plusieurs moyennes	

5.4.2 Principe des tests statistiques et règles générales

Principe général :

- On émet une hypothèse H_0 relative à une caractéristique des échantillons. En général, H_0 pose qu'il y a égalité entre les deux entités comparées, et que les écarts observés sont dus au hasard d'échantillonnage.
- On mesure l'écart observé entre les valeurs de cette caractéristique dans l'échantillon et la population ou entre les valeurs observées dans les divers échantillons.
- On calcule la probabilité d'observer un tel écart dans le cas où H_0 est vraie.
- On applique la règle de décision :

– Si la probabilité est trop faible (inférieure à un seuil α de signification donné fixé en général à 5 %), on rejette H_0 comme apparaissant très peu vraisemblable et on conclue que l'écart est significatif :

– Si la probabilité est supérieure au seuil de signification, on accepte H_0 comme n'apparaissant pas invraisemblable et on conclue que l'écart n'est pas significatif.

L'ensemble des valeurs des écarts qui ont moins de α chances d'être observées dans le cas de H_0 est appelé « zone de rejet », son complément est appelé « zone d'acceptation ».

Commentaires :

- Bien que dans le langage courant, on dise : « accepter H_0 », un test statistique doit être compris comme un moyen de rejeter H_0 ou de ne pas rejeter H_0. Il constitue une démonstration par l'absurde.

En effet :

« Rejeter H_0 » et « ne pas accepter H_0 » sont synonymes, ils signifient : « avoir toutes les raisons de croire que H_0 est fausse. »

A l'inverse, « accepter H_0 » et « ne pas rejeter H_0 » ne sont pas synonymes.

« Ne pas rejeter H_0 » signifie : « ne pas avoir suffisamment de raisons de rejeter H_0 » alors que « accepter H_0 » signifierait : « avoir toutes les raisons de croire que H_0 est vraie », ce qui est différent.

En définitive, je ne rejette pas H_0 car il n'est pas invraisemblable de croire qu'elle est vraie.

En d'autres termes, un test peut apporter la « preuve statistique » de l'existence d'une différence ou ne pas apporter cette preuve, mais dans ce cas, il n'apporte pas la preuve de sa non-existence. Ne pas voir une différence ne signifie pas obligatoirement que cette différence n'existe pas. Cette différence peut ne pas exister ou être trop petite par rapport à la puissance du test.

Hypothèse nulle H_0 et hypothèse alternative H_1

Rejeter H_0 implique d'accepter une hypothèse alternative appelée H_1, c'est pourquoi on dit qu'on teste une hypothèse nulle contre une hypothèse alternative :

Risques associés aux tests statistiques : risque α et risque β

La décision étant fondée sur une probabilité, il existe des risques d'erreur dont les probabilités sont α : risque de première espèce et β : risque de deuxième espèce.

Nota : En contrôle de réception, α et β correspondent respectivement au risque du fournisseur et au risque du client (cf. p. 155).

Exemple : – Comparaison des performances en résistance de deux process de collage vinylique HF (les process se caractérisant par l'ensemble des conditions de collage).

On expérimente un nouveau process A contre un ancien B.

L'hypothèse H_0 est que les process sont équivalents et que leurs performances sont identiques. Dans ce cas les différences de performances qui seraient constatées ne seraient dues qu'au hasard d'échantillonnage et ne seraient donc pas significatives.

⇒ Si H_0 est vraie, les différences observées (d = A – B) suivent une loi Normale de moyenne nulle. On peut donc connaître la probabilité d'obtenir une valeur supérieure ou égale à une valeur donnée (cf. 5.2.3).

Pour répondre à la question, on réalisera un test de comparaison de moyenne (cf. 5.4.4.3).

A l'issue du test, deux décisions sont possibles :

1– Si on observe **une différence élevée appartenant à la zone de rejet**, on sera conduit à parier que les deux process ne sont pas équivalents et que leurs performances diffèrent significativement. Le seuil de probabilité est en général α = 5 %.

2– Si on observe **une petite différence appartenant à la zone d'acceptation**, On en concluera que les process ne sont pas significativement différents.

Dans chaque cas, la conclusion sera entachée d'un risque d'erreur :

• Risque α :

La première décision possible présente un risque : rejeter H_0, au vu d'une différence élevée située dans la zone de rejet, alors que cette hypothèse correspond à la réalité.

Une différence égale ou supérieure pouvant, dans ce cas, être observée dans moins de 5 % des cas. C'est le risque α : **conclure à une différence qui n'existe pas.**

Il existe deux types de comparaisons :

1) Test bilatéral :

Les performances des process A et B sont-elles significativement différentes ?

On s'intéresse à l'existence d'une différence quel que soit son sens car on ne connaît pas *a priori* le sens qu'aurait une différence si elle existait.

On réalise un test bilatéral avec un risque α partagé aux deux côtés de la distribution.

H_0 : A = B ($\Rightarrow m_A = m_B$) contre H_1 : A ≠ B ($\Rightarrow m_A \neq m_B$)

On rejettera l'hypothèse A = B si A < B ou si A > B.

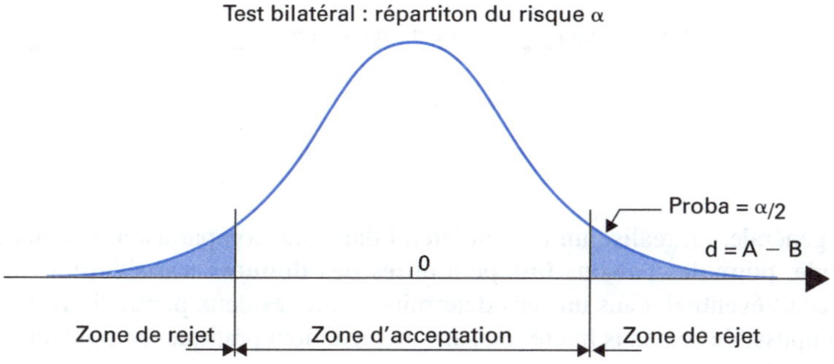

Test bilatéral : répartiton du risque α

Proba = $\alpha/2$

d = A – B

0

Zone de rejet | Zone d'acceptation | Zone de rejet

2) Test unilatéral :

Si on est **certain d'avance pour des raisons techniques** que le nouveau process A ne peut être moins performant que l'ancien process B, on se posera plutôt la question :

Le process A est-il significativement plus performant que le process B ?

H_0 : A ≤ B ($\Rightarrow m_A \leq m_B$) contre H_1 est A > B ($\Rightarrow m_A > m_B$)

On ne rejettera l'hypothèse A ≤ B que si A > B.

On réalise un **test unilatéral** avec un risque α intégralement à droite.

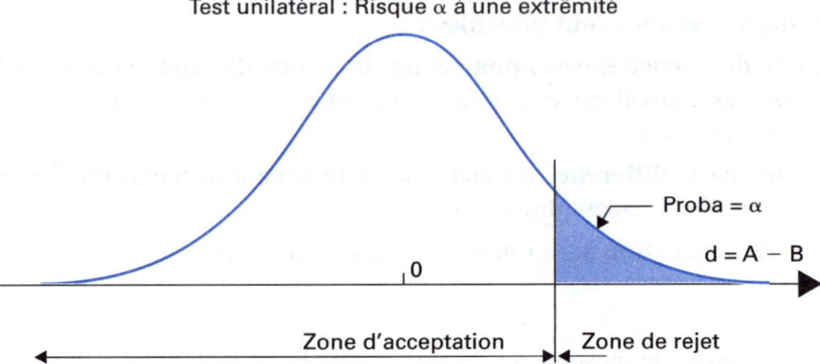

Par symétrie, on réaliserait un test unilatéral avec un risque α intégralement à gauche si on testait l'hypothèse symétrique :

H_0 : A ≥ B ($\Rightarrow m_A \geq m_B$) contre H_1 : A < B ($\Rightarrow m_A < m_B$).

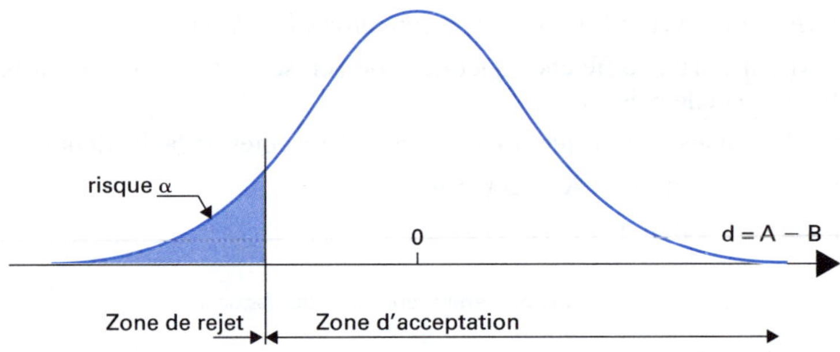

D'une manière générale, on réalise un test unilatéral dans une comparaison de deux populations A et B, « lorsqu'on décide, **pour des raisons indépendantes des données numériques**, de ne pas prendre en considération l'écart éventuel, dans un sens déterminé, entre les deux populations ; un tel écart étant soit physiquement impossible soit sans intérêt ou sans inconvénient pratique, compte tenu du problème posé » (NF X 06-065).

Question posée	H0	H1	Type de test
A ≠ B?	A = B	A ≠ B	Bilatéral
A > B ?	A ≤ B	A > B	Unilatéral à droite
A < B ?	A ≥ B	A < B	Unilatéral à gauche

Nota: Avec les tables donnant les valeurs seuils pour un risque α situé à droite, on utilise la valeur absolue de la variable testée $|d| = |A - B|$.

Risque β :

La deuxième décision possible présente, elle aussi, un risque : conserver H_0, au vu d'une différence plus faible située dans la zone d'acceptation, alors que c'est l'hypothèse alternative H_1 qui correspond à la réalité.

Une différence inférieure ou égale pouvant, dans ce cas, être observée dans moins de β≦ des cas. **C'est le risque β : ne pas pouvoir détecter une différence qui existe.**

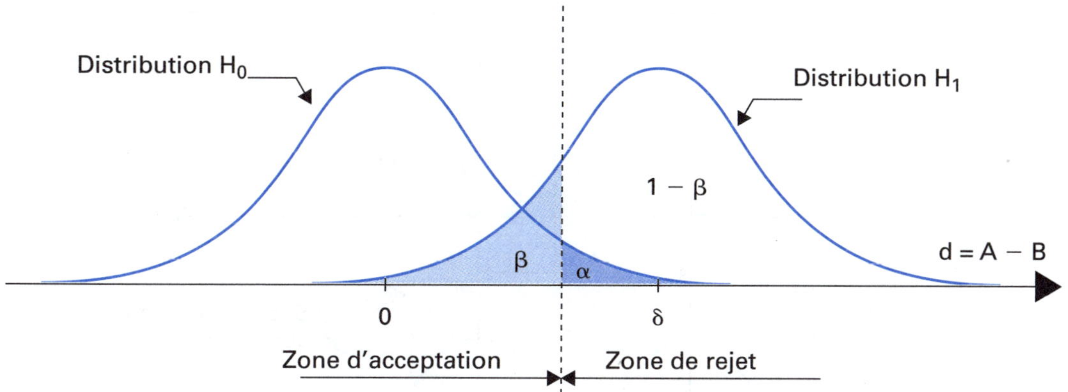

Dans le cas où une différence existe (la quantité d = A – B a une distribution H_1 centrée sur δ), on voit sur la figure ci-dessus que la différence observée a une probabilité (1– β) de se trouver dans la zone de rejet. On a donc (1– β) de chance de la détecter.

C'est la puissance (1– β) du test : probabilité de détecter une différence qui existe.

• Tableau récapitulatif des risques α et β

Ce tableau permet de mieux comprendre la signification des risques α et β.

	Réalité	
Décision	**H_0 vraie ⇒ H_1 fausse**	**H_0 fausse ⇒ H_1 vraie**
J'accepte H_0	1- Décision correcte. Probabilité = 1- α	2- Décision erronée Probabilité = β (Défaut de puissance : risque de 2° espèce)
Je rejette H_1	3- Décision erronée. Probabilité = α = seuil de signification (risque de 1° espèce)	4- Décision correcte. Probabilité = 1 – β (puissance du test)

- Dans une expérimentation, H_0 est vraie ou fausse indépendamment de notre conclusion. Et donc, notre conclusion est juste ou erronée. On se trompe ou on ne se trompe pas.
- Dans le cas où je rejette H_0, α ne représente pas la probabilité que H_0 soit fausse, mais bien le risque de conclure à tort, au vu des résultats, qu'elle est fausse dans le cas où elle est vraie.

⇒ On ne doit donc pas dire : « Au vu des résultats, je rejette H_0 car elle a moins de 5 % de chances d'être vraie » ni « Au vu des résultats, je rejette H_0 car j'ai moins de 5 % de chances de me tromper » mais dire : « Au vu des résultats, je rejette H_0 car sa vraisemblance est inférieure à 5 % ».

Variation de :	⇒	Influence sur β et (1 – β)
Risque α ↘	⇒	Risque β ↗
Variabilité s des données ↗	⇒	Puissance (1 – β) ↘ et β ↗
Différence Δ réelle ↘	⇒	Puissance (1 – β) ↘ et β ↗
Nombre d'observations N ↗	⇒	Puissance (1 – β) ↗ et β ↘

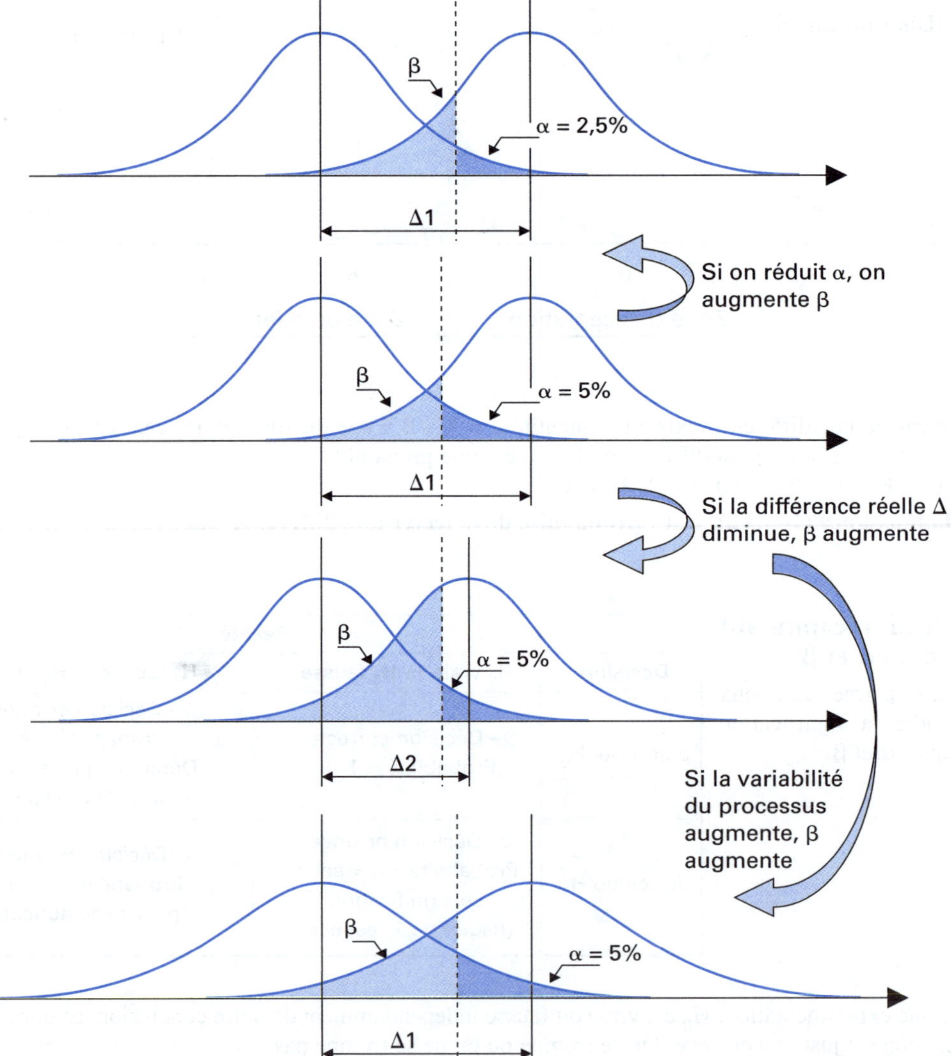

• Relations entre les paramètres d'un test statistique et les différents risques

On constate que :

- Les risques α et β sont antagonistes.
- Le risque α est fixé *a priori* donc contrôlable.
- Le risque β dépend de l'existence et de la valeur de la différence Δ.

Cette différence étant inconnue *a priori* —c'est elle que l'on cherche à mettre en évidence— le risque β n'est pas contrôlable *a priori*. (*a priori* = avant toute expérience).

On voit notamment sur le schéma précédent que ne pas détecter une différence entre deux process peut venir du fait que cette différence est très faible, mais aussi du fait que la variabilité est telle que cette différence n'apparaît pas.

Pour réduire cette variabilité, on augmentera le nombre d'observations. (écart type des moyennes d'échantillons = $\sigma / \sqrt{n}$).

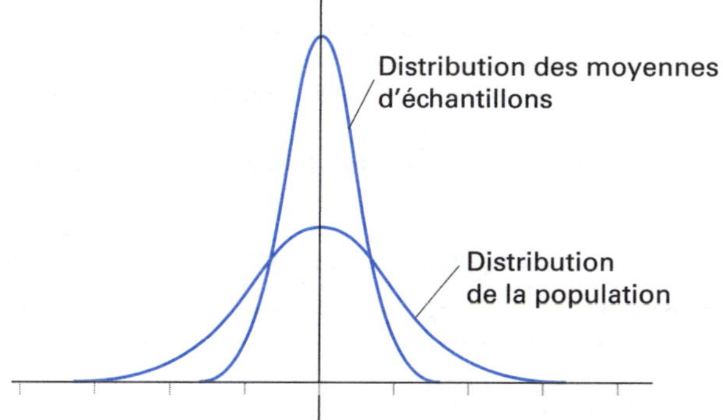

• Prise en compte des conséquences des risques α et β

Avant toute décision, il faut bien identifier les conséquences possibles d'une erreur de conclusion en fonction des enjeux.

Dans notre exemple de recherche d'amélioration de process :

- Le risque α entraîne le risque d'engager des coûts de modifications de process ou de matériels pour un gain qui se révélera nul ;
- Le risque β entraîne le risque de ne pas modifier le process alors qu'un gain est possible.

⇒ Si les conséquences du risque α sont les plus importantes :

- Le risque α étant le seul risque contrôlable a priori, on doit affecter en H_0, l'hypothèse dont le risque de rejet, au cas où elle serait vraie, doit être contrôlé ;
- Diminuer α jusqu'à des très petites valeurs (0,01 ; 0,001) ce qui revient à réduire la zone de rejet de H_0 (réduire la zone d'acceptation de H_1) ;
- Si, après cette réduction du risque α, on rejette encore H_0, décider des actions à mener en fonction de l'importance de la différence observée.

⇒ Si les conséquences du risque β sont les plus importantes :

- Déterminer la différence D que l'on souhaite pouvoir mettre en évidence si elle existe. Une différence inférieure ne nous intéressant pas.

  Cette différence peut être exprimée :

  – En absolu. *Exemple:* Je veux pouvoir mettre en évidence, si elle existe, une différence de ± 3 dBA dans la comparaison des niveaux sonores de deux types d'outil.

  – En relatif. *Exemple :* Je veux pouvoir mettre en évidence, si elle existe, une différence de ± 10% dans la comparaison des valeurs de contraintes de rupture de deux types de collage.
- Réduire β (⇒ augmenter la puissance (1 – β)) en adaptant l'effectif des échantillons à la variabilité «naturelle» des mesures et à la différence minimum de performance que l'on souhaite pouvoir mettre en évidence si elle existe (cf. abaque en annexe 10).

5.4.3 Comparaison d'un échantillon observé à une population théorique

5.4.3.1 Comparaison d'une moyenne observée à une valeur théorique

NF X 06-053 , NF X 06-057, NF X 06- 064, NF X 06-065).

Ce test est fondé sur la valeur de l'intervalle de confiance de la moyenne (cf. 4.3.1).

- **On a :**

– Une moyenne m_A calculée sur un échantillon de n_A individus.

	Si l'écart type de la population est connu : **ε suit une loi Normale** réduite N (0 , 1)	Si l'écart type de la population est inconnu : ***t* suit une loi de Student** à (n_A–1) d.d.l
Si la population est Normale	n_A peut être quelconque	n_A peut être quelconque
Si la population est quelconque	n_A doit être > 5	n_A doit être > 30

– Une population A dont est issu l'échantillon.

– σ_0 écart type de la population ou, s'il est inconnu, son estimation s sur l'échantillon.

– m_0 : la moyenne théorique.

– Le risque α choisi.

- **On calcule** $\varepsilon = \dfrac{m_A - m_0}{\dfrac{\sigma_0}{\sqrt{n_A}}}$ ou $t = \dfrac{m_A - m_0}{\dfrac{s}{\sqrt{n_A}}}$ si σ_0 est inconnu.

a) Si l'écart type de la population est inconnu :

- **On compare** | *t* | à la valeur seuil lue dans une table de Student pour $n = (n_A - 1)$ d.d.l et le risque α choisi (cf. annexe 6.2).

Pour α = 5%:

Test bilatéral : $H_0 : m_A = m_0$ contre $H_1 : m_A \neq m_0$

Si $|t| < t_{0,975}(\nu)$: la moyenne observée n'est pas significativement différente de la moyenne théorique.

Si $|t| \geq t_{0,975}(\nu)$: la moyenne observée est significativement différente de la moyenne théorique.

Test unilatéral : $H_0 : m_A \leq (\text{ou} \geq)\ m_0$ contre $H_1 : m_A > (\text{ou} <)\ m_0$

Si $|t| < t_{0,95}(\nu)$: la moyenne observée n'est pas significativement plus grande (ou plus petite) que la moyenne théorique.

Si $|t| \geq t_{0,95}(\nu)$: la moyenne observée est significativement plus grande (ou plus petite) que la moyenne théorique.

Note : EXCEL donne la valeur seuil de t correspondant à un test bilatéral $t_{1-\alpha/2}(\nu)$ grâce à la fonction « LOI.STUDENT.INVERSE ». Pour utiliser cette fonction dans un test unilatéral, il faut spécifier une valeur α égale à deux fois le risque choisi soit α_{excel} = 0,1 pour α = 0,05.

b) Si l'écart type de la population est connu :

- **On compare** | ε | à la valeur seuil lue dans une table de la loi Normale réduite pour le risque α choisi.

Pour α = 5% :

Test bilatéral : $H_0 : m_A = m_0$ contre $H_1 : m_A \neq m_0$

Si $| \varepsilon | < 1{,}96$: la moyenne observée n'est pas significativement différente de la moyenne théorique.

Si $| \varepsilon | \geq 1{,}96$: la moyenne observée est significativement différente de la moyenne théorique.

Test unilatéral : $H_0 : m_A \leq$ (ou $\geq$) m_0 contre $H_1 : m_A >$ (ou $<$) m_0

Si $| \varepsilon | < 1{,}64$: la moyenne observée n'est pas significativement plus grande (ou plus petite) que la moyenne théorique.

Si $| \varepsilon | \geq 1{,}64$: la moyenne observée est significativement plus grande (ou plus petite) que la moyenne.

Puissance du test bilatéral ($1 - \beta = 0{,}9$; $\alpha = 0{,}05$):

Pour avoir 90% de chances de pouvoir mettre en évidence, si elle existe, une différence D, il faut un effectif minimum de :

$$N \approx 10{,}5 \times \frac{CV^2}{\Delta^2} \text{ (pour N > 30)}$$

avec $CV = \frac{s}{\bar{x}} \times 100$ et $\Delta = \frac{D}{\bar{x}} \times 100$.

Exemple 1 : – Contrôle d'un centrage de production en grande série.

Sur une moulurière dont l'écart type est connu : $\sigma_0 = 0{,}05$ et dont la distribution habituelle est Normale (dispersion habituelle : ± 0,15), la moyenne des 5 premières pièces est de 10,05. la cote nominale demandée est 10. La machine doit-elle être considérée comme bien réglée, c'est-à-dire centrée sur 10 ?

Il s'agit d'un test bilatéral :

$$\varepsilon = \frac{m_A - m_0}{\frac{\sigma_0}{\sqrt{n_A}}} = \frac{10{,}05 - 10}{\frac{0{,}05}{\sqrt{5}}} = 2{,}24 > 1{,}96 \Rightarrow \text{la différence est significative} \Rightarrow$$

On ne considère pas la machine comme bien réglée.

Note : Pour le contrôle de réglage sur petite série, on pourra se rapporter à l'ouvrage de M. Pillet « Appliquer la maîtrise statistique des procédés » Ed. d'Organisation.

Exemple 2 : – Contrôle de conformité d'une teinte.

On souhaite savoir si la moyenne des valeurs de δL (conformité de clarté de la teinte : $\delta l > 0$ correspond à une teinte trop claire, $\delta l < 0$ correspond à une teinte trop foncée) obtenue sur un échantillon de 5 pièces est significativement différente de la valeur cible 0.

On considère que la distribution des δl est Normale. L'écart type est inconnu.

δl pouvant être positif ou négatif et les conséquences d' un cas comme de l'autre étant tout autant préjudiciables, on choisira un test bilatéral.

Èch.	δ*l*
1	0,63
2	0,31
3	0,74
4	0,95
5	0,81
Moyenne	0,69
Écart type	0,24

L'écart type est inconnu ⇒ Test de « *t* »

$t = (0{,}69 - 0) / (0{,}24 / 2{,}236) = 2{,}92$

On lit dans la table de Student (cf. annexe 6.2) pour d.d.l = 5 – 1 = 4 et pour $\alpha = 0{,}05$: $t_{\text{seuil}} = t_{0{,}975}(4) = 2{,}776$.

$|t| > 2{,}776 \Rightarrow$ la moyenne obtenue est significativement différente de 0 ⇒ La teinte n'est pas exactement conforme.

Exemple 3 : – Comparaison à une norme.

On cherche à savoir si la dureté d'un vernis est satisfaisante. La norme exige une valeur mini de 0,8 N au test de rayure.

Pour garantir le respect de la norme, on souhaite avoir une dureté supérieure à 0,8 N.

Ce serait une erreur de choisir un test unilatéral avec H_0 : D ≤ 0,8 N contre H_1 : D > 0,8 N car d'une part, on n'est pas certain que la dureté ne puisse pas être inférieure à 0,8N et d'autre part, si tel était le cas, ce ne serait pas sans inconvénient.

On fera donc un test bilatéral avec H_0 : D = 0,8N contre D ≠ 0,8N.

Les précédents relevés montrent que la distribution de D suit une loi Normale.

On relève les valeurs de D sur un échantillon de 10 pièces :

N°	1	2	3	4	5	6	7	8	9	10
D	0,81	0,79	0,82	0,84	0,85	0,77	0,81	0,84	0,79	0,84

On obtient:

Moyenne = 0,816 et écart type estimé: s = 0,027 ;

L'écart type étant inconnu, on utilise la variable *t*.

- $t = (0{,}816 - 0{,}8) / (0{,}027 / 3{,}162) = 1{,}89$

On lit dans la table de Student (cf. annexe 6.2) la valeur seuil $t_{0,975}$ (9) pour $\alpha = 0{,}05$ et $\nu = 9$ d.d.l : $t_{0,975}$ (9) = 2,26.

- $| t | < 2{,}26 \Rightarrow$ la moyenne observée n'est pas significativement différente de 0,8 N.

Exemple 4 : – Vérification d'une résistance minimum d'un collage.

Dans un process de fabrication de marches d'escalier, on souhaite réduire le temps de stabilisation des collages avant ré-usinage de 6h à 1h 30 (colle vinylique à froid).

La question est de savoir si la réduction prévisible de résistance n'entraîne pas une valeur de la contrainte de rupture inférieure à une valeur seuil fixée à 4,5 Mpa.

Tableau des résultats :

3,36	4,13	4,23	3,69	4,54	5,21	4,68	3,58	4,68	3,98	***m* = 4,29**
4,17	4,31	5,22	4,4	3,96	5,13	4,14	4,79	3,41	4,14	***s* = 0,555**

- On sait que la distribution habituelle des valeurs de contraintes de rupture est Normale.
- L'écart type de la nouvelle distribution (stabilisation de 1h 30) est inconnu.

⇒ On réalisera donc un test de *t*.

- Une éventuelle augmentation de la résistance des collages, technologiquement difficile à envisager, ne serait en tout état de cause que bénéfique, on réalisera donc un test unilatéral avec:

  H_0 : Résistance 1h 30 = 4,5 MPa contre H_1 : Résistance 1h 30 < 4,5 MPa.
- $t = (4{,}29 - 4{,}5) / \left(0{,}555 / \sqrt{20}\right) = -1{,}71$
- $t_{0,95}$ (19) = 1,729

  $| t | < 1{,}729 \Rightarrow$ la moyenne 4,29 n'est pas significativement inférieure à 4,5.

⇒ La réduction du temps de stabilisation n'entraîne pas une baisse de résistance significative.

Analyse des risques d'erreur :

- En conservant H_0, on prend le risque β : conserver H_0 alors que H_0 est fausse. Ce qui dans notre cas revient à considérer que la résistance à 1h 30 n'est pas inférieure à 4,5 MPa alors que, dans la réalité, elle est inférieure à 4,5 MPa.
- Si nous rejetions H_0, nous prendrions le risque α : rejeter H_0 alors que H_0 est vraie. Ce qui revient dans notre cas à considérer que la résistance à 1h 30 est inférieure à 4,5 MPa alors que dans la réalité, elle n'est pas différente de 4,5 MPa.

Risque	Décision pratique	Incidences sur le produit		
		Qualité	**Coûts**	**Délais**
α	Conserver un temps de stabilisation plus long que nécessaire.	Identique à l'ancien process.		
β	Réduire à tort le temps de stabilisation.	Produit non satisfaisant ⇒ Augmentation des coûts de non-qualité.	Réduction du stockage entre opérations.	Réduction des délais de production.

Dans cet exemple, les conséquences négatives les plus préjudiciables sont celles du risque β (défaut de puissance). Il faut donc vérifier et éventuellement augmenter la puissance (1 – β) en réalisant un essai de confirmation sur un échantillon plus grand (cf. schéma risque α et β).

- Si on souhaite pouvoir mettre en évidence une différence éventuelle de 10% avec une puissance de 90%, il faut un effectif d'échantillon minimum de :

$$N = 10{,}5\ (13^2 / 10^2) \simeq 18$$

avec CV = 13% et $\Delta = 5\%$

Dans ce cas, la puissance est suffisante.

- Si on souhaite pouvoir mettre en évidence une différence éventuelle de 5% avec une puissance de 90%, il faut un effectif d'échantillon minimum de :

$$N = 10{,}5\ (13^2 / 5^2) \simeq 71$$

Dans ce cas, la puissance est insuffisante.

En conclusion : il est nécessaire d'analyser les conséquences des risques d'erreur avant les essais, afin de pouvoir les organiser en se donnant toute la puissance suffisante.

5.4.3.2 Comparaison d'une variance observée à une valeur théorique

(NF X 06-061 , NF X 06-064)

Ce test est fondé sur la valeur des limites de l'intervalle de confiance de la variance. (Cf. 4.3.1)

- **On a :**

– Une moyenne m_A calculée sur un échantillon de n_A individus.
– Une distribution A Normale.
– Une variance s_A^2 à comparer avec une variance théorique σ_0^2
– Le risque α choisi (on prend en général : α = 5%).

- **On calcule** $\chi^2_{obs} = \dfrac{\sum_i (x_i - m_A)^2}{\sigma_0^2} = \dfrac{\text{Somme des Carrés des Écarts}}{\sigma_0^2} = \dfrac{(n-1)\, s_A^2}{\sigma_0^2}$.

- **On compare** χ^2_{obs} à la valeur seuil lue dans une table de χ^2 pour $\nu = (n_A - 1)$ d.d.l et le risque α choisi (cf. annexe 8.2).

Pour α = 5%:

Test bilatéral : $H_0 : s^2_A = \sigma_0^2$ contre $H_1 : s^2_A \neq \sigma^2_0$

Si $\chi^2_{0,025}(\nu) \leq \chi^2_{obs} \leq \chi^2_{0,975}(\nu)$, la variance observée n'est pas significativement différente de la variance théorique.

Sinon, la variance observée est significativement différente de la variance théorique.

Test unilatéral à gauche : $H_0 : s^2_A \geq \sigma_0^2$ contre $H_1 : s^2_A < \sigma_0^2$

Si $\chi^2_{obs} \geq \chi^2_{0,05}(\nu)$, la variance observée n'est pas significativement plus petite que la variance théorique.

Sinon, la variance observée est significativement plus petite que la variance théorique.

Test unilatéral à droite : $H_0 : s^2_A \leq \sigma_0^2$ contre $H_1 : s^2_A > \sigma^2_0$

Si $\chi^2_{obs} \leq \chi^2_{0,95}(\nu)$, La variance observée n'est pas significativement plus grande que la variance théorique.

Sinon, la variance observée est significativement plus grande que la variance théorique.

Note : *EXCEL fournit les valeurs de $\chi^2(\nu)$ par la fonction «KHIDEUX.INVERSE» pour un risque α unilatéral à droite c.à.d la valeur de χ^2 ayant une probabilité α d'être dépassée. La loi de χ^2 n'étant pas symétrique, il faut spécifier les valeurs suivantes dans la boîte de dialogue «Probabilité»:*

Valeur de χ^2 recherchée	$\chi^2_{0,025}$	$\chi^2_{0,975}$	$\chi^2_{0,05}$	$\chi^2_{0,95}$
Valeur de « Probabilité » à spécifier dans la boite de dialogue de la fonction «KHIDEUX.INVERSE» d'EXCEL	*0,975*	*0,025*	*0,95*	*0,05*

Puissance du test :

Les abaques de la norme NF X 06-064 - section B- permettent de déterminer le nombre d'observations nécessaire en fonction du rapport $\frac{s}{\sigma_0}$ à mettre en évidence et de la puissance voulue. Le tableau de la page suivante donne quelques valeurs particulières.

Nombre d'observations nécessaires

Exemples de lecture :

- **Test bilatéral**

On souhaite avoir 90% de chances de mettre en évidence, si elle existe, une différence entre une variance s^2 et une valeur donnée σ_0^2 telle que le rapport s/σ_0 soit du simple au double.

Avec $1 - \beta = 0{,}9$ et $s/\sigma_0 = 0{,}5$ $\Rightarrow$ effectif mini = 14.

- **Test unilatéral**

On souhaite avoir moins de 10% de chances de ne pas détecter, si elle existe, une différence entre une variance s^2 et une valeur donnée σ_0^2 telle que le rapport s/σ_0 soit de 0,7.

Avec $1 - \beta = 0{,}9$ et $s/\sigma_0 = 0{,}7$ dans un test unilatéral ($H_0 : s^2 \geq \sigma_0^2$) $\Rightarrow$ effectif mini : 35.

$\lambda = \frac{s}{\sigma_0}$	Puissance du test : $1 - \beta$			
	Bilatéral $H_0 : s^2 = \sigma_0^2$		Unilatéral $H_0 : s^2 \geq \sigma_0^2$	
	0,5	**0,9**	**0,5**	**0,9**
0,2	3	5	3	4
0,3	4	6	4	5
0,4	6	9	5	7
0,5	8	14	6	11
0,6	12	23	8	19
0,7	20	45	14	35
0,8	44	100	33	90
0,9	$\approx \infty$	$\approx \infty$	100	$\approx \infty$
1	∞	∞	∞	∞
			Unilatéral $H_0 : s^2 \leq \sigma_0^2$	
1	∞	∞	∞	∞
1,1	200	$\approx \infty$	120	$\approx \infty$
1,2	50	$\approx \infty$	38	120
1,3	24	75	18	60
1,4	15	45	11	38
1,5	10	32	8	27
1,6	8	24	6	20
1,7	7	19	5	16
1,8	6	16	4	14
1,9	5	14	4	12
2	4	12	4	10

Exemple 1 : – Action d'amélioration d'une dispersion machine.

Une perceuse a une distribution Normale mais une dispersion habituelle sur la cote appui-outil d'environ 0,8mm incompatible avec les tolérances imposées sur les cotes de positionnement de perçage : IT = 0,5. Une action d'amélioration a conduit à réajuster l'orientation des efforts de serrage.

On souhaite savoir :

A) Si cette action réduit la dispersion par rapport à la dispersion antérieure.

B) Si cette action permet d'obtenir une dispersion compatible avec l'IT imposé.

1) On réalise un essai sur un échantillon de 15 pièces (voir tableau essai 1) donnant les résultats suivants :

$m_A = 10{,}02$

$s_A{}^2 = 0{,}007 \Rightarrow s_A = 0{,}084 \Rightarrow D = 0{,}504$

Il semble que la réduction soit significative.

	Essai 1	
	x	$(x_i - m)^2$
	10,06	0,0017
	9,87	0,0223
	10,07	0,0026
	10,08	0,0037
	10,11	0,0082
	10,07	0,0026
	9,90	0,0142
	10,03	0,0001
	10,07	0,0026
	9,99	0,0009
	10,05	0,0009
	9,92	0,0099
	10,14	0,0146
	9,90	0,0142
	10,03	0,0001
m	10,019	
s	0,084	
s^2	0,007	
SCE		0,098

- **Test de comparaison de la variance obtenue avec la variance antérieure.**

Écart type antérieur : $\sigma_0 \approx 0,8 / 6 = 0,133$.

$\Rightarrow$ Variance antérieure : $\sigma_0^2 = 0,0177$.

La question est de savoir si l'action a conduit à une réduction significative de la variance, mais là encore (cf exemple 3 du 5.4.3.1) nous n'étions pas certains *a priori* que la modification ne pouvait pas générer une augmentation de la variance De plus, une éventuelle augmentation de la variance serait préjudiciable. Il faut donc faire un test bilatéral avec $H_0 : s^2_A = \sigma^2_0$ contre $H_1 : s^2_A \neq \sigma^2_0$

- $\chi^2_{obs} = SCE / \sigma_0^2 = 0,098 / 0,0177 = 5,54$
- Valeur seuil de $\chi^2_{\ 0,025}$ (14) = 5,63.
- Valeur seuil de $\chi^2_{0,975}$ (14) = 26,12.

  $\chi^2_{obs} < 5,63 \Rightarrow$ la variance observée est significativement différente de la variance antérieure $\Rightarrow$ l'action a conduit à une réduction significative de la dispersion.

- **Comparaison de la variance obtenue avec la variance cible**

Écart type cible :

Pour obtenir un C*p* ≥ 1,33, il faut IT / D ≥ 1,33 $\Rightarrow$ D ≤ 0,5 / 1,33 = 0,376

D'où $\sigma_0 = 0,376 / 6 \approx 0,063$

D'où variance cible = σ_0^2= 0,004

La variance obtenue doit-elle être considérée comme significativement différente de la variance cible ?

On réalise un test bilatéral avec $H_0 : s^2_A = \sigma^2_0$ contre $H_1 : s^2_A \neq \sigma^2_0$:

- $\chi^2_{obs} = SCE / \sigma_0^2 = 0,098 / 0,004 = 24,5$
- Valeurs seuils de χ^2 :

  $\chi^2_{0,025}$ (14) = 5,63

  $\chi^2_{0,975}$ (14) = 26,12

  $\chi^2_{0,025} (14) \leq \chi^2_{obs} \leq \chi^2_{0,975} (14) \Rightarrow$ La variance observée n'est pas significativement différente de la variance cible.

Sur la base de cet échantillon de 15 pièces, on pourrait considérer avoir atteint une valeur de dispersion compatible avec l'IT imposé.

2) Toutefois la valeur élevée de χ^2_{obs} doit nous alerter sur le manque de puissance du test. On sait que la précision de l'estimation de s est s = $0,084^{\pm 0,035}$ (cf.4.3.1) , par ailleurs, le tableau (p. 97) nous montre que, sur un échantillon de 15 pièces, on ne peut détecter avec une puissance suffisante (90%) qu'un rapport $\frac{s}{\sigma_0}$ inférieur à 0,5 ou supérieur à 1,8. Cela conduit à réaliser un deuxième échantillon de confirmation de 50 pièces ayant donné les résultats suivants :

$m_B = 10,002$

$s_B = 0,0854$

$s^2_B = 0,0073$

$SCE_B = 0,3577$

On réalise un nouveau test bilatéral avec $H_0 : s^2_B = \sigma^2_0$ contre $H_1 : s^2_B \neq \sigma^2_0$:

- $\chi^2_{obs} = SCE / \sigma_0^2 = 0,3577 / 0,004 = 89,42$
- Valeurs seuils de χ^2 :

  $\chi^2_{0,025}$ (49) = 31,55

  $\chi^2_{0,975}$ (49) = 70,22

  $\chi^2_{obs} > \chi^2_{0,975} (49) \Rightarrow s^2_B \neq \sigma^2_0$

  $\Rightarrow$ La variance observée est significativement différente de la variance cible.

Note : Le tableau en 4.3.1 p. 51 nous permet d'évaluer la précision de l'estimation de s^2avec 50 individus.
$S^2 = 0{,}0073^{\pm 0{,}003}$, on constate que la valeur cible est extérieure à cet intervalle de confiance.
⇒ On ne peut pas considérer avoir atteint une valeur de dispersion compatible avec l'IT imposé.

3) Une deuxième action d'amélioration, portant sur la fixation des outils dans les douilles porte-outils, conduira à l'obtention d'une valeur satisfaisante vérifiée sur un échantillon de 30 pièces :

Résultats	**Test bilatéral**
$m = 10{,}01$	$\chi^2_{obs} = 0{,}1225 / 0{,}004 = 30{,}63$
$s = 0{,}065$	Valeurs seuils de χ^2 :
$s^2 = 0{,}0042$	$\chi^2_{0,025}(29) = 16{,}05$ et $\chi^2_{0,975}(29) = 45{,}72$
SCE = 0,1225	$\chi^2_{0,025}(29) \leq \chi^2_{obs} \leq \chi^2_{0,975}(29) \Rightarrow$ la variance observée n'est pas significativement différente de la variance cible.

Exemple 2 : – Détection d'une augmentation de dispersion.

Une modification d'outillage ne sera validée que si elle n'entraîne pas une augmentation de la dispersion actuelle qui est D = 0,2 mm.

On souhaite vérifier cette condition sur un échantillon, en se donnant toutes les chances de pouvoir détecter une augmentation de dispersion qui serait supérieure à 0,1 mm.

Rappel : Dispersion = $6\,s = 6\sqrt{s^2}$.

Écart type actuel : $\sigma_0 = 0{,}2 / 6 = 0{,}0333$.

Variance actuelle : $\sigma^2_0 = 0{,}0011$ = variance cible.

Une augmentation de dispersion de 0,1 mm se traduirait par un écart type de 0,3 / 6 = 0,05, soit un rapport $\frac{s}{\sigma_0} = 1{,}5$.

Pour avoir toutes les chances (puissance = 0,9) de détecter, si elle existe, une telle augmentation il faut un échantillon mini de 27 pièces (tableau p. 97 ou tableau page suivante).

Résultats :

69,03	69,06	69,05	68,97	69	69,01	69,05	69,03	68,97	68,97
69	68,95	68,93	69,03	68,98	69	69,03	68,97	68,96	69
69,07	69,02	69	69,03	68,95	69,04	69	68,96	68,95	68,93

Écart type = 0,039

La condition d'acceptation de ce nouvel outillage se traduit par $s^2 \leq 0{,}0011$

On réalise donc un test unilatéral avec $H_0 : s^2_A \leq \sigma^2_0$ contre $H_1 : s^2_A > \sigma^2_0$

- $\chi^2_{obs} = (29 \times 0{,}039^2) / 0{,}0011 = 40{,}1$
- $\chi^2_{0,95}(29) = 42{,}6$
- $40{,}1 < 42{,}6 \Rightarrow$ La variance de l'échantillon n'est pas significativement plus grande que la variance cible.

⇒ On valide le nouvel outillage.

Tableau d'effectif d'échantillon pour une comparaison unilatérale de dispersion machine avec une dispersion cible. ($\alpha = 0{,}05$, $1 - \beta = 0{,}9$).

Dispersion cible = D_0 \ D = Dispersion étudiée	0,1	0,2	0,3	0,4	0,5	0,6	0,7	0,8	0,9	1
0,1	∞	10	5	4	4	4	4	4	4	4
0,2	11	∞	27	10	7	5	4	4	4	4
0,3	6	28	∞	52	18	10	8	6	5	4
0,4	5	11	53	∞	85	27	15	10	8	7
0,5	4	7	19	90	∞	120	37	20	14	10
0,6	3	6	11	28	≈ ∞	∞	≈ ∞	50	27	18
0,7	3	5	9	16	39	≈ ∞	∞	≈ ∞	65	35
0,8	3	4	7	11	21	53	≈ ∞	∞	≈ ∞	85
0,9	3	4	6	9	15	28	65	≈ ∞	∞	≈ ∞
1	3	4	5	7	11	19	35	90	≈ ∞	∞
	0,1	**0,2**	**0,3**	**0,4**	**0,5**	**0,6**	**0,7**	**0,8**	**0,9**	**1**

D = Dispersion étudiée

Test unilatéral (au-dessus de la diagonale)

$H_0 : D \leq D_0$ contre $H_1 : D > D_0$

Effectif mini qu'il faut avoir pour avoir 90% de chances de détecter, si cela est le cas, que $D > D_0$

Test unilatéral (au-dessous de la diagonale)

$H_0 : D \geq D_0$ contre $H_1 : D < D_0$

Effectif mini qu'il faut avoir pour avoir 90% de chances de détecter, si cela est le cas, que $D < D_0$

Exemple de lecture : Si la dispersion cible est de 0,4, pour avoir 90% de chances de détecter une dispersion qui serait de 0,6, il faut un effectif minimum d'échantillon de 27 pièces.

5.4.3.3 Comparaison d'un pourcentage observé à un pourcentage théorique.

(NF X 06-068 et 069)

Ce test est fondé sur les valeurs de l'intervalle de confiance d'un pourcentage (cf 4.3.1).

Test bilatéral : H_0 : $\hat{p} = p_0$ contre H_1 : $\hat{p} \neq p_0$

On a :

Un pourcentage théorique : p et $q = 1 - p$;

Un pourcentage observé $\hat{p}$ sur n individus.

a) Cas des grands échantillons : *np* et *nq* ≥ 10) :

On calcule $\varepsilon = \dfrac{\hat{p} - p}{\sqrt{\dfrac{pq}{n}}}$

Pour un risque α = 5%

- Si $|\varepsilon| < 1{,}96$: le pourcentage observé n'est pas significativement différent du pourcentage théorique.
- Si $|\varepsilon| \geq 1{,}96$: : le pourcentage observé est significativement différent du pourcentage théorique.

Intervalle de confiance d'un pourcentage $\hat{p}$

Au risque $\alpha = 5\%$: $\hat{p} \pm 1{,}96 \sqrt{\dfrac{pq}{n}}$.

Puissance du test (α = 0,05 et β = 0,9) :

Pour avoir 90% de chances de détecter, si elle existe, une différence de $d\%$, il est nécessaire de disposer d'un effectif supérieur ou égal à $N = 10{,}5 \times \dfrac{pq}{d^2}$.

b) Cas des petits échantillons (*np* ou *nq* < 10)

Vérifier si le pourcentage théorique est dans l'intervalle de confiance du pourcentage observé donné dans le tableau des intervalles de confiance (cf. annexe 9).

Exemple 1 : – Le pourcentage habituel de retouches sur une fabrication est de 10%. Sur un dernier relevé, on constate qu'on a retouché 11 pièces sur un échantillon de 150 pièces. Le pourcentage 7,3 % est-il significativement différent de 10 % (au risque 5 %) ?

$$\varepsilon = \frac{0{,}073 - 0{,}1}{\sqrt{\dfrac{0{,}1 \times 0{,}9}{150}}} = -0{,}0266 / 0{,}0245 = -1{,}08$$

$|\varepsilon| < 1{,}96 \Rightarrow$ le pourcentage n'est pas significativement différent de 10 %.

Exemple 2 : – Un pourcentage observé de 85 % sur un échantillon de 20 pièces est-il significativement ($\alpha = 5\%$) différent d'un pourcentage théorique de 70 %?

- $np = 0{,}7 \times 20 = 14$ et $nq = 0{,}3 \times 20 = 6 \Rightarrow$ cas des petits échantillons.
- On lit dans la table de l'intervalle de confiance d'un pourcentage :

  Intervalle de confiance de $q = 0{,}15$ ($0{,}15 = 1 - 0{,}85$) : [3,2 ; 37,9]

  $\Rightarrow$ Intervalle de confiance de $p = 0{,}85$:]62,1 ; 96,8 [

  Le pourcentage observé n'est pas significativement différent de 70%.

5.4.3.4 Test d'ajustement d'une distribution observée à une distribution théorique - Test du χ^2 (Khi deux)

On a :

– Une variable qualitative à k modalités (ou une variable quantitative à k classes) ;

– Une distribution observée sur n individus ;

– Les proportions p_i de la distribution théorique à laquelle on souhaite comparer la distribution observée ;

– Un risque α donné. (En général $\alpha = 5\,\%$) ;

La distribution observée est-elle significativement différente de la distribution théorique ?

- **On dénombre** les effectifs observés o_i dans les k classes.

- **On calcule** les effectifs théoriques t_i des k classes : $t_i = np_i$.

Nota : le calcul des effectifs théoriques peut être facilité par l'utilisation des fonctions statistiques d'EXCEL du type « LOI.XXX ».

- **On vérifie** que tous les effectifs théoriques t_i sont supérieurs à 5.

  Si un ou plusieurs t_i sont < 5 : opérer des regroupements de classes et adapter le nombre de d.d.l.

- **On calcule** $\chi^2 = \sum_{i=1}^{i=k} \frac{(o_i - t_i)^2}{t_i}$

Nota : le test du χ^2 est disponible sous EXCEL après calcul des effectifs théoriques : « TEST.KHIDEUX ».

- **On compare** la valeur du χ^2 calculée à la valeur seuil lue dans une table du χ^2 pour α et $\nu = nb$ de d.d.l. correspondant (cf. table en annexe 8.2).

– Si la distribution théorique est connue a priori : d.d.l = $k - 1$.

– Si la distribution théorique est connue a posteriori (c.a.d. si les r paramètres nécessaires à la définition de la distribution théorique ont été déterminés à partir des valeurs de la distribution observée), d.d.l. = $(k - r - 1)$.

Nota:
Pour une loi Normale : r = 2, une loi binomiale : r = 1, une loi de Poisson : r =1, une loi exponentielle : r = 1, une loi de Weibul : r = 3.

- Si $\chi^2_{calculé} \geq \chi^2_{0,95}(\nu)$: la distribution observée est significativement différente de la distribution théorique.
- Si $\chi^2_{calculé} < \chi^2_{0,95}(\nu)$: la distribution observée n'est pas significativement différente de la distribution théorique.

Exemple 1 : : vérification de Normalité (cf. p. 74).

5.4.4 Comparaison de deux distributions

5.4.4.1 Organisation des tests de comparaison de deux populations Normales

(cf. D. Schwartz Méthodes statistiques *Flammarion*).

Distribution d'une variable quantitative		1er test à réaliser : Comparaison des variances — Les variances sont égales.	1er test à réaliser : Comparaison des variances — Les variances sont différentes. *Nota : la comparaison des moyennes n'est alors possible que pour les grands échantillons.*
2e test à réaliser : Comparaison des moyennes	Les moyennes sont égales.	Les populations sont identiques.	Les populations sont différentes (malgré l'identité des moyennes).
	Les moyennes sont différentes.	Les populations sont comparables.	Les populations sont totalement différentes.

5.4.4.2 Comparaison de deux variances observées. Test de Snedecor

(NF X 06-065 ; NF X 06- 063 ; NF X 06-064)

On a :

- S^2_A estimée sur n_A individus et S^2_B estimée sur n_B individus.
- S^2_A estimée > S^2_B estimée.
- Les distributions A et B sont Normales sinon on doit avoir n_A et $n_B \geq 30$
- Le risque α choisi.

- **On calcule** $F_{observé} = S^2_A / S^2_B > 1$ (Mettre la plus grande variance au numérateur)
- **On compare** la valeur de F à la valeur seuil F_s donnée dans les « tables de F » à l'intersection de la colonne $\nu_A = (n_A - 1)$ ddl. et de la ligne $\nu_B = (n_B - 1)$ ddl. , pour un risque α donné (cf. table en annexe 7)

Nota :

Dans le cas d'un test bilatéral : *le risque α est partagé des deux cotés. La valeur seuil est donc $F_{1-\alpha/2}(\nu_A ; \nu_B)$.*

Dans le cas d'un test unilatéral : *le risque α est intégralement à droite. La valeur seuil est donc $F_{1-\alpha}(\nu_A ; \nu_B)$.*

Remarque : *Un test bilatéral au risque α est équivalent à un test unilatéral au risque $\alpha/2$.*

Pour α = 5 %

Test bilatéral : $H_0 : S^2_A = S^2_B$ contre $H_1 : S^2_A \neq S^2_B$

« Les variances S^2_A et S^2_B sont-elles significativement différentes ? »

- Si $F_{obs} < F_{0,975}(\nu_A ; \nu_B)$: les deux variances ne sont pas significativement différentes.
- Si $F_{obs} \geq F_{0,975}(\nu_A ; \nu_B)$: les deux variances sont significativement différentes.

Test unilatéral : $H_0 : S^2_A \leq S^2_B$ contre $H_1 : S^2_A > S^2_B$.
« La variance S^2_A est-elle significativement plus grande que la variance S^2_B ? »

- Si $F_{obs} < F_{0,95}\ (\nu_A\ ;\ \nu_B)$: la variance S^2_A n'est pas significativement supérieure à la variance S^2_B.
- Si $F_{obs} \geq F_{0,95}\ (\nu_A\ ;\ \nu_B)$: la variance S^2_A est significativement supérieure à la variance S^2_B.

Note : Les valeurs seuils de F sont fournies par EXCEL par la fonction « INVERSE.LOI.F ». D'autre part, ce test est accessible sous EXCEL par la fonction « Test.F » ou d'une manière plus complète dans l'utilitaire d'analyse (cf. exemple).

Puissance du test.

Les abaques de NF X 06- 064 - section C - donnent la puissance du test en fonction de l'effectif des échantillons et du rapport des écarts types.

Le tableau ci-dessous donne quelques valeurs particulières pour des échantillons de même effectif.

- Effectif d'échantillons en fonction de λ pour $1 - \beta = 0{,}5$ ou $1 - \beta = 0{,}9$ et $\alpha = 0{,}05$

$\lambda = s_{max} / s_{min}$	**Bilatéral**		**Unilatéral**	
	0,5	**0,9**	**0,5**	**0,9**
1	∞	∞	∞	∞
1,1	≈ ∞	≈ ∞	≈ ∞	≈ ∞
1,2	100	≈ ∞	80	≈ ∞
1,3	55	≈ ∞	40	120
1,4	35	90	25	75
1,5	25	65	18	55
1,6	20	50	14	40
1,7	16	40	12	33
1,8	13	33	10	26
1,9	12	28	9	22
2	10	24	8	20
2,1	9	21	7	17
2,2	8	19	7	16
2,3	8	17	6	14
2,4	7	16	6	13
2,5	7	15	5	12
2,6	7	14		11
2,7	6	13		10
2,8	6	12		10
2,9	6	12		10
3	6	11		9

Lecture :

- Pour avoir 90 % de chance de détecter qu'une variance diffère d'une autre dans rapport $\lambda \geq 1{,}6$ il faut un effectif minimum d'échantillon de $n = 50$ pièces (test bilatéral).
- Pour avoir 90 % de chance de détecter qu'une variance dépasse une autre dans rapport $\lambda \geq 1{,}6$ il faut un effectif minimum d'échantillon de $n = 40$ pièces (test unilatéral).

Exemple 1 : – Comparaison de deux dispersions machine.

Deux lignes A et B de moulurières usinent les mêmes pièces. On souhaite comparer les dispersions machines de ces deux lignes.

On veut pouvoir détecter, s'il existe, un rapport de dispersion supérieure ou égal à 1,6.

On choisit donc un test bilatéral avec $H_0 : S^2_A = S^2_B$ contre $H_1 : S^2_A \neq S^2_B$.

Pour garantir la puissance du test, on prélèvera des effectifs de 50 pièces.

Tableau des résultats :

Ligne A : WEINIG						Ligne B : GABIANI				
69,56	69,50	69,48	69,48	69,48		69,51	69,46	69,50	69,51	69,49
69,50	69,51	69,46	69,49	69,50		69,55	69,55	69,51	69,46	69,55
69,48	69,50	69,51	69,56	69,45		69,53	69,49	69,55	69,44	69,46
69,50	69,55	69,51	69,51	69,48		69,52	69,49	69,49	69,50	69,48
69,48	69,50	69,54	69,52	69,54		69,50	69,51	69,53	69,49	69,48
69,48	69,50	69,51	69,52	69,48		69,54	69,44	69,54	69,47	69,52
69,53	69,54	69,50	69,54	69,48		69,48	69,43	69,50	69,51	69,52
69,51	69,51	69,48	69,50	69,50		69,47	69,54	69,50	69,51	69,51
69,48	69,52	69,48	69,52	69,50		69,49	69,48	69,46	69,52	69,51
69,50	69,50	69,52	69,54	69,51		69,54	69,50	69,47	69,53	69,50
Moyenne : 69,505 Écart type : $s_B = 0{,}02443$ Variance : $s^2_B = 0{,}000597$						Moyenne : 69,501 Écart type : $s_A = 0{,}03026$ Variance : $s^2_A = 0{,}000916$				

$F_{obs} = 0{,}000946 / 0{,}000597 = 1{,}53$

$F_{0{,}975}\ (49\ ,\ 49) = 1{,}76$

$F_{obs} < 1{,}76 \Rightarrow$ les deux variances ne sont pas significativement différentes

$\Rightarrow$ les deux dispersions ne sont pas significativement différentes.

Rappel: Si la distribution est Normale: dispersion = 6s avec $s = \sqrt{s^2}$ (cf. 6.1).

Exemple 2 : – Comparaison de la variabilité de résistance à la rupture d'un collage HF.

On souhaite vérifier que la réduction du temps de presse HF de 110 secondes à 80 secondes ne modifie pas la variabilité des résistances à la rupture.

La distribution des contraintes de rupture est habituellement Normale.

Contrainte de rupture à 110 secondes (Mpa)	4,18	4,31	5,07	4,76	4,93	5,17	4,83	4,95	4,06	4,78
Contrainte de rupture à 80 secondes (Mpa)	4,82	4,36	4,96	4,30	4,38	5,13	5,09	4,47	5,15	4,61

Échantillon A (110 secondes)	**Échantillon B (80 secondes)**
$m_A = 4{,}704$	$m_B = 4{,}727$
$S_A = 0{,}385$	$S_B = 0{,}342$
$S^2_A = 0{,}148$	$S^2_B = 0{,}117$

$F_{obs} = 0{,}148 / 0{,}117 = 1{,}26$

On réalise un test bilatéral avec $H_0 : S^2_A = S^2_B$ contre $H_1 : S^2_A \neq S^2_B$

La valeur seuil est $F_{0{,}975}\ (9\ ,\ 9) = 4{,}03$

$F_{obs} < 4{,}03 \Rightarrow$ les variances ne sont pas significativement différentes.

Traitement sous EXCEL :

Option « test d'égalité des variances (F-test) » dans « Utilitaires d'analyse » dans Menu « Outils ».

- Indiquer en 1ere plage de valeurs, la plage de l'échantillon de plus grande variance.
- Pour un test bilatéral, Excel réalisant un test unilatéral, spécifier un « seuil de signification » égal à $\alpha/2$ soit 0,025.
- Pour un test unilatéral, spécifier un « seuil de signification » égal à α soit 0,05.

Résultats : avec $\alpha_{excel} = 0{,}025$

Note : 0,366 représente la probabilité d'obtenir une valeur $F \leq 1{,}26$ dans le cas où H_0 est vraie. Cette valeur étant supérieure au seuil de 5 % —elle se situe dans la zone d'acceptation— on ne rejette pas H_0.

Test d'égalité des variances (F-Test)		
	Variable A	**Variable B**
Moyenne	4,704	4,727
Variance	0,14800444	0,11702333
Observations	10	10
Degré de liberté	9	9
F	1,26474302	
P(F< = *f*) unilatéral	0,36606631	
Valeur critique pour F (unilatéral)	4,02599198	

Exemple 3 : – Mise au point d'un protocole de mesures colorimétriques.

Dans une étude sur le vieillissement des vernis d'ameublement, la phase de mise au point du protocole de mesure du jaunissement doit permettre de résoudre le problème de la variabilité des résultats due à l'hétérogénéité des supports : les veinages du placage introduisent une grande variabilité dans la mesure du δB. (δB mesure le jaunissement de l'éprouvette par rapport à l'étalon).

Un premier protocole consiste à prendre 50 mesures à des emplacements aléatoires sur l'échantillon afin de réduire la variabilité des moyennes (cf 4.3.1). Un deuxième protocole consiste à prendre 10 mesures à des emplacements fixes. Le deuxième protocole est plus contraignant : réalisation d'un système de butées précis, repérage de l'orientation des échantillons sur le colorimètre, manipulation des butées lors des mesurages.

On ne validera le deuxième protocole que si la variabilité des résultats s'en trouve effectivement réduite.

Résultats des essais :

Protocole A	**Protocole B**
Emplacement des mesures : aléatoire	Emplacement des mesures : fixe
Nombre de mesures : 50	Nombre de mesures : 10
Écart type des résultats : 0,83	Écart type des résultats : 0,49
Variance $S^2_A = 0{,}6889$	Variance $S^2_B = 0{,}2401$

On réalise un test unilatéral avec $H_0 : S^2_A \leq S^2_B$ contre $H_1 : S^2_A > S^2_B$

•$F_{obs} = 0{,}6889 / 0{,}2401 = 2{,}87$

•$F_{0,95}\ (49\ ,\ 9) = 2{,}81$

$F_{obs} > 2{,}81 \Rightarrow S^2_B$ est significativement plus petite que S^2_A

$\Rightarrow$ On valide le protocole B.

5.4.4.3 Comparaison de deux moyennes observées

(NF X 06-065 ; NF X 06-064 ; NF X 06-058 ; NF X 06-059)

1) Cas d'échantillons indépendants

Cas des petits échantillons (n < 30)

On a :

– Les moyennes m_A et m_B calculées sur n_A et n_B individus.

– Les distributions A et B sont Normales.

– Les variances S_A^2 et S_B^2 ne sont pas significativement différentes (cf. 5.4.4.2).

– Le risque α choisi.

- **On calcule** $t : \dfrac{m_A - m_B}{\sqrt{\dfrac{S^2}{n_A} + \dfrac{S^2}{n_B}}}$ avec $S^2 = \dfrac{(n_A - 1)S^2{}_A + (n_B - 1)\,S^2{}_B}{n_A + n_B - 2}$

- **On compare** la valeur de t à la valeur seuil lue dans une table de la loi de Student pour $\nu = (n_A + n_B - 2)$ d.d.l et un risque α choisi. (cf. table de t en annexe 6.2).

Pour α = 5% :

Test bilatéral avec $H_0 : m_A = m_B$ contre $H_1 : m_A \neq m_B$

- Si $|t| < t_{0,975}(\nu)$: les moyennes ne sont pas significativement différentes.
- Si $|t| \geq t_{0,975}(\nu)$: les moyennes sont significativement différentes.

Test unilatéral avec $H_0 : m_A \geq$ (ou $\leq$) m_B contre $H_1 : m_A <$ (ou $>$) m_B

- Si $|t| < t_{0,95}(\nu)$: m_A n'est pas significativement plus petite (ou plus grande) que m_B
- Si $|t| \geq t_{0,95}(\nu)$: m_A est significativement plus petite (ou plus grande) que m_B

Cas des grands échantillons (n_A et n_B ≥ 30)

On a :

– Les moyennes m_A et m_B calculées sur n_A et n_B individus.

– $S^2{}_A$ estimée sur n_A individus et $S^2{}_B$ estimée sur n_A individus.

– Le risque α choisi.

- **On calcule** $\varepsilon = \dfrac{m_A - m_B}{\sqrt{\dfrac{S^2{}_A}{n_A} + \dfrac{S^2{}_B}{n_B}}}$

Pour α = 5%

Test bilatéral avec $H_0 : m_A = m_B$ contre $H_1 : m_A \neq m_B$

- Si $|\varepsilon| < 1,96$: les moyennes ne sont pas significativement différentes.
- Si $|\varepsilon| \geq 1,96$: les moyennes sont significativement différentes.

Test unilatéral avec $H_0 : m_A \geq$ (ou $\leq$) m_B contre $H_1 : m_A <$ (ou $>$) m_B

- Si $|\varepsilon| < 1,64$: m_A n'est pas significativement plus petite (ou plus grande) que m_B.
- Si $|\varepsilon| \geq 1,64$: m_A est significativement plus petite (ou plus grande) que m_B.

Puissance du test

- ***Pour des effectifs ≥ 30***

  Pour les risques $\alpha = 0{,}05$ et $\beta = 0{,}1$ (puissance = 0,9).

  Nombre d'observations nécessaires:

  Test bilatéral : $N \approx 21\left(\frac{CV^2}{\delta_r^{\,2}}\right) = 21\left(\frac{s^2}{\delta^2}\right)$

  Test unilatéral : $N \approx 17\left(\frac{CV^2}{\delta_r^{\,2}}\right) = 17\left(\frac{s^2}{\delta^2}\right)$

  Avec :

  s : écart type commun (condition d'égalité des variances).

  δ : différence absolue à mettre en évidence.

  $CV = s / m$

  $\delta_r = \delta / m$

  et m = ordre de grandeur de la moyenne.

- ***Pour des effectifs < 30 :*** consulter les abaques fournis en annexe 10.

Exemple 1 : – Détermination du nombre d'observations nécessaires.

On souhaite comparer la mouillabilité de deux lasures aqueuses sur Moabi.

La différence qu'on souhaite mettre en évidence est de 30% de la valeur moyenne habituelle ($m \approx 3°$)

On a une estimation du CV par les mesures antérieures: CV ≈ 50%

On souhaite que la comparaison ait 90% de chances de déceler la différence relative de 30% si celle-ci existe.

$N = 21\ (50^2 / 30^2) = 58$

⇒ On prendra 60 éprouvettes par échantillons.

Exemple 2 : – Mouillabilité d'une lasure.

On souhaite comparer la mouillabilité d'une lasure aqueuse sur support brut et sur support poncé (grain 120).

On réalise deux échantillons de 60 pièces sur lesquels on mesure l'angle θ.

Échantillon A : support brut	**Échantillon B : support poncé**
$m_A = 4{,}777$	$m_B = 3$
$S_A = 1{,}917$	$S_B = 1{,}489$

Test bilatéral avec $H_0 : m_A = m_B$ contre $H_1 : m_A \neq m_B$

$$\varepsilon = \frac{m_A - m_B}{\sqrt{\frac{S^2_A}{n_A} + \frac{S^2_B}{n_B}}} = \frac{4{,}777 - 3}{\sqrt{\frac{3{,}675 + 2{,}217}{60}}} = 5{,}67$$

5,67 > 1,96 ⇒ les moyennes sont significativement différentes.

⇒ La mouillabilité est meilleure sur les supports poncés.

Exemple 3 : – Comparaison de résistances de collage.

La réduction de temps de presse HF (cf. 5.4.4.2) modifie-t-elle la résistance des collages ?

Échantillon A (110 secondes)	**Échantillon B (80 secondes)**
$m_A = 4{,}704$	$M_B = 4{,}727$
$S_A = 0{,}385$	$S_B = 0{,}342$
$S^2_A = 0{,}148$	$S^2_B = 0{,}117$

On est dans le cas de petits échantillons dont la distribution est Normale et dont les variances sont considérées comme égales.

On réalise un test bilatéral de t. (D'une part, le sens d'une éventuelle modification de la résistance n'est pas connu *a priori* ; d'autre part, les conséquences sont à prendre en considération dans le cas d'une augmentation comme dans le cas d'une diminution.).

$$s_2 = \frac{(n_A - 1)S^2{}_A + (n_B - 1)S^2{}_B}{n_A + n_B - 2} = \frac{9 \times 0{,}148 + 9 \times 0{,}117}{10 + 10 - 2} = 0{,}1325.$$

$$t = \frac{m_A - m_B}{\sqrt{\frac{S^2}{n_A} + \frac{S^2}{n_B}}} = \frac{4{,}704 - 4{,}727}{\sqrt{\frac{2 \times 1{,}325}{10}}} = 0{,}1412.$$

On lit dans la table de t (annexe 6.2) : $t_{0{,}975}(18) = 2{,}10$.

$0{,}1412 < 2{,}10 \Rightarrow$ Les moyennes ne sont pas significativement différentes.

La réduction du temps de presse HF ne modifie pas la résistance des collages, ou ne la modifie pas de manière significative.

Traitement sous EXCEL :

Dans « utilitaires d'analyse » dans menu « Outils ».

Avec «seuil de signification » = α = 0,05.

Test d'égalité des espérances : deux observations de variances égales		
	Variable 1	**Variable 2**
Moyenne	4,704	4,727
Variance	0,14800444	0,117023333
Observations	10	10
Variance pondérée	0,13251389	
Différence hypothétique des moyennes	0	
Degré de liberté	18	
Statistique t	– 0,14128047	
P(T<=t) unilatéral	0,44460877	
Valeur critique de t (unilatéral)	1,73406306	
P(T<=t) bilatéral	0,88921753	
Valeur critique de t (bilatéral)	2,10092367	

Exemple 4 : – Comparaison des niveaux sonores en atelier de deux types de lames de tronçonnage sur des échantillons de 50 plateaux de hêtre d'épaisseur 36 mm (cf. 3.5.3).

Lors d'essais de mise au point d'une lame de scie « anti-bruit », on souhaite savoir si la réduction de niveau sonore constatée sur deux échantillons de 50 pièces est significative.

Échantillon A usiné avec une lame classique. Niveau sonore (l_{eq})									
95,3	95,8	96,2	94,6	94,2	94,9	95	96,5	95,6	95,4
95,2	94,6	95,2	94,4	94,7	94,7	96,1	94,9	94,7	95,8
98	94,7	94,8	95	95,4	94,8	95,7	95,8	95,3	95,4
95,7	95,5	95,4	95,5	95,6	95,5	96,2	94,5	95	93,3
94,2	94,4	96,5	95,8	94,4	94,2	94,6	95,3	95,7	95,9

Échantillon B usiné avec une lame prototype « anti-bruit ». Niveau sonore (I_{eq})									
93,5	92,6	95,2	95,2	94,6	94,5	94,5	95	94,3	94,8
92,8	93,7	95,3	96,5	93,8	93,5	95,3	95,8	94,3	96,2
93,4	93,7	93,3	94,6	94,1	95,9	94,5	95,6	94,4	94,9
94,5	92,4	94,3	94,1	94,4	94,3	94,4	95,3	97	93,9
92,7	97,2	95,2	94,6	94,8	93,5	96,3	95,9	95,4	94,6

Résultats	**Échantillon B**	**Échantillon A**
Moyenne	94,612	95,238
Variance	1,166	0,595

1) On réalise d'abord un test d'égalité de variance (cf. 5.4.4.2).

On réalise un test bilatéral :

« Les variances S^2_A et S^2_B sont-elles significativement différentes ? »

$F_{obs} = 1{,}166 / 0{,}595 = 1{,}96$

On trouve (par interpolation) dans la table de F au risque $\alpha/2$: $F_{0,975}\ (\nu_A\ ;\ \nu_B) \approx 1{,}77$.

(La valeur exacte est fournie par Excel par la fonction « Inverse.Loi.F »).

$F_{obs} \geq F_{0,975}\ (\nu_A\ ;\ \nu_B)$ ⇒ les deux variances sont significativement différentes.

Traitement sous Excel avec l'échantillon de plus grande variance en 1re variable et avec un niveau de signification = 0,025.

Test d'égalité des variances (F-Test)		
	Échantillon B	**Échantillon A**
Moyenne	94,612	95,238
Variance	1,16597551	0,59464898
Observations	50	50
Degré de liberté	49	49
F	1,96077947	
P(F<=f) unilatéral	0,01008377	
Valeur critique pour F (unilatéral)	1,76218862	

2) On réalise ensuite le test de comparaison de moyenne.

Note : La condition d'égalité de variances n'est pas indispensable si les effectifs sont supérieurs à 30.

Les prototypes antérieurs ayant montré qu'en tout état de cause, le niveau sonore n'augmentait pas, la question est : « Y a-t-il réduction significative du niveau sonore ? ». On réalise un test unilatéral avec $H_0 : m_B \geq m_A$ contre $H_1 : m_B < m_A$.

Nous sommes dans le cas de grands échantillons.

$$\varepsilon = \frac{95{,}238 - 94{,}612}{\sqrt{\dfrac{0{,}595}{50} + \dfrac{1{,}166}{50}}} = 3{,}34$$

$|\varepsilon| \geq 1{,}64$: m_B est significativement plus petite que m_A

⇒ La réduction du niveau sonore de la lame « anti-bruit » est significative.

Attention : Une différence peut être statistiquement significative sans être technologiquement significative. C'est ici le cas : la réduction du niveau sonore est réelle bien que faible (0,626 DbA). A l'inverse, une différence technologiquement importante observée sur des petits échantillons de variances élevées peut ne pas être statistiquement significative (cf. exemple suivant).

Exemple 5 : – Comparaison de la qualité d'usinage de deux process.

On souhaite comparer les qualités d'usinage de deux process de calibrage. La qualité est évaluée par une note de 0 à 20 attribuée par le même juge dans des conditions les plus proches possibles.

On a vérifié que les résultats de cette technique d'évaluation avaient des distributions Normales d'écart type 2,5

On a réalisé deux échantillons de 5 pièces :

Échantillon A	**Échantillon B**
$m_A = 6{,}84$	$m_B = 11{,}09$
$s_A = 2{,}53$	$s_B = 3{,}37$
$s^2_A = 6{,}4$	$s^2_B = 11{,}35$

1) Comparaison des variances:

$F_{obs} = 11{,}35 / 6{,}4 = 1{,}77$

$F_{0,975}(4, 4) = 9{,}60 \Rightarrow$ les variances ne sont pas significativement différentes.

2) Comparaison des moyennes: test de *t* bilatéral

$$s^2 = \frac{4 \times 6{,}4 + 4 \times 11{,}35}{5 + 5 - 2} = 8{,}875$$

$$t = \frac{11{,}09 - 6{,}84}{\sqrt{\frac{2 \times 8{,}875}{5}}} = 2{,}25$$

$t_{0,975}(8) = 2{,}30 \Rightarrow$ les moyennes ne sont pas significativement différentes.

$\Rightarrow$ Bien que les évaluations de qualité donnent une note qui apparaît nettement supérieure pour l'échantillon B, cette différence, du fait de la grande dispersion des notes et du faible effectif des échantillons, n'est pas significative. On est dans le cas d'un manque de puissance.

Avec un CV d'environ 33% (2,53 / 6,84 = 37% et 3,37 / 11,09 = 30%), il aurait fallu, pour avoir 90 % de chances de mettre en évidence un écart de 2 points sur 20, s'il existait, des échantillons de N = 21 ($33^2 / 10^2$) = 229 observations!

2) Cas d'échantillons appariés : (NF X 06-065 et NF X 06-066)

Échantillons appariés : deux séries de mesures portant sur les mêmes individus ou sur des individus liés entre eux vis à vis de la variable mesurée.

On se trouve en condition d'appariement quand on dispose de n paires d'observations portant sur des paires d'individus « **aussi identiques que possible**, sauf en ce qui concerne l'effet éventuel des traitements que l'on veut comparer ». NF X 06-066.

L'intérêt principal de cette méthode est le gain de puissance (cf. 5.4.2) qu'apporte la réduction de variabilité des résultats par l'homogénéité des individus étudiés.

- Exemples de situations d'échantillons appariés :

– Comparaison d'un process avec un process témoin ;

– Comparaison de deux process ;

– Comparaison de deux méthodes de mesures.

Dans de telles situations, les essais portent par exemple sur des éprouvettes que l'on réalise en dédoublant une même pièce. Toutes les précautions doivent être prises pour assurer l'identification et la traçabilité des paires ainsi constituées.

– Évolution d'un caractère dans le temps.

Dans une telle situation, on mesure, sur chaque individu, les valeurs successives d'une variable.

Exemple : vieillissement, séchage, fatigue sous charge, etc.

Méthode des couples :

On a :

– n paires de mesures (deux échantillons appariés de n individus).

– Le risque α choisi (on prend en général : $\alpha = 5\%$).

- **On forme** pour chaque paire la différence d_i des deux mesures.
- **On calcule** m_d et S_d , la moyenne et l'écart type estimés des n différences d_i.

Cas des petits échantillons (n < 30)

- **On vérifie** la Normalité de la distribution des d_i. Sinon, il est nécessaire de disposer d'au moins 10 d.d.l soit 11 paires de mesures.
- **On calcule** $t = \dfrac{m_d}{S_d / \sqrt{n}}$
- **On compare** la valeur de t à la valeur seuil lue dans une table de la loi de Student pour $\nu = (n - 1)$ d.d.l et un risque α choisi.

Pour α = 0,05 :

- Si $|t| < t_{0,975}(\nu)$: les moyennes ne sont pas significativement différentes.
- Si $|t| \geq t_{0,975}(\nu)$: les moyennes sont significativement différentes.

Cas des grands échantillons (n ≥ 30)

- **On calcule** $\varepsilon = \dfrac{m_d}{S_d / \sqrt{n}}$
- **On compare** $|\varepsilon|$ à la valeur seuil lue dans une table de la loi Normale réduite pour la valeur de α choisie.

Pour α = 5% :

- Si $|\varepsilon| < 1{,}96$: les moyennes ne sont pas significativement différentes.
- Si $|\varepsilon| \geq 1{,}96$: les moyennes sont significativement différentes.

Exemple 1 : – Comparaison de deux résultats de comptage d'éclats d'usinage en calibrage de panneaux de particules mélaminés sur les mêmes éprouvettes.

Dans une étude de développement d'outils diamant de calibrage de panneaux mélaminés, on teste différents protocoles de comptage d'éclats par observation sous loupe binoculaire.

On souhaite que le protocole garantisse des résultats concordants entre différents contrôleurs.

1) Un premier essai de protocole donne les résultats suivants:

Un même échantillon de 12 pièces a été contrôlé par deux opérateurs.

Nombres d'éclats supérieurs à 0,1 mm comptabilisés sur une longueur de 100 mm :

N° de pièce	Olivier	Éric	différences
1	20	31	– 11
2	11	17	– 6
3	26	26	0
4	14	14	0
5	16	17	– 1
6	8	12	– 4
7	20	24	– 4
8	14	15	– 1
9	22	29	– 7
10	16	12	4
11	11	20	– 9
12	8	17	– 9
Moyenne des différences			– 4
Écart type des différences			4,53

On est dans le cas de petits échantillons.

On réalise un test de t bilatéral :

$$t_{obs} = \frac{m_d}{S_d/\sqrt{n}} = \frac{-4}{\frac{4,53}{\sqrt{12}}} = -3,05$$

On lit dans une table de Student : $t_{0,975}(11) = 2,20$

$|t_{obs}| > 2,20$ $\Rightarrow$ Les moyennes sont significativement différentes.

Il semble très probable qu'Éric comptabilise plus d'éclats qu'Olivier. Ceci conduit à préciser les règles de comptage du protocole.

2) Après améliorations, les résultats sont les suivants :

N° de pièce	Olivier	Éric	différence
1	1	1	0
2	0	0	0
3	1	1	0
4	0	1	– 1
5	11	12	– 1
6	15	15	0
7	15	14	1
8	12	12	0
9	15	25	– 10
10	26	27	– 1
11	27	23	4
12	12	17	– 5
13	21	31	– 10
14	25	25	0
15	22	29	– 7
16	32	33	– 1
17	35	39	– 4
18	3	3	0
19	37	25	12
20	37	33	4
21	29	29	0
22	57	59	– 2
23	25	25	0
24	23	28	– 5
25	52	52	0
26	71	78	– 7
27	61	57	4
28	82	79	3
29	93	87	6
30	69	65	4
31	82	79	3
32	69	71	– 2
33	80	81	– 1
34	83	89	– 6
35	83	92	– 9
36	76	99	– 23
Moyenne des différences			– 1,5
Écart type des différences			5,87

Test de comparaison dans le cas de grands échantillons :

$$\varepsilon = \frac{m_d}{S_d/\sqrt{n}} = \frac{-1,5}{\frac{5,87}{\sqrt{36}}} = -1,53$$

On a $|\varepsilon| < 1,96$ $\Rightarrow$ les moyennes ne sont pas significativement différentes.

$\Rightarrow$ On peut considérer que le protocole donne des résultats concordants entre les deux opérateurs.

Traitement sous EXCEL :

Excel fournit le test de Student pour les observations appariées dans « utilitaires d'analyse ».

En spécifiant un « niveau de signification » de 0,05 :

Test d'égalité des espérances: observations pairées		
	Olivier	**Éric**
Moyenne	38,3888	39,8888
Variance	864,7587	919,8730
Observations	36	36
Coefficient de corrélation de Pearson	0,98117631	
Différence hypothétique des moyennes	0	
Degré de liberté	35	
Statistique *t*	–1,53385041	
P(T<=*t*) unilatéral	0,06702864	
Valeur critique de *t* (unilatéral)	1,68957285	
P(T<=*t*) bilatéral	0,13405727	
Valeur critique de *t* (bilatéral)	2,03011041	

Exemple 2 : – Étude du jaunissement d'un vernis.

On souhaite comparer la résistance au jaunissement d'un vernis polyuréthane à celle d'un vernis cellulosique après adjonction de filtre UV dans les compositions des vernis.

Compte tenu de l'influence de l'essence de bois sur le jaunissement, on réalise des éprouvettes de différentes essences de bois (agglo plaqué qualité ébénisterie) sur lesquelles on applique, après dédoublement, les deux vernis étudiés.

On mesure le jaunissement (δB) après 4 mois de vieillissement à la lumière naturelle.

Essence	Polyuréthane	Nitrocellulosique	Différences
Chêne français	5,56	6,10	– 0,54
Chêne US	4,04	2,96	1,08
Châtaignier	6,81	7,78	– 0,97
Érable	2,51	1,03	1,48
Merisier français	0,19	– 0,21	0,40
Merisier US	1,57	2,31	– 0,74
Pin	0,39	– 0,37	0,76
Sapin	5,08	5,04	0,04
Hêtre étuvé	3,65	2,14	1,51
Hêtre	2,69	2,24	0,45
Orme	2,43	1,35	1,08
Frêne	–0,43	– 0,50	0,07
Teck	2,92	6,25	– 3,33
Aniégré	3,08	3,82	– 0,74
Moyenne	2,89	2,85	0,039
Écart type	4,302	6,912	1,275

On réalise un test de t bilatéral:

$$t_{obs} = \frac{m_d}{S_d / \sqrt{n}} = \frac{0{,}039}{\frac{1{,}275}{\sqrt{14}}} = 0{,}11$$

On lit dans une table de Student : $t_{0,975}(13) = 2{,}16$

$|t_{obs}| < 2{,}16 \Rightarrow$ Les moyennes ne sont pas significativement différentes.

$\Rightarrow$ On peut considérer que les deux vernis présentent la même résistance au jaunissement.

5.4.4.4 Comparaison de deux pourcentages observés

1) Cas d'échantillons indépendants.

- **On a :** Deux pourcentages observés p_a et p_b sur n_a et n_b individus.
- **On calcule** p et q sur l'ensemble des deux échantillons:

$$p = \frac{n_a\, p_a + n_b\, p_b}{n_a + n_b} \quad \text{et} \quad q = 1 - p$$

– ***Cas des grands échantillons : np et nq ≥ 10)*** :

- **On calcule** $\varepsilon = \dfrac{p_a - p_b}{\sqrt{\dfrac{pq}{n_a} + \dfrac{pq}{n_b}}}$

Test bilatéral avec $H_0 : p_a = p_b$ contre $H_1 : p_a \neq p_b$

Pour α = 5 %:

- Si $|\varepsilon| < 1{,}96$: le pourcentage observé p_a n'est pas significativement différent du pourcentage observé p_b.
- Si $|\varepsilon| \geq 1{,}96$: le pourcentage observé p_a est significativement différent du pourcentage observé p_b.

Exemple 1 : – Comparaison de taux de rebuts.

Deux échantillons de mètres rubans ont été contrôlés. Les pourcentages de rebuts sont-ils identiques?

Lot A : ruban de 3 mètres	**Lot B : rubans de 2 mètres**
Effectif de l'échantillon : 8000	Effectif de l'échantillon : 1800
Pourcentage de rebuts : 4,01 %	Pourcentage de rebuts : 5,44 %

$$p = \frac{8\,000 \times 0{,}0401 + 1\,800 \times 0{,}0544}{8\,000 + 1\,800} = 4{,}27\,\% \text{ et } q = 95{,}73\,\%$$

$$\varepsilon = \frac{0{,}0401 - 0{,}0544}{\sqrt{\dfrac{0{,}0427 \times 0{,}9573}{8000} + \dfrac{0{,}0427 \times 0{,}9573}{1800}}} = -\,2{,}71$$

$2{,}71 > 1{,}96 \Rightarrow$ les deux pourcentages sont significativement différents.

Exemple 2 : – Lors d'un contrôle, on a identifié :

- Sur un échantillon A de 2500 rubans : 21 défauts critiques sur un total de 143 défauts, soit un taux de défauts critiques de 14,68 %.
- Sur un échantillon B de 2500 rubans : 177 défauts critiques sur un total de 889 défauts, soit un taux de défauts critiques de 19,91 %.

L'écart entre les taux de défauts critiques par rapport au nombre total de défauts est-il significatif ?

$$p = \frac{143 \times 0{,}1468 + 889 \times 0{,}1991}{143 + 889} = 0{,}1875 \Rightarrow q = 1 - 0{,}1875 = 0{,}8125$$

$$\varepsilon = \frac{0{,}1991 - 0{,}1468}{\sqrt{\dfrac{0{,}1875 \times 0{,}8125}{143} + \dfrac{0{,}1875 \times 0{,}8125}{889}}} = 1{,}48$$

$1{,}48 < 1{,}96 \Rightarrow$ les deux taux de défauts critiques ne sont pas significativement différents.

– ***Cas des petits échantillons : np ou nq < 10 :***

- Utiliser le test du χ^2 sur les effectifs (cf 5.4.4.5).

2) Cas d'échantillons appariés : *(Cf. Définition au paragraphe précédent).*

On peut utiliser la méthode de comparaison de deux proportions sur des échantillons appariés quand on dispose de deux séries d'observations qualitatives appariées :

- Deux variables qualitatives binaires étudiées simultanément sur les mêmes individus.
- Une variable qualitative binaire étudiée sur deux échantillons appariés.
- Une variable qualitative étudiée à deux moments différents sur les mêmes individus.

⇒ Soit dans les trois cas, N couples d'observations appariées.

Ce test permet de comparer les pourcentages de réponses positives (ou négatives) dans les deux séries d'observations, ce qui revient à vérifier que les discordances de réponses sont équivalentes dans les deux sens.

On a les tableaux de résultats :

- Résultats bruts :

N° de la paire	1	2	3	4	5	6	7	8	9	10	11	12	13	14	15	...	N
1re observation	+	+	–	+	+	–	–	+	–	–	–	+	+	+	–	...	–
2e observation	–	+	+	+	+	–	–	–	–	+	–	+	+	–	–	...	–

- Résultats mis en forme dans un tableau de contingence : (cf. annexe 1 vocabulaire).

		1re observation		Total
		+	–	
2e observation	+	a = Effectif des (+ , +)	b = Effectif des (– , +)	a + b
	–	c = Effectif des (+ , –)	d = Effectif des (– , –)	c + d
Total		a + c	b + d	Total général

On veut tester s'il existe une différence systématique entre les résultats d'une même paire.

- **On calcule** $\varepsilon = \dfrac{b - c}{\sqrt{b + c}}$
- **On vérifie** que $b + c \geq 10$

Test bilatéral avec $H_0 : p_a = p_b$ contre $H_1 : p_a \neq p_b$

Pour α = 5 %:

- Si $|\varepsilon| < 1,96$: les pourcentages de réponses « + » (ou « – ») ne sont pas significativement différents dans les deux séries d'observations.
- Si $|e| \geq 1,96$: les pourcentages de réponses « + » (ou « – ») sont significativement différents dans les deux séries d'observations.

Exemple 1 : – Comparaison du niveau de sévérité de deux contrôleurs.

Dans la mise au point d'un protocole de contrôle de qualité d'usinage en calibrage CN, on souhaite comparer le niveau de sévérité des deux juges.

Un usinage est déclaré « satisfaisant » ou « non satisfaisant ».

On a réalisé 81 éprouvettes correspondant aux croisements de 3 vitesses de rotation, 3 vitesses d'avance, 3 profondeurs de passe et 3 géométries d'outil.

Les résultats sont les suivants:

		1er contrôleur		Total
		Satisfaisant	Non satisfaisant	
2e contrôleur	Satisfaisant	19	11	30
	Non satisfaisant	22	29	51
	Total	41	40	81

$$\varepsilon = \frac{11 - 22}{\sqrt{33}} = -\,1{,}91$$

On a $|-1{,}91| < 1{,}96 \Rightarrow$ les pourcentages de jugements « satisfaisant » (ou « non satisfaisant ») des deux contrôleurs ne sont pas significativement différents.

$\Rightarrow$ On peut considérer que les deux contrôleurs ont le même niveau de sévérité.

Exemple 2 : – Tri visuel de composants de menuiseries sur la teinte du bois.

Pour garantir un bon appariement des bois dans les menuiseries Moabi vernies dans la phase de cadrage, on envisage de subdiviser les racks de stockage de pièces en catégories de teinte.

Deux solutions de catégorisation sont envisagées :

Catégorisation 1 : « clair », « moyen clair », « moyen foncé », « foncé »

Catégorisation 2 : « clair », « moyen », « foncé »

La distinction des « clairs » et des « foncés » ne présente pas d'ambiguïtés.

Pour des raisons d'organisation du stock, on ne validera la solution 1, qui aurait l'avantage de mieux homogénéiser les teintes, que si le trieur est **effectivement** capable de faire la distinction entre « moyen clair :Mc » et « moyen foncé : Mf ».

On soumet le trieur à un double contrôle sur le même échantillon de 50 pièces.

Note : Toutes les conditions de contrôle « en aveugle » sont réunies : pièces de formes identiques, sans singularité, numérotation cachée, ordre aléatoire de contrôle, conditions d'observation identiques.

Les résultats du contrôle double sont les suivants :

numéro de pièce	1er contrôle	2e contrôle	codage	numéro de pièce	1er contrôle	2e contrôle	codage	numéro de pièce	1er contrôle	2e contrôle	codage
1	Mc	Mc	+ +	18	Mc	Mf	+ –	35	Mf	Mf	– –
2	Mc	Mf	+ –	19	Mc	Mc	+ +	36	Mc	Mc	+ +
3	Mf	Mf	– –	20	Mc	Mc	+ +	37	Mf	Mc	– +
4	Mc	Mc	+ +	21	Mf	Mf	– –	38	Mf	Mf	– –
5	Mf	Mc	– +	22	Mc	Mc	+ +	39	Mc	Mc	+ +
6	Mc	Mf	+ –	23	Mf	Mf	– –	40	Mc	Mf	+ –
7	Mc	Mc	+ +	24	Mf	Mc	– +	41	Mc	Mf	+ –
8	Mf	Mf	– –	25	Mc	Mc	+ +	42	Mc	Mc	+ +
9	Mf	Mf	– –	26	Mc	Mc	+ +	43	Mc	Mf	+ –
10	Mf	Mf	– –	27	Mf	Mf	– –	44	Mf	Mf	– –
11	Mc	Mf	+ –	28	Mf	Mf	– –	45	Mc	Mc	+ +
12	Mc	Mf	+ –	29	Mc	Mc	+ +	46	Mf	Mf	– –
13	Mc	Mf	+ –	30	Mf	Mc	– +	47	Mf	Mf	– –
14	Mc	Mc	+ +	31	Mc	Mc	+ +	48	Mf	Mf	– –
15	Mc	Mc	+ +	32	Mc	Mc	+ +	49	Mf	Mf	– –
16	Mf	Mf	– –	33	Mc	Mf	+ –	50	Mc	Mf	+ –
17	Mc	Mf	+ –	34	Mc	Mc	+ +				

Les résultats mis en forme donnent la tableau :

		1er contrôle		Total
		Moyen clair +	Moyen foncé –	
2e contrôle	Moyen clair +	18	4	22
	Moyen foncé –	12	16	28
	Total	30	20	50

$$\varepsilon = \frac{4 - 12}{\sqrt{16}} = -2$$

$|-2| > 1{,}96 \Rightarrow$ les deux contrôles ne sont pas identiques

$\Rightarrow$ On ne peut conclure que le trieur fait effectivement la différence entre les « moyen clair » et les « moyen foncé ». Dans les conditions actuelles de tri, on se contentera de trois catégories de couleurs : « clair », « moyen », « foncé ».

5.4.4.5 Test d'égalité de deux distributions observées - χ^2.

Dans un tableau de 2 lignes et k colonnes, **on a :**

– Deux échantillons 1 et 2 ;
– Une variable qualitative à k modalités ;
– Un risque α donné ;
– Les effectifs observés pour chaque modalité dans chaque échantillon.

	Modalité 1	**Modalité 2**	**...**	**Modalité *k***	**Total**
Échantillon 1	e_{11}	e_{12}	e_{ij}	e_{1k}	$e_{1\bullet}$
Échantillon 2	e_{21}	e_{22}		e_{2k}	$e_{2\bullet}$
Total	$e_{\bullet 1}$	$e_{\bullet 2}$		$e_{\bullet k}$	e_t

On veut savoir si les deux distributions sont identiques.

- **On calcule** les « effectifs théoriques » t_{ij} pour chaque cellule du tableau :

  (i = numéro de ligne , j = numéro de colonne.)

  $t_{ij} = \dfrac{e_{i\bullet} \times e_{\bullet j}}{e_t}$ (t_{ij} = Total en ligne × total en colonne / total général.)

– Si tous les « effectifs théoriques » sont ≥ 5 :

Si tous les effectifs théoriques ne sont pas ≥ 5, faire des regroupements de modalités et adapter le nombre de d.d.l.

- **On calcule** $\chi^2_{obs} = \sum_{ij} \dfrac{(e_{ij} - t_{ij})^2}{t_{ij}}$ (somme sur toutes les cellules).

- **On compare** la valeur du χ^2 observé à la valeur seuil $\chi^2_{\alpha}(\nu)$ correspondant au risque α choisi et à $\nu = (k - 1)$ d.d.l., lue dans une table du χ^2 (cf. annexe 8.2).

  Nota: *la valeur seuil est disponible sous EXCEL : « KHIDEUX.INVERSE ».*

H_0 : distributions identiques contre H_1 : distributions différentes

Pour α = 5 %

- Si $\chi^2_{obs} \geq \chi^2_{0,95}(\nu)$: Les deux distributions sont significativement différentes.
- Si $\chi^2_{obs} < \chi^2_{0,95}(\nu)$: Les deux distributions ne sont pas significativement différentes.

Nota : *le test de χ^2 est disponible sous EXCEL : « Test KHIDEUX » après calcul des effectifs théoriques.*

Exemple : – Comparaison des distributions de défauts sur 2 types de produits.

On souhaite comparer les distributions des différents types de défauts sur deux types de produits post-formés fabriqués sur deux lignes produit différentes.

- Distribution des défauts sur la période janvier - octobre :

	cassure	rayure	tache	clou	débris	mineurs	Total
Plans de toilette	135	50	26	25	21	58	315
Bandeaux lumineux	40	23	5	3	2	23	96
Total	175	73	31	28	23	81	411

- Effectifs théoriques :

  Exemple: 315 × 175 / 411 = 134,12

	cassure	rayure	tache	clou	débris	mineurs
Plans de toilette	134,12	55,95	23,76	21,46	17,63	62,08
Bandeaux lumineux	40,88	17,05	7,24	6,54	5,37	18,92

- (observé – théorique)^2 / théorique :

	cassure	rayure	tache	clou	débris	mineurs
Plans de toilette	0,01	0,63	0,21	0,58	0,65	0,27
Bandeaux lumineux	0,02	2,08	0,69	1,92	2,12	0,88

- $\chi^2_{obs} = 10{,}05$
- On lit dans une table de χ^2 : $\chi^2_{0,95}(5) = 11{,}07$
- $\chi^2_{obs} < 11{,}07 \Rightarrow$ les deux distributions de défauts ne sont pas significativement différentes.

$\Rightarrow$ La distribution des défauts n'est pas liée aux spécificités des lignes produit, l'origine des défauts doit donc être recherchée dans les éléments communs aux deux lignes.

Note : *La fonction « Test. KHIDEUX » d'Excel fournit la probabilité d'observer une valeur supérieure à la valeur du χ^2_{obs}. Si cette probabilité est inférieure à 0,05, on rejette H_0. Dans cet exemple Excel renvoie la valeur 0,07 $\Rightarrow$ on conserve H_0.*

5.4.5 Tests d'indépendance de deux variables

5.4.5.1 Tableau des tests

(cf. D. Schwartz – Méthodes statistiques – *Flammarion*).

Types de variables	Outil d'étude	Conditions d'application
Deux variables qualitatives. • Les deux variables ont deux modalités ou classes. • Une des deux variables a plus de deux modalités • Plus de deux modalités ou classes.	Tests sur les effectifs ou les fréquences : – Comparaison de deux pourcentages (cf 5.4.4.4). – Test χ^2 d'égalité de deux distributions (cf. 5.4.4.5). – Test χ^2 (cf 5.4.5.2).	Effectifs théoriques suffisants.
Deux variables quantitatives (xi, yi) • Avec liaison entre les couples (x_i, y_i).	Séries chronologiques.	cf. ouvrages spécialisés.
• Sans liaison entre les couples (x_i, y_i). – x_i contrôlée et y_i aléatoire. – x_i et y_i aléatoires. Cf. 6.2.	Test de « *r* » et Régression. Corrélation et Test de « *r* ».	Normalité et variance constante des y_i. (y_i : distribution liée). Une des deux distributions liées : Normale et de variance constante.
Une variable qualitative et une variable quantitative. • La variable qualitative a deux classes ou modalités : « Population A ou B ». • La variable qualitative a plus de deux classes ou modalités.	Comparaison de deux populations (cf 5.4.4). Analyse de variance.	Si les échantillons sont petits, la variable quantitative doit avoir une distribution Normale et une variance constante pour chaque modalité de la variable qualitative.

5.4.5.2 Liaison de deux variables qualitatives. Test du χ^2

Ce cas est une extension du cas traité en 5.4.4.5.

Dans un tableau de m lignes et k colonnes, **on a :**

– Une variable qualitative à m modalités ;

– Une variable qualitative à k modalités ;

– Un risque α donné (en général : $\alpha = 5\,\%$) ;

– Les effectifs observés e_{ij} pour chaque combinaison de modalités.

		1re Variable				Total en ligne
		Modalité 1	**Modalité 2**	**...**	**Modalité k**	
2e variable	Modalité 1	e_{11}	e_{12}		e_{1k}	$e_{1\bullet}$
	Modalité 2	e_{21}	e_{22}		e_{2k}	$e_{2\bullet}$
	...			e_{ij}		
	Modalité *m*	e_{m1}	e_{m2}		e_{mk}	$e_{m\bullet}$
Total en colonne		$e_{\bullet 1}$	$e_{\bullet 2}$		$e_{\bullet k}$	e_t

On veut savoir si les deux variables sont liées.

- **On calcule** les « effectifs théoriques » t_{ij} pour chaque cellule du tableau :

(*i* = numéro de ligne , *j* = numéro de colonne.)

$$t_{ij} = \frac{e_{i\bullet} \times e_{\bullet j}}{e_t}$$ avec t_{ij} = Total en ligne × total en colonne / total général.

***Nota:** Si tous les effectifs théoriques ne sont pas ≥ 5, regrouper deux modalités sur l'une et/ou l'autre variable et adapter le nombre de lignes et/ou de colonnes.*

- **On calcule** $\chi^2 = \sum_{ij} \frac{(e_{ij} - t_{ij})^2}{t_{ij}}$ (somme sur toutes les cellules).

- **On compare** la valeur du χ^2 observé à la valeur seuil $\chi^2_\alpha\ (\nu)$ correspondant au risque α choisi et à $\nu = (k - 1)\ (m - 1)$ d.d.l., lue dans une table du χ^2 (cf. annexe 8.2).

H_0 : les variables sont indépendantes contre H_1 : les variables sont liées

Pour α = 5 %

- Si $\chi^2_{obs} \geq \chi^2_{0,95}\ (\nu)$: Il y a une liaison significative entre les deux variables.
- Si $\chi^2_{obs} < \chi^2_{0,95}\ (\nu)$: Il n'y a pas de liaison significative entre les deux variables.

Exemple : – Étude de la répartition des défauts chez trois opérateurs de montage.

Trois opérateurs réalisent le montage et l'équipement de meubles caissons. Les défauts les plus fréquents sont les rayures ou éraflures, les mauvais alignements des façades de tiroirs et les taches. On veut savoir si le type de défaut est lié à l'opérateur.

Tableau des effectifs observés :

		Type de défaut			Total en ligne
		Rayure	**Alignement**	**taches**	
Opérateur	A	45	16	8	69
	B	33	22	12	67
	C	41	10	15	66
Total en colonne		119	48	35	202

Tableau des effectifs théoriques :

		Type de défaut		
		Rayure	**Alignement**	**taches**
Opérateur	A	40,65	16,40	11,96
	B	39,47	15,92	11,61
	C	38,88	15,68	11,44

Tableau des $(\text{obs} - \text{théo})^2 / \text{théo}$:

		Type de défaut		
		Rayure	**Alignement**	**Taches**
Opérateur	A	0,47	0,01	1,31
	B	1,06	2,32	0,01
	C	0,12	2,06	1,11

$\chi^2_{obs} = 8{,}47$

On lit dans une table du χ^2 la valeur de $\chi_{0,95}(4) = 9{,}488$

$\chi^2_{obs} < \chi^2_{0,95}(\nu)$: Il n'y a pas de liaison significative entre les deux variables.

$\Rightarrow$ Malgré les différences dans la répartition des défauts entre les trois opérateurs, on considérera que ces différences de répartition ne sont pas significatives.

5.4.6 Test de classements

Test de *m* classements

(Cf. Aide mémoire statistique - CERESTA).

- **On a** *n* éléments soumis à *m* procédés de classement.

	Numéro de l'élément							
	E_1	E_2	E_3	E_4	E_5	...	E_i	E_n
Rang dans Classement N° 1	r_{11}	r_{21}						
Rang dans Classement N° 2							r_{i2}	
...								
Rang dans Classement N° m								r_{nm}
Somme des rangs	R_1	R_2	R_3	R_4	R_5		R_i	R_n

On veut savoir si les classements sont cohérents.

- En cas d'ex-æquo dans un classement, le rang attribué est la moyenne des rangs.
  Exemple : 1er - 2e - 2e - 4e donne 1er - 2.5e - 2.5e - 4e.
- **On calcule** pour chaque élément la somme R_i des rangs des différents classements.
- **On calcule** $S = \sum_{i=1}^{n}\left(R_i \frac{m(n+1)}{2}\right)^2$.
- **On compare** S à la valeur seuil $S_\alpha(m, n)$ lue dans la table (cf. annexe 12).
  $H_0 : [\, C_1 \equiv C_2 \equiv C_3 \equiv \ldots \equiv C_m \equiv C \,]$ contre $H_1 : [\, C_i \neq C$ pour un i au moins$]$.

- Si $S > S_\alpha(m, n) \Rightarrow$ les classements sont cohérents. Ils peuvent être considérés comme identiques.
- Sinon les classements sont différents pour au moins l'un d'entre eux.

Exemple : – Classement de nuances de couleur

Dans une étude sur la variabilité de perception des nuances colorimétriques du Moabi, on demande à 3 juges de classer 15 éprouvettes du plus clair au plus foncé.

Tableau des résultats :

	Numéro de l'éprouvette														
	1	**2**	**3**	**4**	**5**	**6**	**7**	**8**	**9**	**10**	**11**	**12**	**13**	**14**	**15**
Rang du juge 1	5	6	8	3	13	14	1	2	15	9	7	10	11	12	4
Rang du juge 2	4	7	8	5	11	13	2	1	15	9	6	14	10	12	3
Rang du juge 3	9	7	4	3	10	15	2	1	14	6	5	11	12	13	8
Somme des rangs	18	20	20	11	34	42	5	4	44	24	18	35	33	37	15

Test de *m* classements

- $m(n + 1) / 2 = 3 \times 16 / 2 = 24$
- $S = (18 - 24)^2 + (20 - 24)^2 + (20 - 24)^2 + (11 - 24)^2 + \ldots = 2431$
- $S_{0,05}(3 , 15) = 1292$

$S > 1292 \Rightarrow$ les classements sont identiques

$\Rightarrow$ On peut considérer que les trois juges classent de la même manière les 15 éprouvettes selon le classement :

Ordre de classement	1	2	3	4	5	5	7	7	9	10	11	12	13	14	15
N° de l'éprouvette	8	7	4	15	1	11	2	3	10	13	5	12	14	6	9

5.4.7 Détection d'observation aberrante. Test de Grubbs

- **On a** une série de données.

On veut savoir si une observation x_i , paraissant trop petite ou trop grande, doit être considérée comme isolée ou aberrante.

- **On calcule** l'écart réduit : $e = \frac{|x_i - \bar{x}|}{s}$

  avec $\bar{x}$ = moyenne des observations et s = écart type estimé (cf 4.3.1).
- **On compare** la valeur trouvée aux valeurs critiques $C_{1-\alpha/2}$ ($\nu = n - 1$) lue dans la table (cf annexe 11).
  - Si $e \leq C_{0,975}$: La valeur n'est ni isolée ni aberrante.
  - Si $C_{0,975} < e \leq C_{0,995}$: la valeur doit être considérée comme isolée.
  - Si $e > C_{0,995}$: La valeur doit être considérée comme aberrante.

Pour détecter deux ou plusieurs observations aberrantes, recommencer le test après élimination de l'observation aberrante précédente et calcul des nouveaux paramètres statistiques.

Exemple 1 : – Mesure d'un niveau sonore.

Pour une expérimentation sur le niveau sonore en formatage de panneau, on relève 5 mesures du niveau sonore pour chaque ligne du plan expérimental.

Dans une ligne du plan on a les valeurs suivantes (dBA):

87,3 - 87,5 - 87 - 88,3 - 89,6.

La valeur 89,6 paraît suspecte.

Moyenne des valeurs = 87,94

Écart type estimé = 1,045

e = (89,6 – 87,94) / 1,045 = 1,588

On lit dans la table des valeurs critiques: $C_{0,975}$ (4) = 1,481 et $C_{0,995}$ (4) = 1,496

1,588 > 1,496 ⇒ la valeur doit être considérée comme aberrante.

***Note :** A condition que cela reste exceptionnel, on peut la remplacer par la moyenne des 4 autres.*

Exemple 2 : – Distribution du taux d'hygrométrie d'un lot d'avivé Chêne, épaisseur 27 mm.

N° avivé	H%	N° avivé	H%	N° avivé	H%	N° avivé	H%	N° avivé	H%	N° avivé	H%
1	19,7	10	20,7	19	20	28	21,5	37	21,8	43	21,1
2	21,5	11	20,6	20	22,2	29	22,5	38	22,1	47	20,4
3	20,6	12	21,9	21	20,9	30	29	39	21,3	48	21,5
4	21,8	13	20,5	22	19,6	31	20,9	40	21,2	49	20
5	21,7	14	20,6	23	23,2	32	29,7	41	22,4	50	20,8
6	21,9	15	20,7	24	21,4	33	23,2	42	19,5		
7	20,2	16	20,8	25	24,7	34	23,9	44	19,7		
8	19,4	17	21,5	26	22,4	35	25,1	45	23,2		
9	21,6	18	20,5	27	23	36	23,2	46	20,9		

Les observations N° 30 et 32 paraissent franchement suspectes, l'observation N° 35 paraît suspecte.

	Observation N° 30	Observation N° 32	Observation N° 35
Moyenne	21,77	21,6081633	21,4541667
Écart type	2,02335849	1,68595136	1,31002003
e	3,91922639	4,3843713	2,78303632
Valeur critique	$C_{0,995}$ (49) ≈ 3,53	$C_{0,995}$ (48) ≈ 3,51	$C_{0,995}$ (47) ≈ 3,50
Conclusion	Aberrante	Aberrante	Acceptée

6 OUTILS DE CHIFFRAGE DE LA QUALITÉ EN PRODUCTION

6.1. Indicateurs de capabilité et de performance

6.1.1 Définitions

D'une manière générale, la capabilité d'un moyen de production est le rapport entre la performance demandée et la performance du moyen de production. La performance demandée s'exprime par un intervalle de tolérance (IT) et la performance d'un moyen de production s'exprime par sa dispersion (D).

$$\text{Capabilité} = \frac{\text{Intervalle de tolérance}}{\text{Dispersion}}$$

Par convention, la dispersion d'une distribution Normale = 6 écarts type.

L'écart type étant connu : σ_0 ou estimé : s . Cet intervalle contient 99,73 % (cf. 5.1.4).

P*p* > 1
Capabilité satisfaisante :
La dispersion du process est inférieure à l'intervalle de tolérance imposé.
⇒ Pas de rebuts si réglage correct.
⇒ Marge d'erreur de réglage possible.

P*p* = 1
Capabilité trop juste :
La dispersion du process est égale à l'intervalle de tolérance imposé.
⇒ Rebuts si légère erreur de réglage.

P*p* < 1
Capabilité insuffisante :
La dispersion du process est supérieure à l'intervalle de tolérance imposé.
⇒ Rebuts même si réglage parfait.

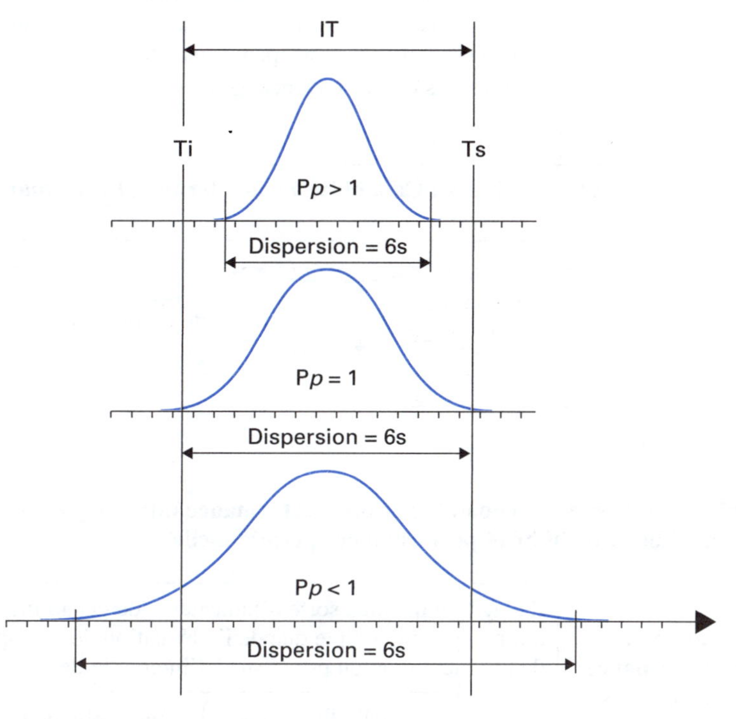

→ On distingue une **capabilité à court terme** du moyen de production, du procédé ou du processus de sa **performance à long terme** :

Capabilité d'un moyen de production à court terme. ***Cp* et *Cpk***	Cette capabilité prend en référence la dispersion « instantanée » : Di du moyen de production. Cette dispersion est celle que l'on peut obtenir sur une courte durée de production. Elle est le résultat des causes de dispersion qui ne sont pas liées à la durée de fabrication. Causes de dispersion instantanée du moyen de production : – Vibrations ; – Jeux ; – Élasticité des organes machine ; – Etc.
Performance d'un processus à long terme ***Pp* et *Ppk***	Cette performance prend en référence la dispersion totale : D_T du processus dans lequel s'intègre le moyen de production. Cette dispersion est celle que l'on obtient sur la durée habituelle de production. Elle est le résultat des causes de dispersion instantanée caractéristique du moyen de production auxquelles s'ajoutent les causes liées à la durée de production et à l'organisation du processus de production (5M). Causes de dispersion à long terme du processus : – Dérive due aux usures d'outils (dispersion systématique) ; – Dispersion de réglage ; – Dérive thermique des machines ; – Variations dimensionnelles des pièces liées aux variations d'hygrométrie ; – Variations liées aux différences de caractéristiques mécaniques et physiques des matériaux usinés (bois, panneaux, etc.) ; – Mélanges de lots en stockage ; – Etc.

On a toujours : Capabilité à court terme ≥ Performance à long terme

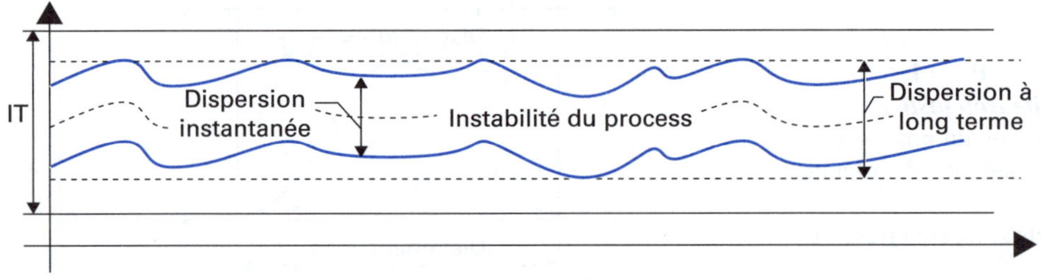

→ On distingue une **capabilité et une performance intrinsèque** du moyen de production ou du processus d'une **capabilité et performance opérationnelle**.

Capabilité et performance intrinsèques ***Cp* et *Pp***	Il s'agit en quelque sorte d'indicateurs de capabilité et de performance potentielles qui ne rendent compte que de l'adéquation de la dispersion intrinsèque du moyen de production ou du processus à l'intervalle de tolérance imposé. $\left.\begin{array}{r}\text{Capabilité}_{\text{intrinsèque}}\\ \text{Performance}_{\text{intrinsèque}}\end{array}\right\} = \dfrac{\text{Intervalle de tolérance imposé}}{\text{Dispersion}}$

$$\left.\begin{array}{l}\text{Capabilité}_{\text{intrinsèque}}\\ \text{Performance}_{\text{intrinsèque}}\end{array}\right\} = \frac{\text{Intervalle entre la moyenne obtenue et la limite de tolérance la plus proche}}{\text{Demi-dispersion du moyen de production}}$$

Capabilité et performance opérationnelles

C*pk* et P*pk*

Ces indicateurs rendent compte à la fois de l'adéquation de la dispersion à l'intervalle de tolérance imposé et de la qualité du centrage de la production vis à vis des limites de tolérance imposées. Ils traduisent l'aptitude opérationnelle du moyen de production ou du processus à fournir des pièces satisfaisantes, dans des conditions données de réglage et de production.

C*pk* = capabilité opérationnelle du moyen de production à court terme.

P*pk* = performance du process à long terme.

- Capabilité et performance vis-à-vis de la tolérance supérieure : Cpk_s ou Ppk_s
- Capabilité et performance vis-à-vis de la tolérance inférieure : Cpk_i ou Ppk_i

⇒ La capabilité opérationnelle est la valeur mini (la plus défavorable) des capabilités ou de la performance vis-à-vis des deux tolérances T_s et T_i.

On a toujours : Capabilité ou performance intrinsèques ≥ Capabilité ou performance opérationnelle

C*pk* > 1
Capabilité opérationnelle satisfaisante :

Capabilité intrinsèque satisfaisante
et réglage satisfaisant
⇒ pas de rebuts.

C*pk* = 1
Capabilité opérationnelle trop juste :

- Capabilité intrinsèque satisfaisante mais réglage non optimum
⇒ Risque de rebuts en cas d'augmentation de la dispersion ou de décalage de réglage.
- On peut également obtenir un P*pk* = 1 dans le cas d'un P*p* = 1 et d'un réglage correct (cf. 6.1.1).

C*pk* < 1
Capabilité opérationnelle insuffisante :

Capabilité intrinsèque insuffisante ou (ou inclusif) réglage incorrect.

- Dans le premier cas (réglage sur cible et C*p* > 1) : $Cpk = Cpk_s = Cpk_i$
  $IT > D_T$ et $(T_s - m) > D_T/2$
- Dans le deuxième cas (C*p* > 1 et décalage du réglage vers T_s) : $Cpk = Cpk_s$
  $IT > D_T$ et $(T_s - m) = D_T/2$
- Dans le troisième cas (C*p* > 1 et forte erreur de réglage vers T_s) $Cpk = Cpk_s$
  $IT > D_T$ et $(T_s - m) < D_T/2$

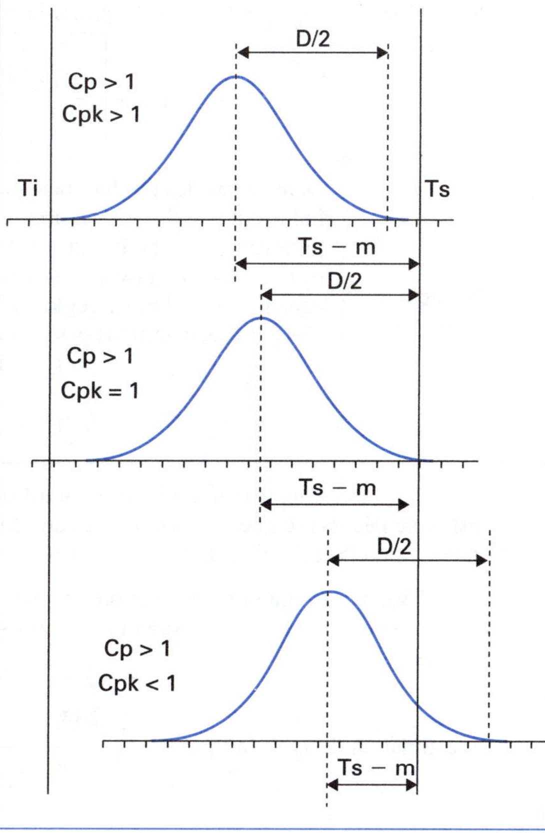

6.1.2 Symboles et formules des indicateurs de capabilité

	Capabilité à court terme	Performance à long terme
Intrinsèque	$Cp = \frac{IT}{D_i}$	$Pp = \frac{IT}{D_T}$
Opérationnelle	$Cpk = \min\left(\frac{T_s - m}{\frac{D_i}{2}}, \frac{m - T_i}{\frac{D_i}{2}}\right)$	$Ppk = \min\left(\frac{T_s - m}{\frac{D_T}{2}}, \frac{m - T_i}{\frac{D_T}{2}}\right)$

6.1.3 Calculs des paramètres (si la production est Normale)

- **Dispersion = 6s**
- Dispersion instantanée : $\mathbf{D_i = 6\, s_i}$
- Dispersion totale : $\mathbf{D_T = 6\, s_T}$

s_i	Production rapide	Prélèvement d'un échantillon de n pièces en conditions d'usinage stabilisé. (n_{mini} =30 , mais de préférence n = 50 ou mieux n = 100). Estimation de S_i par $s = \sqrt{\frac{\sum_{i=1}^{n}(x_i - \bar{x})^2}{n-1}}$ (cf. chap. 4.3.1).
	Production lente	Dans le cas des productions lentes, les effets des facteurs tels que l'usure d'outil induisent une dispersion non instantanée qu'on peut éliminer en fractionnant le prélèvement en petits échantillons à l'intérieur desquels il n'y a pas de dérive. On estime s_i par la moyenne des étendues ou des écarts type d'une série de petits échantillons selon les règles définies au chapitre 4.3.2. Ces petits échantillons peuvent être ceux ayant servi à remplir les cartes de contrôle. $s_i = \frac{\bar{w}}{d_n}$ ou $s_i = \frac{\overline{\sigma_e}}{b_n}$ avec $\sigma_e = \sqrt{\frac{\sum(x_i - \bar{x})^2}{n}}$
s_T		s_T est estimé sur un échantillon représentatif du processus dont on veut connaître la dispersion. Il est donc nécessaire que les facteurs liés au 5M aient pu jouer leurs rôles habituels. ⇒ N suffisamment grand (> 100 pièces). Les N valeurs seront obtenues par prélèvements dans stock en fin du processus étudié ou par l'exploitation de l'ensemble des valeurs des cartes de contrôle sur une période représentative de processus. L'estimation de s_T se fait par $s = \sqrt{\frac{\sum_{i=1}^{n}(x_i - \bar{x})^2}{n-1}}$ (cf. chap. 4.3.1).

6.1.4 Relations et valeur seuil

Relations entre les différents indicateurs de capabilité :	C*p* ≥ C*pk*	P*p* ≥ P*pk*	C*p* ≥ P*pk*
Valeur seuil Pour qu'un processus soit satisfaisant il faut avoir :	P*pk* ≥ 1,33		

Nota : Pour être certain d'avoir, sur l'ensemble de la production un P*pk* ≥ 1,33, il faut avoir un P*pk* supérieur à 1,33 sur l'échantillon (Pillet 95) :

P*pk* souhaité sur l'ensemble de la production	**P*pk* à obtenir sur un échantillon de taille N :**			
	N = 30	N = 50	N = 100	N = 250
1,33	1,60	1,54	1,48	1,42
1,67	1,97	1,90	1,83	1,77

6.1.5 Application : Calcul des indicateurs de capabilité en profilage sur moulurière WEINIG 22A

(cf. Tableau de données p. 55).

Calcul des indicateurs de capabilité sur Weinig 22A

Cote BE X = 25	**Cote de fabrication : X = 24,9**	Sources : Cartes de contrôle
LS = 25,05	LS = 25,05	Période de relevé : 1/9/93-1/10/93
LI= 24,75	LI = 24,75	Nb échantillons : 30
IT = 0,3	IT = 0,3	Effectif des échantillons : 5

Normalité de la distribution : vérifiée par test chi² (cf. p. 74).

Moyenne = 24,904	$s_i = \dfrac{\overline{w}}{d_n} = \dfrac{0{,}0423}{2{,}326} = 0{,}0182$	$s_T = \sqrt{\sum_{i=1}^{n} \dfrac{(x_i - \overline{x})^2}{n-1}} = 0{,}0188$
Moyenne des étendues : w = 0,0423	$D_i = 6 \times 0{,}0182 = 0{,}109$	$D_T = 6 \times 0{,}0188 = 0{,}113$

	Capabilité à court terme	**Performance à long terme**
Intrinsèque	$\mathbf{Cp} = \dfrac{0{,}3}{0{,}109} = 2{,}752$	$\mathbf{Pp} = \dfrac{0{,}3}{0{,}113} = 2{,}655$
Opérationnelle	$\mathbf{Cpk_s} = \dfrac{25{,}05 - 24{,}904}{0{,}0545} = 2{,}679$	$\mathbf{Ppk_s} = \dfrac{25{,}05 - 24{,}904}{0{,}056} = 2{,}607$
	$\mathbf{Cpk_i} = \dfrac{24{,}904 - 24{,}75}{0{,}0545} = 2{,}826$	$\mathbf{Ppk_i} = \dfrac{24{,}904 - 24{,}75}{0{,}056} = 2{,}75$
	$\mathbf{Cpk} = \min(Cpk_s, Cpk_i) = 2{,}679$	$\mathbf{Ppk} = \min(Ppk_s, Ppk_i) = 2{,}607$

Chute de capabilité : C*p* ≥ C*pk* : 2,752 > 2,679
P*p* ≥ P*pk* : 2,655 > 2,607
C*p* ≥ P*pk* : 2,752 > 2,607

6.1.6 Estimation du pourcentage de rebuts

1) En fonction des indicateurs de capabilité

On peut, à partir des indices de capabilité ou de performance et des expressions des variables Normales réduites u_i et u_s (cf. p. 66), établir l'expression de u_i et u_s en fonction des couples (C*p*, C*pk*) ou (P*p* , P*pk*) et tabuler les pourcentages de pièces hors tolérances en fonction de ces couples d'indices de capabilité :

Avec le couple (P*p* , P*pk*) , on obtient le pourcentage de rebuts au niveau du processus (long terme).

Avec le couple (C*p* , C*pk*), on obtient le pourcentage de rebuts au niveau du moyen de production (court terme).

Note : On se place dans le cas d'une valeur cible centrée sur l'intervalle de tolérance.

- **Relations de départ :**

Indicateurs de capabilité	Loi Normale réduite	$U_s = f(Ppk_s)$; $U_i = f(Ppk_i)$
$Pp = (T_s - T_i) / 6s$ $Ppk_s = (T_s - m) / 3s$ $Ppk_i = (m - T_i) / 3s$ $Ppk = \min(Ppk_s, Ppk_i)$	$U_i = (T_i - m) / s$ $U_s = (T_s - m) / s$ % rebuts = $1 - \Pi(U_s) + \Pi(U_i)$	$U_s = 3\ Ppk_s$ $U_i = -3\ Ppk_i$

Relation entre P*p*, P*pk*$_s$ et P*pk*$_i$:

$Ppk_s + Ppk_i = (Ts - m) / 3s + (m - T_i) / 3s = (T_s - T_i) / 3s = 2\ Pp$

$\Rightarrow Ppk_s = 2\ Pp - Ppk_i$ et $Ppk_i = 2\ Pp - Ppk_s$

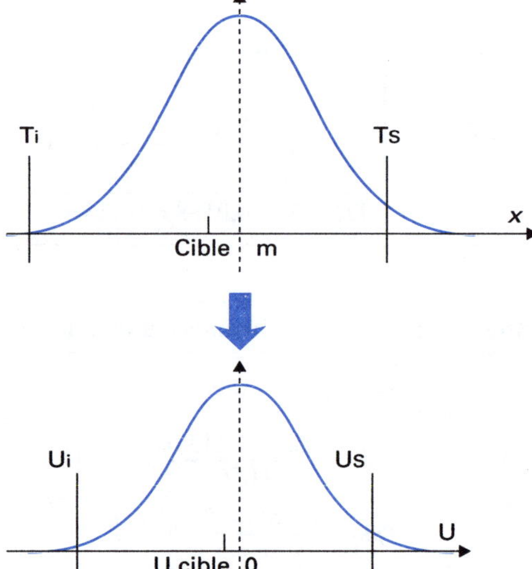

- **Si *m* > cible :**

$Ppk = Ppk_s$

$U_s = 3\ Ppk$

$U_i = -3\ (2Pp - Ppk_s)$

$= 3\ Ppk - 6\ Pp$

- **Si *m* = cible :**

$Ppk = Ppk_i = Ppk_s$

$U_s = 3\ Ppk$

$U_i = 3\ Ppk - 6\ Pp$

- **Si *m* < cible :**

$Ppk = Ppk_i$

$U_i = -3\ Ppk_i = -(3\ Ppk)$

$U_s = 3\ (2\ Pp - Ppk) = -(3\ Ppk - 6\ Pp)$

Avec $\Pi(-u) = 1 - \Pi(u)$

$\Rightarrow$ On a toujours : % de rebuts = $1 - \Pi(3\ Ppk) + \Pi(3\ Ppk - 6\ Pp)$

(avec $\Pi(x)$ = Proba ($X \leq x$) donnée par une table de la loi Normale réduite (cf. annexe 5.1) ou par la fonction EXCEL « LOI.NORMALE.STANDARD »)

Le tableau ci-dessous a été limité aux valeurs de Pp et Ppk donnant plus de 0,003 % de rebuts (au-delà de ces valeurs de Pp et Ppk —moins de 30 pièces défectueuses par million— la capabilité pouvant être considérée comme très satisfaisante).

P*p* / C*p*	**P*pk* ou C*pk***																					
	0,10	0,20	0,30	0,40	0,50	0,55	0,60	0,65	0,70	0,75	0,80	0,85	0,90	0,95	1,00	1,05	1,10	1,15	1,20	1,25	1,30	1,33
0,10	76,42																					
0,20	56,61	54,85																				
0,30	44,89	38,93	36,81																			
0,40	40,00	31,02	25,09	23,01																		
0,50	38,56	28,25	20,19	15,10	13,36																	
0,55	38,34	27,77	19,23	13,29	10,27	9,89																
0,60	38,26	27,56	18,75	12,33	8,47	7,51	7,19															
0,65	38,22	27,47	18,54	11,85	7,50	6,17	5,38	5,12														
0,70	38,21	27,44	18,45	11,64	7,03	5,49	4,41	3,78	3,57													
0,75	38,21	27,43	18,42	11,56	6,82	5,17	3,94	3,10	2,61	2,44												
0,80	38,21	27,43	18,41	11,52	6,73	5,03	3,73	2,78	2,13	1,76	1,640											
0,85	38,21	27,43	18,41	11,51	6,70	4,98	3,64	2,64	1,92	1,44	1,166	1,077										
0,90	38,21	27,43	18,41	11,51	6,69	4,96	3,61	2,59	1,83	1,30	0,955	0,757	0,693									
0,95	38,21	27,43	18,41	11,51	6,68	4,95	3,60	2,57	1,80	1,25	0,868	0,620	0,482	0,437								
1,00	38,21	27,43	18,41	11,51	6,68	4,95	3,59	2,56	1,79	1,23	0,836	0,567	0,395	0,300	0,270							
1,05	38,21	27,43	18,41	11,51	6,68	4,95	3,59	2,56	1,79	1,23	0,825	0,547	0,363	0,247	0,183	0,163						
1,10	38,21	27,43	18,41	11,51	6,68	4,95	3,59	2,56	1,79	1,22	0,821	0,541	0,352	0,227	0,151	0,110	0,097					
1,15	38,21	27,43	18,41	11,51	6,68	4,95	3,59	2,56	1,79	1,22	0,820	0,539	0,348	0,221	0,140	0,090	0,064	0,056				
1,20	38,21	27,43	18,41	11,51	6,68	4,95	3,59	2,56	1,79	1,22	0,820	0,539	0,347	0,219	0,136	0,084	0,053	0,037	0,032			
1,25	38,21	27,43	18,41	11,51	6,68	4,95	3,59	2,56	1,79	1,22	0,820	0,539	0,347	0,219	0,135	0,082	0,050	0,031	0,021	0,018		
1,30	38,21	27,43	18,41	11,51	6,68	4,95	3,59	2,56	1,79	1,22	0,820	0,539	0,347	0,219	0,135	0,082	0,049	0,029	0,017	0,011	0,010	
1,33	38,21	27,43	18,41	11,51	6,68	4,95	3,59	2,56	1,79	1,22	0,820	0,539	0,347	0,219	0,135	0,082	0,048	0,028	0,017	0,010	0,007	0,007
1,40	38,21	27,43	18,41	11,51	6,68	4,95	3,59	2,56	1,79	1,22	0,820	0,539	0,347	0,219	0,135	0,082	0,048	0,028	0,016	0,009	0,005	0,004
1,50	38,21	27,43	18,41	11,51	6,68	4,95	3,59	2,56	1,79	1,22	0,820	0,539	0,347	0,219	0,135	0,082	0,048	0,028	0,016	0,009	0,005	0,003
1,60	38,21	27,43	18,41	11,51	6,68	4,95	3,59	2,56	1,79	1,22	0,820	0,539	0,347	0,219	0,135	0,082	0,048	0,028	0,016	0,009	0,005	0,003
1,67	38,21	27,43	18,41	11,51	6,68	4,95	3,59	2,56	1,79	1,22	0,820	0,539	0,347	0,219	0,135	0,082	0,048	0,028	0,016	0,009	0,005	0,003
2,00	38,21	27,43	18,41	11,51	6,68	4,95	3,59	2,56	1,79	1,22	0,820	0,539	0,347	0,219	0,135	0,082	0,048	0,028	0,016	0,009	0,005	0,003
2,50	38,21	27,43	18,41	11,51	6,68	4,95	3,59	2,56	1,79	1,22	0,820	0,539	0,347	0,219	0,135	0,082	0,048	0,028	0,016	0,009	0,005	0,003
3,00	38,21	27,43	18,41	11,51	6,68	4,95	3,59	2,56	1,79	1,22	0,820	0,539	0,347	0,219	0,135	0,082	0,048	0,028	0,016	0,009	0,005	0,003
4,00	38,21	27,43	18,41	11,51	6,68	4,95	3,59	2,56	1,79	1,22	0,820	0,539	0,347	0,219	0,135	0,082	0,048	0,028	0,016	0,009	0,005	0,003

Lecture :

- Un processus ayant un Pp = 1,40 et un Ppk =1 générera en moyenne 0,135 % de pièces défectueuses.
- Un moyen de production ayant un Cp = 0,9 doit avoir un Cpk > 0,8 pour générer moins de 1 % de pièces défectueuses

2) En fonction de la précision habituelle, de l'erreur de réglage et de l'intervalle de tolérance imposé

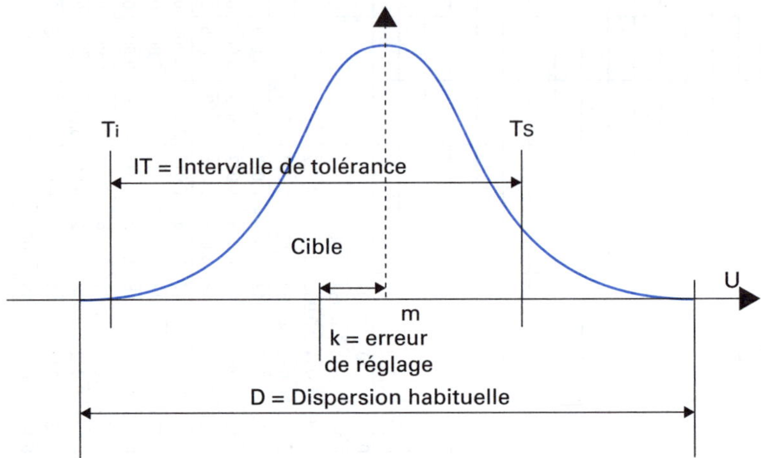

$$k = m - \text{cible}$$

On a :

% rebuts = 1 – Π (T_s) + Π (T_i)

$$\text{avec : } U_s = \frac{T_S - m}{\sigma_0} = \frac{\text{cible} + \frac{IT}{2} - m}{\sigma_0} = \frac{\frac{IT}{2} - k}{\sigma_0}$$

$$\text{et } U_i = \frac{T_i - m}{\sigma_0} = \frac{\text{cible} - \frac{IT}{2} - m}{\sigma_0} = - \frac{\frac{IT}{2} + k}{\sigma_0}$$

$$\Rightarrow \% \text{ rebuts} = 1 - \Pi\left(\frac{\frac{IT}{2} - k}{\frac{D}{6}}\right) + \Pi\left(-\frac{\frac{IT}{2} + k}{\frac{D}{6}}\right)$$

Les tableaux ci-contre donnent les valeurs de rebuts pour différents IT imposés. Chacun est accompagné d'un des exemples possibles de lecture.

Pourcentage de rebuts en fonction de l'erreur de réglage « k », de la dispersion habituelle « D » et de l'IT imposé IT = 02

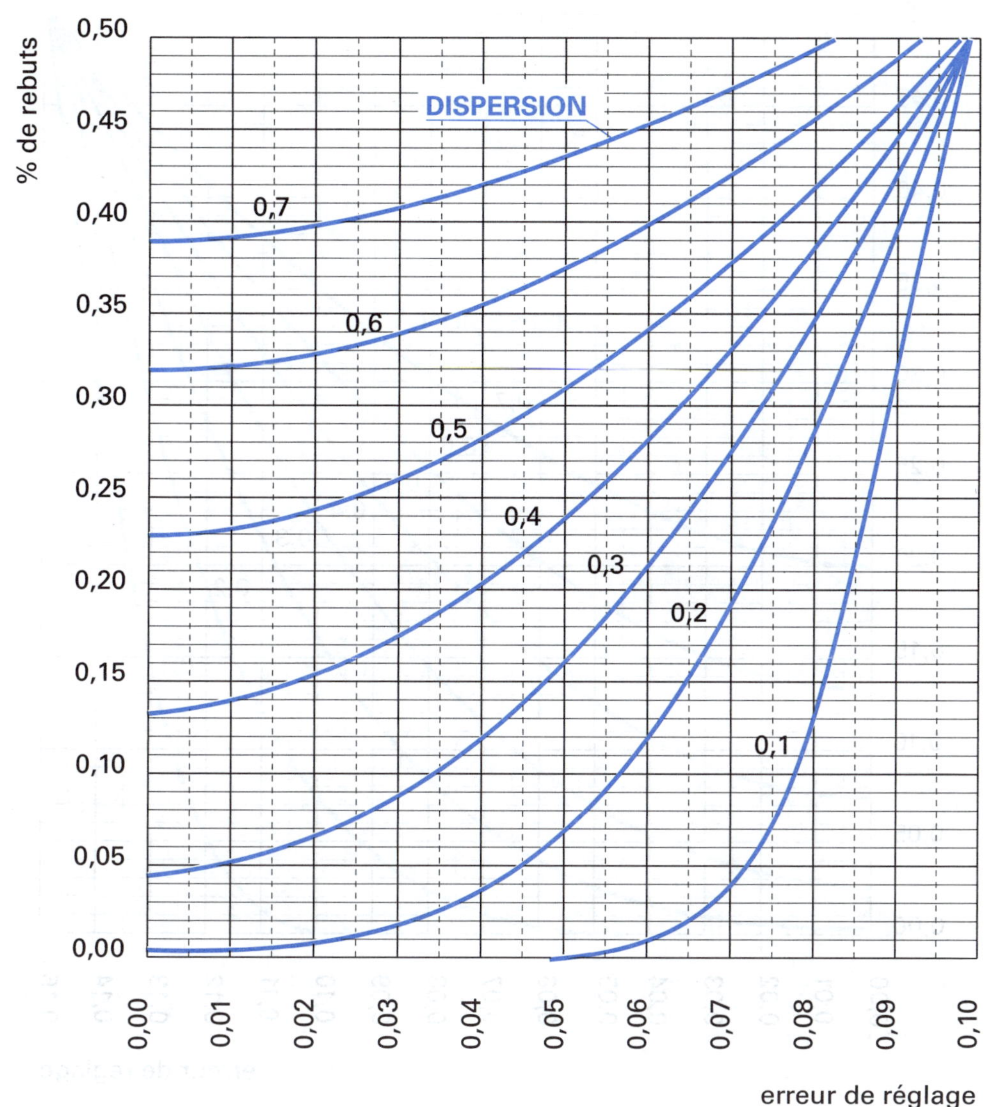

Lecture

Avec une dispersion habituelle de 0,2, une erreur de réglage de 3/100e générera en moyenne 2 % de rebuts si l'IT imposé est de 0,2.

Pourcentage de rebuts en fonction de l'erreur de réglage « k », de la dispersion habituelle « D » et de l'IT imposé
IT = 0,3

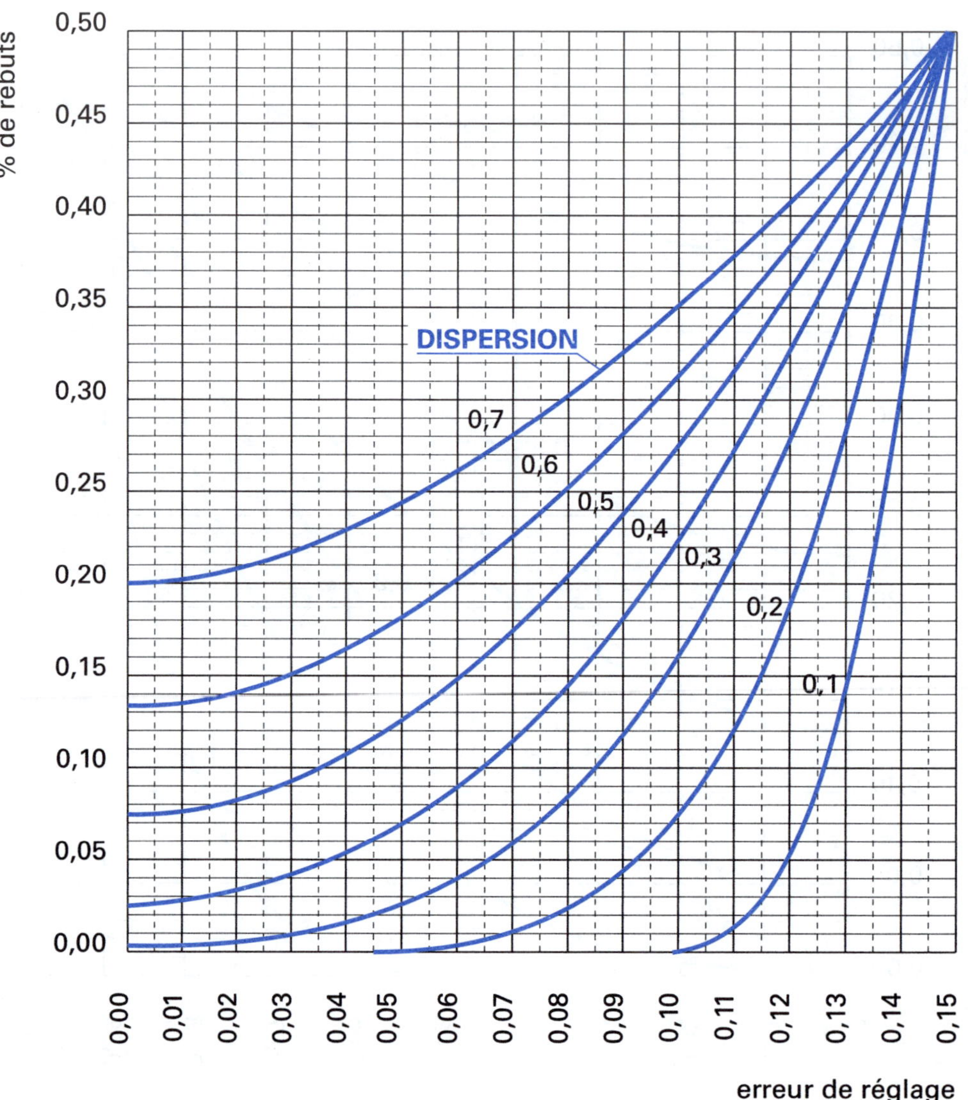

Lecture

Si l'IT imposé est de 0,3 et la dispersion habituelle de 0,2, on ne doit pas faire plus de 8/100e d'erreur de réglage pour garantir moins de 2 % de rebuts.

Pourcentage de rebuts en fonction de l'erreur de réglage « k », de la dispersion habituelle « D » et de l'IT imposé
IT = 0,4

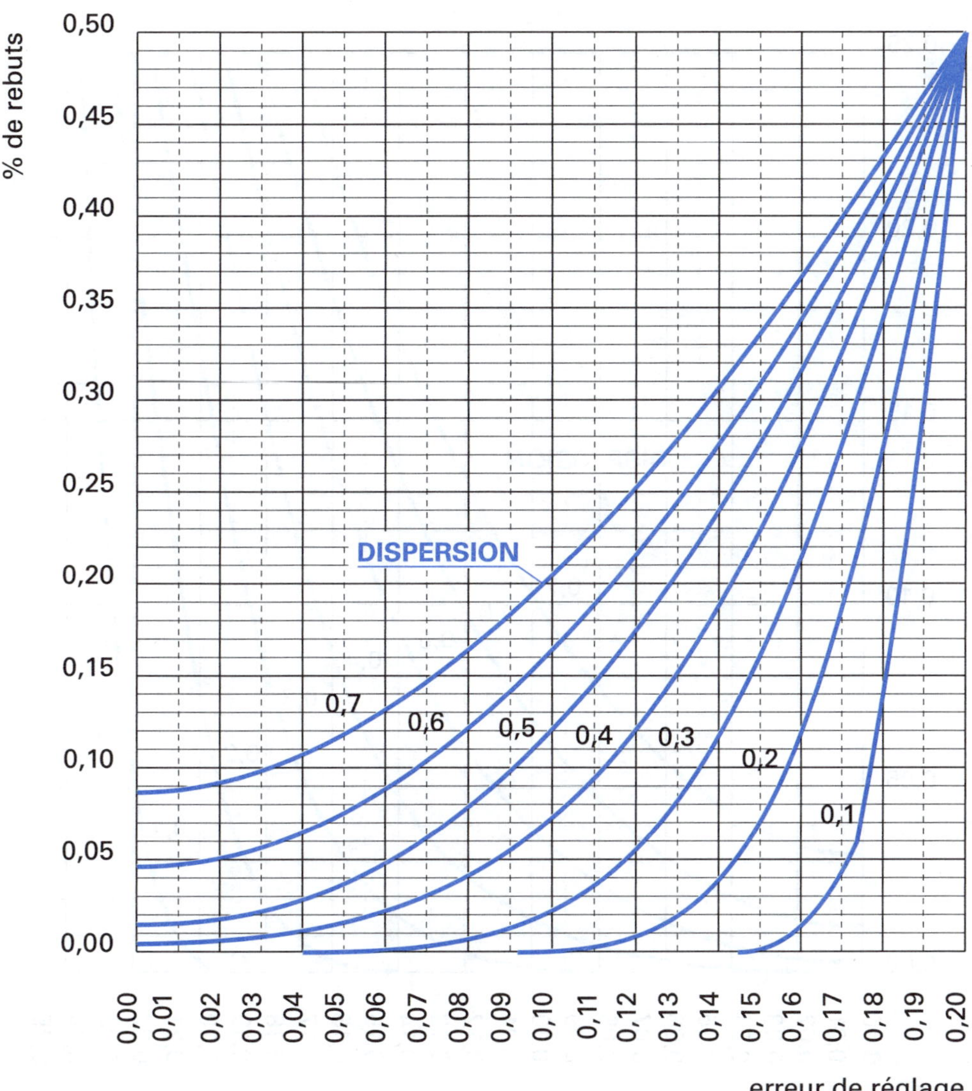

Lecture

Avec un IT imposé de 0,4, on peut tolérer une erreur de réglage de 1/10e sur une machine dont la dispersion habituelle est de 0,2, sans générer de rebuts. La même erreur de réglage sur une machine dont la dispersion habituelle est de 0,4 entraînera environ 7 % de rebuts.

Pourcentage de rebuts en fonction de l'erreur de réglage « k », de la dispersion habituelle « D » et de l'IT imposé IT = 0,5

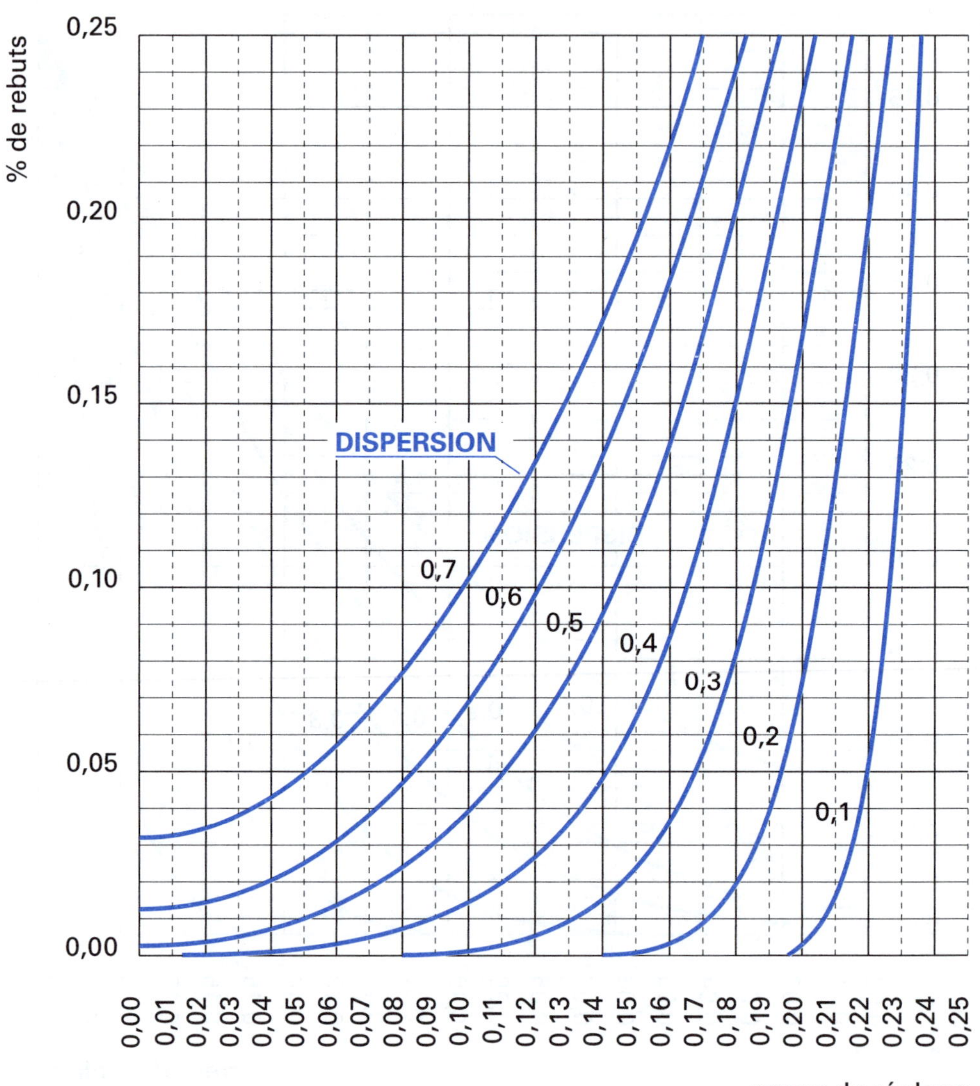

Lecture

Avec un IT imposé de 0,5, le rebut sera le même (2 %) avec une erreur de réglage de 4/100e sur une machine de dispersion 0,6 qu'avec une erreur de réglage de 18/100e sur une machine de dispersion 0,2.

6.1.7 Cas des distributions non Normales

- **Estimation de la dispersion à partir de l'étendue**

Si la distribution ne peut être assimilée à une distribution Normale, mais reste néanmoins continue, on peut, si l'on dispose d'un très grand nombre de valeurs (n ≈ 1000), considérer que *la dispersion est égale à l'étendue de la distribution.* (Cf. NF X 06.032 - mai 73). Si l'on ne dispose pas de suffisamment de valeurs, les abaques de la Norme NF X 06-032 permettent d'évaluer avec un risque d'erreur donné le pourcentage d'individus de la population compris dans l'étendue relevée sur l'échantillon (cf. annexe 13).

Exemple :

Il y a 95 % de chances d'avoir *p* % d'individus de la population compris dans l'étendue observée sur l'échantillon de *n* individus

n	50	100	200	300	400	500	1000
p %	91 %	95,5 %	97,7 %	98,5 %	98,8 %	99,1 %	99,6 %

- **Méthode des centiles**

Dans le cas d'une distribution Normale, la dispersion est de 6s soit ± 3s autour de la moyenne. Cet intervalle de dispersion contient 99,73 % des valeurs (cf. 5.2.3).

– La moyenne m correspond au centile C_{50} : 50 % des valeurs sont plus petites que *m*.

– La limite «$m - 3s$» correspond au centile $C_{0,135}$: 0,135 % des valeurs sont plus petites que $(m - 3s)$ car (1 – 0,9973) / 2 = 0,135 %.

– La limite «$m + 3s$» correspond au centile $C_{99,865}$: 99,865 % des valeurs sont plus petites que $(m + 3s)$ car (1 – 0,00135) = 0,99865 = 99,865 %.

Dans le cas d'une distribution non Normale, la moyenne et les limites $(m - 3s)$; $(m + 3s)$ peuvent être remplacées par les valeurs standard correspondantes aux mêmes centiles dans la distribution étudiée.

Formules générales de dispersion et capabilité

	Capabilité à court terme	**Capabilité à long terme**
	Dispersion : $D_i = (C_{99,865} - C_{0,135})_i$ Dans un échantillon prélevé en sortie de machine	**Dispersion :** $D_T = (C_{99,865} - C_{0,135})_T$ Dans un échantillon prélevé dans le stock
Intrinsèque	$Cp = \frac{IT}{D_i}$	$Pp = \frac{IT}{D_r}$
Opérationnelle	$Cpk = \min\left(\frac{T_s - C_{50}}{\frac{D_i}{2}}, \frac{C_{50} - T_i}{\frac{D_i}{2}}\right)$	$Ppk = \min\left(\frac{T_s - C_{50}}{\frac{D_T}{2}}, \frac{C_{50} - T_i}{\frac{D_T}{2}}\right)$

Les valeurs C_{50}, $C_{99,865}$ et $C_{0,135}$ sont fournies par certains logiciels de statistiques appliquées au contrôle qualité.

- On pourra, pour plus d'approfondissement, consulter les ouvrages spécialisés, notamment l'ouvrage de M. PILLET — Appliquer la maîtrise statistique des procédés. *Ed d'Organisation* — ou utiliser des logiciels de statistiques appliquées au MSP permettant de traiter différentes distributions non Normales.

6.2. Précisions d'usinage

6.2.1 Valeurs constatées de précisions d'usinage en usinage du bois

Les valeurs, en millimètres, indiquées dans le tableau sont des valeurs moyennes et arrondies obtenues à partir de relevés d'usinages série en production industrielle sur des matériels de même type technologique. Les valeurs particulières d'une machine donnée sur un usinage donné dépendent grandement de l'affûtage des outils, des conditions d'usinage et de l'état du matériel.

Process Massif

Poste		Cote	Disp.
Bruts avivés		Épaisseur	3
		Flèche à chant (sur long. 2 m)	0 ± 3
Scie circulaire pendulaire de débit		Longueur (sans butée)	20 *
4 F		Largeur	0,25
		Épaisseur	0,2
Toupie	Rainure	Épaisseur	0,1
		Profondeur	0,3
		Hauteur de joue	0,25
	Feuillure / moulure	Profondeur	0,3
		Hauteur de joue	0,25
Mortaiseuse à couteaux		Largeur	0,15
		Longueur	0,6
		Profondeur	0,6
		Hauteur de joue	0,15
		Position/ SR3	1
Moulurière		Largeur profil	0,2
		Epaisseur profil	0,15
		Cote outil/outil	0,2
		Cote outil	0,1

Poste	Cote	Disp.
Bruts Plots	Épaisseur	3
Déligneuse simple	Largeur	2
Déligneuse à lames multiples	Largeur	0,8
Tenonneuse à dérouleur	Épaisseur tenon	0,1
	Longueur tenon	0,5
	Hauteur de joue	0,2
	Longueur arasement	0,3
	Dérasement	0,15
Scie circulaire de finition	Longueur	0,5
	Équerrage	0,25°
	45°	0,25°
Calibreuse / Tenonneuse double	Longueur	0,2
	Hauteur de joue	0,15
Perceuse multiple	Position perçage/ SR	0,35
Araseuse double	Longueur	0,35
Tourillonneuse	Position perçage /SR	0,3
	Entre Axes	0,2

** Note : cette valeur est due à l'imprécision de mise en position de la pièce.*

<table>
<tr><th colspan="6">Process Panneaux</th></tr>
<tr><th>Poste</th><th>Cote</th><th>Disp.</th><th>Poste</th><th>Cote</th><th>Disp.</th></tr>
<tr><td rowspan="2">Scie à format</td><td>Équerrage</td><td>0,05°</td><td>Calibreuse double</td><td>Largeur</td><td>0,4</td></tr>
<tr><td>Longueur</td><td>0,5</td><td>Ponceuse / calibreuse LB</td><td>Épaisseur</td><td>0,1</td></tr>
<tr><td rowspan="3">Scie à panneaux PN</td><td>Longueur</td><td>0,25</td><td rowspan="2">Plaqueuse (avec chant souple)</td><td rowspan="2">Largeur panneau plaqué</td><td rowspan="2">0,5</td></tr>
<tr><td>Parallélisme des chants</td><td>0,2</td></tr>
<tr><td>Équerrage</td><td>0,4</td><td rowspan="4">Défonceuse CN</td><td>Profondeur de défonçage</td><td>0,15</td></tr>
<tr><td rowspan="3">Perceuse multibroche PN</td><td>Position perçage / chant réf</td><td>De 0,5 à 1</td><td>Calibrage</td><td>0,1</td></tr>
<tr><td>Position perçage / face appui</td><td>0,4</td><td>Perçage / chant (sans calibrage)</td><td>0,4</td></tr>
<tr><td>Entre Axes</td><td>0,2</td><td>Entre Axes d'usinages</td><td>0,1</td></tr>
</table>

6.2.2 Procédure de détermination de la dispersion d'une machine (NF X 06-032)

Procédure simplifiée

- Vérifier que les conditions d'usinages correspondent aux conditions habituelles : état général de la machine, affûtage des outils, matériau usiné, conditions de coupe.
- Vérifier l'adéquation et l'étalonnage de l'instrument de mesure.
- Documenter la feuille de relevé (cf. 2).
- Prélever un échantillon en sortie d'usinage.
  - Pour une première évaluation : n mini = 30.
  - Pour une évaluation fiable : $n \approx 100$.
- Relever les valeurs et remplir la feuille de relevé.
- Vérifier absence de données aberrantes (cf. 5.4.7).
- Vérifier la Normalité de la population (cf. 5.2.4).
- Calculer l'écart type s (cf. 4.3.1).

Dispersion = 6 s

⇒ Précision d'usinage = X ± 3 S (pour 99,73 % de la production).

Cas particuliers	• **Production non Normale :** – Examiner les causes possibles de non-Normalité. 1– La non-Normalité est due à l'échantillonnage et/ou au mesurage (en cas de test de Normalité visuel sur histogramme, vérifier le respect des règles de construction de l'histogramme) : ⇒ Refaire le prélèvement et/ou le mesurage dans des conditions plus rigoureuses. 2– La non-Normalité est due à la nature de la cote mesurée (variable non-Normale) : ⇒ Évaluer la dispersion sur abaque de la norme NF X 06-032 (cf. annexe 13) ou se référer aux ouvrages de MSP spécialisés. • **Échantillon indisponible ou coûteux.** ⇒ Évaluer l'écart-type à partir de plusieurs échantillons prélevés dans la production (cf. 4.3.2). ***Attention :*** – Ne pas rassembler les valeurs d'échantillons appartenant à des populations différentes (réglages intermédiaires, modification de cote (!) , changement de lot, usure d'outil, etc.) en un seul échantillon. – Ne pas introduire, par le mode de prélèvement, d'autres sources de dispersion que celles intrinsèquement liées à la machine.
Précautions	• Bien documenter la feuille de relevé, pour permettre une analyse du résultat. • Bien identifier le type de cote relevée (appui outil, outil outil, outil). Pour cela relever le schéma d'isostatisme en usinage (cf.2). • Respecter les règles de métrologie (matériel, prise de cote). • En cas de mesures répétées et/ou de valeurs obtenues par addition ou soustraction de cotes : la feuille de relevé doit contenir, pour chaque individu, toutes les valeurs de toutes les cotes relevées.

6.2.3 Correction de l'évaluation de la dispersion par élimination de la dispersion de mesure

La dispersion des valeurs mesurées intègre la variabilité due à la machine et la variabilité due à la mesure. Il est possible d'éliminer la dispersion due à la mesure en réalisant un double mesurage (cf. 2.4.3).

N° individu	1re mesure	2e mesure	Écart
1	X_{11}	X_{12}	$X_{11} - X_{12}$
2	X_{21}	X_{22}	$X_{21} - X_{22}$
…			
i	X_{i1}	X_{i2}	$X_{i1} - X_{i2}$
…			
n	X_{n1}	X_{n2}	$X_{n1} - X_{n2}$

Conditions : Les deux mesures doivent être réalisées dans les conditions de mesurage suivantes :

- Pièces numérotées ($n \geq 100$) ;
- Même instrument de mesure ;
- Même opérateur ;
- Même localisation de la mesure sur la pièce (repérer les points de mesure) ;
- Stabilité dimensionnelle de la pièce ;
- Mesurage en aveugle : l'opérateur ne connaît pas le résultat de la première mesure lors du deuxième mesurage.

On a :

- Variance des résultats dans l'échantillon 1 = $S^2_{\text{éch 1}}$
  Variance des résultats dans l'échantillon 2 = $S^2_{\text{éch 2}}$

$\Rightarrow$ Estimation de la variance des résultats $= S^2_R = \dfrac{S^2_{\text{éch 1}} + S^2_{\text{éch 2}}}{2}$

- Variance « due à la machine » = S^2_{mach}
  Variance « due à la mesure » = S^2_{mes}
  $X_{\text{mesuré}} = X_{\text{Fabriqué par la machine}}$ + erreur de mesure $\Rightarrow \quad S^2_R = S^2_{\text{mach}} + S^2_{\text{mes}}$
- Variance des écarts = $S^2_{\text{é}}$
  Écart = $\left(X_{\text{fabriqué par la machine}} + \text{erreur}_{\text{mesure 1}}\right) - \left(X_{\text{fabriqué par la machine}} + \text{erreur}_{\text{mesure 2}}\right)$

$\Rightarrow$ Écart = erreur $_{\text{mesure 1}}$ – erreur $_{\text{mesure 2}}$

$\Rightarrow \quad S^2_{\text{é}} = 2S^2_{\text{mes}} \quad \Rightarrow S^2_{\text{mes}} = \dfrac{S^2_{\text{é}}}{2}$

Donc $\boxed{S^2_{\text{mach}} = S^2_R - \dfrac{S^2_{\text{é}}}{2}}$ et $\boxed{S_{\text{mach}} = \sqrt{S^2_{\text{mach}}}}$

Si la distribution est Normale : **Dispersion machine = 6 S_{mach}**

Exemple : Évaluation de la dispersion machine sur une cote de dérasement sur TED.

$S^2_{\text{éch 1}} = 0{,}00178$ $S^2_{\text{éch 2}} = 0{,}00174$ $\Rightarrow$ $S^2_{\text{é}} = 0{,}0012$	$S^2_R = \dfrac{0{,}00178 + 0{,}00174}{2} = 0{,}00176$ $S^2_{\text{mes}} = \dfrac{0{,}0012}{2} = 0{,}0006$	$S^2_{\text{mach}} = 0{,}00176 - 0{,}0006$ $= 0{,}00116$ $S_{\text{mach}} = 0{,}034$ Dispersion machine = $6 \times 0{,}034 \approx 0{,}20$ (sans correction $\approx 0{,}25$).

6.2.4 Dispersion aléatoire et dispersion systématique

Dans certains cas, on constate une dérive de la caractéristique mesurée au cours du temps : évolution d'une cote dans un usinage avec usure d'outil, évolution du grammage dans un processus de vernissage, etc.

Dans le cas d'une production avec dérive, la dispersion totale sur l'ensemble de la production est la résultante de la dispersion aléatoire due au moyen de production et de la dispersion systématique due au facteur de dérive entre le début et la fin de la production.

$$D_T = D_A + D_S$$

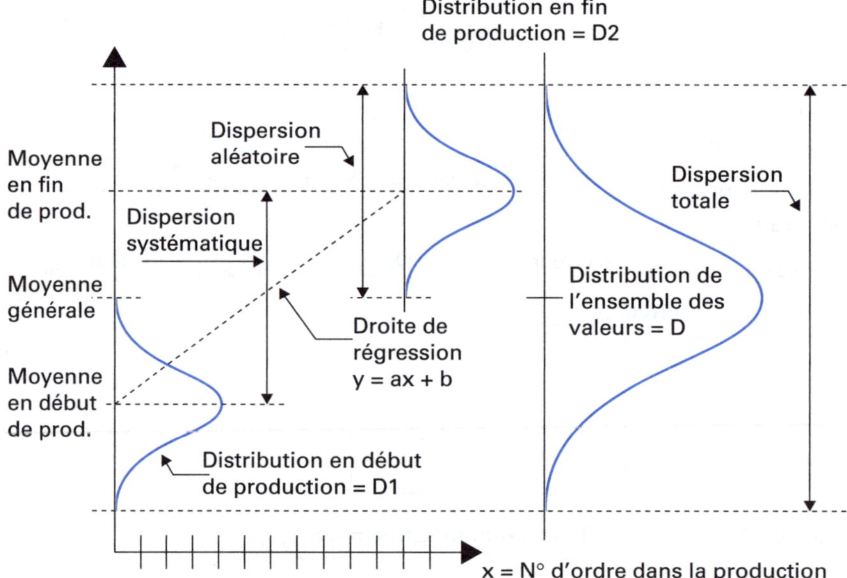

Dispersion systématique : D_S $D_S = a.N$	D_S peut être estimée par la droite de régression $y = ax + b$ de l'ensemble des N couples (x_i, y_i) si la régression est significative $(\lvert r \rvert > \lvert r \rvert_{seuil})$ (cf. 5.3.2) : $a = \Sigma \dfrac{(x_i - \bar{x})(y_i - \bar{y})}{\Sigma(x_i - \bar{x})^2}$ et $b = \bar{y} - a\bar{x}$ ⇒ Ceci permet de déterminer le nombre de pièces entre deux réglages : Nb de pièces entre deux réglages = D_S / a
Dispersion aléatoire : D_A $D_A = 6\,S_A$	Avec : r = coefficient de corrélation linéaire = $\dfrac{\text{cov}(x, y)}{\sigma_x \sigma_y}$ et $S^2y = \dfrac{\Sigma(y_i - \bar{y})^2}{N - 1}$ on a : $S_A = \sqrt{\dfrac{(N-1)(1-r^2)S^2_y}{N-2}}$ (cf.5.3.2).

6.3. Dispersion d'une cote résultante - Cotation statistique

Objectif

- Déterminer la dispersion prévisible d'une cote résultante pour pouvoir augmenter les intervalles de tolérance des cotes fonctionnelles (ou des cotes de fabrication), sans quasiment introduire de risque d'obtenir cette cote résultante hors tolérance.
- De la même manière, déterminer la dispersion d'une cote obtenue par transfert de cotes.

Principe

On a : $\vec{J} = \vec{A} + \vec{B} \Rightarrow J = B - A$ et $IT\,J = IT_A + IT_B$.

Si J est imposé, pour satisfaire IT_J on doit donc fixer $IT\,a + IT\,b \leq IT_J$. Cette inéquation garantit le respect de IT_J dans 100 % des cas.

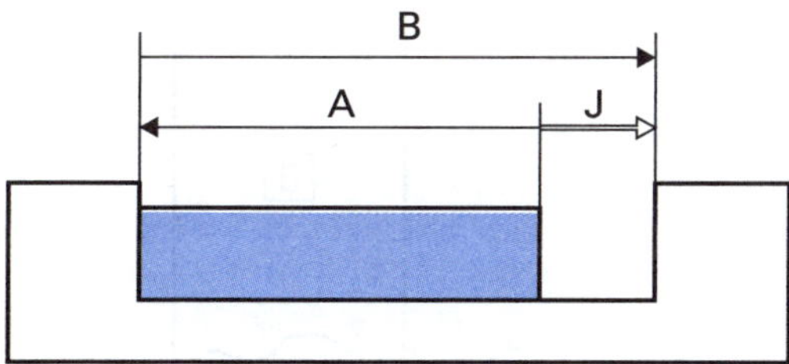

L'approche statistique consiste à :

- Déterminer la distribution du jeu J résultant de A et B ;
- Évaluer la dispersion des valeurs de J avec les valeurs de A et B dans les conditions Normales de production ;
- Évaluer le pourcentage des jeux satisfaisant l'IT_J imposé.

Remarque importante :

- L'intervalle IT_J d'un jeu fixé à priori représente l'intervalle entre les valeurs limites autorisées du jeu ;
- L'intervalle «IT_J» d'un jeu déterminé à partir des cotes installant ce jeu = $J_{Max} - J_{Mini}$ contient 100 % des valeurs de J ;
- La dispersion $D_J = 6\,\sigma_J$ d'un jeu résultant des cotes A et B contient 99,73 % des valeurs de J.

> Si les cotes A et B sont indépendantes et se distribuent selon des lois Normales N_A (a, σ_A) et N_B (b, σ_B),
> alors J se distribue selon une loi Normale $N_J\,(b - a, \sqrt{\sigma^2_A + \sigma^2_B})$.

⇒ On constate que, si σ_A et $\sigma_B > 0$, on a toujours $\sqrt{\sigma^2_A + \sigma^2_B} < \sqrt{\sigma^2_A} + \sqrt{\sigma^2_B}$, et que la dispersion d'une cote résultante est toujours plus petite que la somme des dispersions de ses cotes composantes.

⇒ Ceci permet d'augmenter les tolérances sur les cotes composantes en ayant très peu de chances (moins de 0,27 %, dans le cas d'une dispersion = ± 3 σ) d'obtenir une cote résultante hors tolérance.

Conditions d'application

- Cotes composantes se distribuant selon des lois Normales.
- Cotes composantes indépendantes.
- Réglage correct des cotes composantes.

Exemple : Affleurage d'angle dans mobilier panneau épaisseur 19 mm

- Un jeu d'affleurage satisfaisant est de J = 0 ± 0,3 soit un $IT_J = 0,6$ (Cette valeur peut facilement se déterminer à l'aide d'un jeu de cales sur un assemblage à « géométrie variable »).

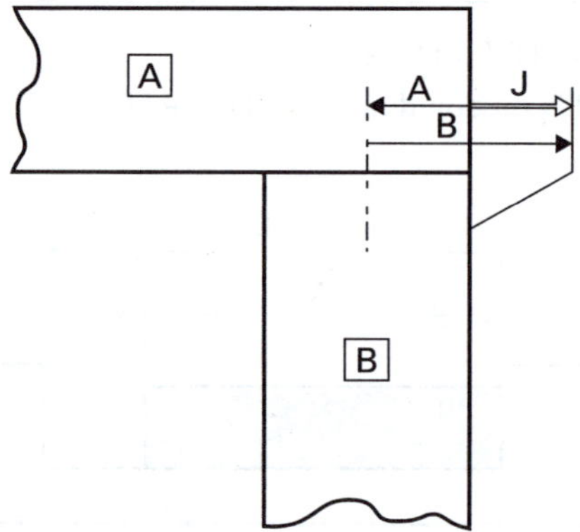

- Un tolérancement classique, dans le cas d'un montage par tourillon avec serrage, conduirait aux cotes A = 10 ± 0,15 et B = 10 ± 0,15, ce qui n'est pas compatible avec les précisions habituelles de ce type de cote sur les perceuses panneaux.

  Précision de positionnement de perçage / chant ≈ 0,5.

  Précision de positionnement de perçage / face ≈ 0,4.

- En réalité, les positionnement de perçage se distribuent selon les lois Normales :

  Position / chant : $N_A(\bar{a}, 0{,}083)$ dispersion = 6 × 0,083 ≈ 0,5

  Position / face : $N_B(\bar{b}, 0{,}067)$ dispersion = 6 × 0,067 ≈ 0,4

  Le jeu J se distribue selon une loi Normale $N\left(\bar{b} - \bar{a}, \sqrt{0{,}083^2 + 0{,}067^2}\right)$.

- Dans l'hypothèse d'un réglage correct (les moyennes sont centrées sur les valeurs cibles), le jeu J se distribue selon la loi Normale N (0 ; 0,1) et a une dispersion de 6 × 0,1 = 0,6 mm.

⇒ Dans ces conditions 99,73 % des jeux seront dans l'intervalle de tolérance de J.

On voit que, si les réglages sont correctement centrés sur la valeurs cibles et si on accepte d'avoir 0,27 % des jeux hors tolérances, on peut augmenter les tolérances de A et B jusqu'à leur valeurs habituelles en production : **A = 10 $^{\pm 0,25}$ et B = 10 $^{\pm 0,2}$**.

Note :

D'une manière générale, on peut déterminer le pourcentage de jeux satisfaisants en utilisant la loi Normale réduite (cf.5.2.3).

Application

Cette approche permet, dans une fabrication en série, d'augmenter considérablement les IT des cotes composantes d'un jeu. L'intérêt est d'autant plus grand que le nombre de composantes est élevé.

Généralisation

Si une résultante « J » est installée par n cotes « x » indépendantes, Normales et de même dispersion, on aura, si chaque cote composante est centrée sur sa valeur cible :

Si on souhaite avoir $Pp_J \geq 1{,}33$ ($\approx$ 100% des jeux dans IT_J)

$\Rightarrow$ On devra avoir $D_J \leq IT_J / 1{,}33$

$\Rightarrow$ La dispersion des cotes composantes devra être : $\boxed{D_x \leq \dfrac{IT_j}{1{,}33\sqrt{n}}}$ $\Rightarrow k\,IT_J$ avec $k = \dfrac{1}{1{,}33\sqrt{n}}$.

Nb de cotes composantes : n	1	2	3	4	5	6
$k = 1 / 1{,}33\sqrt{n}$	0,752	0,532	0,434	0,376	0,336	0,307

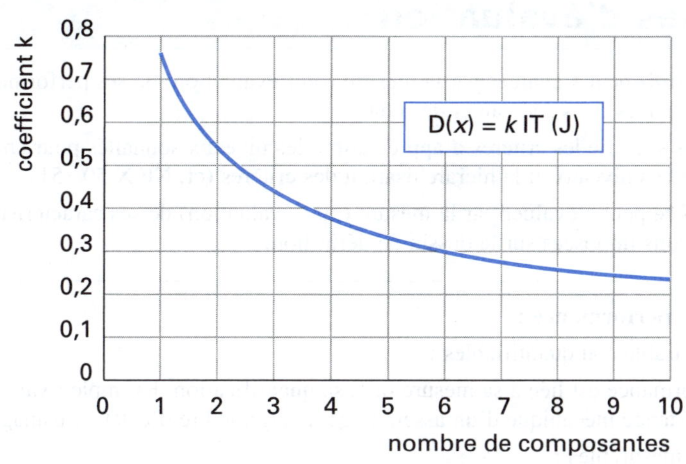

6.4. Évaluation d'un niveau de qualité - Indices qualité

Fonctions des indices qualité	– Permettre une évaluation du niveau de qualité – Permettre le suivi du niveau de qualité. – Permettre de comparer les niveaux de qualité entre différents produits.

- Le niveau de qualité d'une production prend en compte un ensemble plus ou moins complexe de critères qualitatifs et quantitatifs, chacun de ces critères pouvant avoir un poids particulier.
- L'évaluation d'un niveau de qualité nécessite des outils permettant de quantifier des grandeurs non mesurables ou des ensembles de grandeurs mesurables.

6.4.1 Principes d'évaluation

- **La qualité d'un produit** peut s'évaluer par la mesure (ou l'évaluation) de ses performances au regard de celles demandées dans son cahier des charges.

– Ce cahier des charges spécifie les critères d'appréciation, les niveaux souhaités pour chacun des critères, la flexibilité de ces niveaux et la hiérarchisation des critères (cf. NF X 50 151).

- **La qualité d'une pièce** peut s'évaluer par la mesure (ou l'évaluation) de ses caractéristiques au regard des spécifications imposées sur le dessin de définition.

- **Quantification de la performance :**

– Cas des critères mesurables ou quantifiables :

La valeur de la performance est liée à sa mesure ou à sa quantification. Exemple : valeur d'un jeu de fonctionnement, résistance mécanique d'un assemblage, coût, nombre d'éclats d'usinage, etc.

– Cas des critères non mesurables :

La valeur de la performance est liée à son niveau sur une échelle d'évaluation.

Nota : *on traite souvent les critères difficilement mesurables ou les critères résultant d'un ensemble de critères élémentaires comme des critères non mesurables.*

Exemples : qualité de finition, étanchéité, facilité de montage, etc.

- **Échelles d'évaluation courantes :**

– Échelles liées à la gravité du ou des défaut(s).

– Échelles liées au niveau de satisfaction du ou des évaluateur(s).

6.4.2 Niveaux de gravité des défauts (NF X 06-004)

Conséquence du défaut sur :					Gravité
La sécurité utilisateur	La satisfaction des fonctions		Les retours, rebuts ou réclamations		
	D'usage	D'estime			
Oui					Critique
Non	Inaptitude	Importante	Retour ou rebut certain		Critique
Non	Réduction de l'aptitude		Retour probable ou retouches nécessaires		Majeur
Non	Pas de réduction appréciable d'aptitude	Faible	Réclamation sans retour ni retouche		Mineur
Non	Pas d'incidence	Nulle ou négligeable	Pas de réclamation		Secondaire (catégorie facultative)

6.4.3 Notation des performances

- On peut, pour homogénéiser l 'évaluation des performances de nature qualitative et quantitative, utiliser une notation sur une échelle de 1 à 5 ou de 1 à 10.

Critères quantitatifs mesurables	Note	Critères qualitatifs évaluables ou ensemble de critères	
		Échelle de satisfaction	**Échelle de gravité**
Hors tolérance	0	Inacceptable	Défaut critique
Selon écart / valeur cible	1	Insatisfaisant	Selon gravité et fréquence des défauts.
	2	Acceptable	
	3		
	4	Satisfaisant	
Valeur cible	5	Très satisfaisant	Excellent

- Prise en compte de coefficients.
  On affecte à chaque critère d'évaluation un coefficient lié à sa hiérarchisation dans le cahier des charges.
- Pour certains critères tels que ceux correspondant à des exigences normatives, pour lesquels le niveau de flexibilité est nul, la non satisfaction de la performance exigée entraîne une note éliminatoire pour l'ensemble du produit.
- Pour la notation des critères qualitatifs, il faudra s'assurer de la fiabilité de la procédure de notation et garantir une bonne répétabilité et reproductibilité des méthodes de notation (cf. 2.4).

6.4.4 Principaux indices utilisés en gestion de la qualité

Fonction générale :

Quantifier et suivre les niveaux de qualité et les coûts de non-qualité.

Note : *Un indice référencé établit un rapport entre un indice brut relatif à une période t et le même indice calculé sur une période 0 de référence.*

Fonctions Particulières	Indice	
Évaluer la performance globale d'un produit.	Indice moyen brut	Moyenne pondérée des notes : $\overline{X} = \dfrac{\sum_j k_j X_j}{\sum_j k_j}$. (Pour un produit, Les notes X_j relatives à chaque critère j sont pondérées par les coefficients k_j.).
Évaluer le niveau de non-qualité globale d'un lot ou d'un ensemble de lots d'un produit.	Indices de démérite	Cet indice intègre la fréquence et la gravité des différents défauts. Indice brut : $D_t = \dfrac{\sum_j Q_{j,\,t}\, G_j}{N_t}$. Dans le cas d'un lot de taille N ou d'un ensemble de lots, il traduit le niveau de qualité ramené à un individu.
Suivre le niveau de non-qualité globale d'un produit.		Indice de référence : D_0.
		Indice de démérite référencé : $I_D = \dfrac{D_t}{D_0}$.
Quantifier le taux de produits rebutés.	Indices de Bradstreet	Indice brut : $B_t = \dfrac{\Sigma R_{i,\,t}}{\Sigma N_{i,t}}$.
Suivre l'évolution du taux de produits rebutés.		Indice de référence : B_0.
		Bradstreet référencé : $B = \dfrac{B_t}{B_0}$.
Quantifier le coût de non-qualité lié aux produits rebutés.		Bradstreet valorisé : $B't = \dfrac{\Sigma\left(R_{i,\,t} \times P_{i,\,t}\right)}{\Sigma\left(N_{i,\,t} \times P_{i,\,t}\right)}$.
Suivre l'évolution du coût de non-qualité lié aux produits rebutés.		Bradstreet valorisé de référence : B'_0.
		Bradstreet valorisé et référencé : $B' = \dfrac{B'_t}{B'_0}$.
Suivre le coût de l'ensemble des défauts sur l'ensemble des produits.	Indice de Dutot	$I_D = \dfrac{F_t}{F_0}$.

Avec les conventions d'écriture :

Coefficient relatif à un critère de performance *j* sur un produit donné	k_i
Note obtenue par un produit donné sur un critère *j*	X_j
Quantité de référence pour un produit *i* sur la période *t* (quantité contrôlée ou fabriquée)	$N_{i,t}$
Nombre de produits i rebutés sur la période *t*	$R_{i,t}$
Coût d'un produit *i* à la période *t*	$P_{i,t}$
Nombre de défauts de type *j* sur un produit donné sur la période *t*	$Q_{j,t}$
Gravité d'un défaut de type *j* sur un produit donné	G_j
Coût d'un défaut de type *j* sur un produit donné à la période *t*	$C_{j,t}$
Coût de l'ensemble des défauts sur un produit *i* sur la période *t*	$E_{i,t} = \sum_j Q_{j,t} C_{j,t}$
Coût de l'ensemble des défauts pour l'ensemble des produits sur la période *t*	$F_t = \sum_i E_{i,t}$

6.4.5 Procédure de détermination de l'indice de démérite

- Définir « l'univers » de l'indice : lot ou ensemble de lots d'un produit donné.
- Inventorier les défauts possibles.
- Déterminer, pour chaque défaut, les classes de gravité en fonction des conséquences du défaut.
- Affecter un poids G aux différentes classes de gravité en fonction des conséquences liées à cette classe (coûts, retards, SAV, etc.). On peut utiliser des pondérations standards :

Niveau de gravité	Pondération 1	Pondération 2	Pondération 3	Pondération 4
Critique	15	100	100	1000
Majeur	5	50	20	100
Mineur	1	10	5	10
Secondaire	0	1	1	1

Si les coûts induits par les différents défauts sont connus, les poids sont proportionnels à ces coûts.
Lecture d'une pondération dans ce cas : Pondération 2 : les coûts induits par un défaut majeur sont 50 fois plus élevés que les coûts induits par un défaut secondaire.

- Établir les feuilles de relevé (cf. chap. 2.2).
- Calculer l'indice de démérite : $D_t = \dfrac{\sum_j Q_{j,t} G_j}{N_{i,t}}$.

Exemple :

Suivi de l'indice de démérite sur une production de meubles de rangement fabriqués en séries de 200.

Indice de démérite après contrôle final

Produit : Rangement LUTECE	Référence : af b 2145	Réf Procédure contrôle : Q 32
Numéro de lot : xxx	Date de contrôle : 30/9/98	Contrôleur : xxx
Effectif du lot : 200		Effectif contrôlé : 200

Gamme	Défauts	Critique	Majeur	Mineur	Secondaire	Obs.
Q32-E	**Esthétique**					
	Brut à plat					
	Nœuds		1			
	Fentes et gerces		1	1		
	Aubier	1				
	Rayures ponçage					
	Rayures strat.		3			
	Bavures colle		5			
	Coulure vernis					
	Taches	1				
	Arêtes vives					
	Brûlures					
	Coups		5			
	Éclats usinage		6			
	Désaffleur plateau/alaise	2	5	11		
	Désaffleur caisson	5	10			
	Joints assemblage					
	Alignement poignées			3		
	Alignement portes					
	Jeux façade	1	4			
Q32 -F	**Fonctionnement**					
	Coulissage tiroir	1		2		
	Fonctionnement porte		2			
	Serrure	2				
Q32-R	**Résistance**					
	Rigidité caisson		2			
	Fixation coulisses	1				
	Total : Q j :	14	41	20		
	Gravité : G j (Pondération 1)	15	5	1		
	Qj x Gj :	210	201	20		431

Démérite $_{\textbf{Septembre}}$ = 431 / 200 = **2,15**

Entreprise : zzz		**Service Qualité**
Référence document : CFD R	Destinataire : xxx	Visa responsable : xxx

6.5. Indicateurs de maintenance des moyens de production

Maintenance	Ensemble des actions permettant de maintenir ou de rétablir un bien dans un état spécifié ou en mesure d'assurer un service déterminé.
Disponibilité	Aptitude d'un dispositif à être en état de fonctionner dans des conditions données.
Fiabilité	Aptitude d'un dispositif à accomplir une fonction requise, dans des conditions données, pendant une durée donnée.
Maintenabilité	Dans des conditions données d'utilisation, aptitude d'un dispositif à être maintenu ou rétabli dans un état dans lequel il peut accomplir sa fonction requise, lorsque la maintenance est accomplie dans des conditions données, avec des procédures et des moyens requis.

Décomposition simplifiée (ancienne norme NF X 60-015) des temps pour la détermination des indicateurs de maintenance.

***Nota :** la norme NF X 60 500 donne une décomposition plus détaillée des temps.*

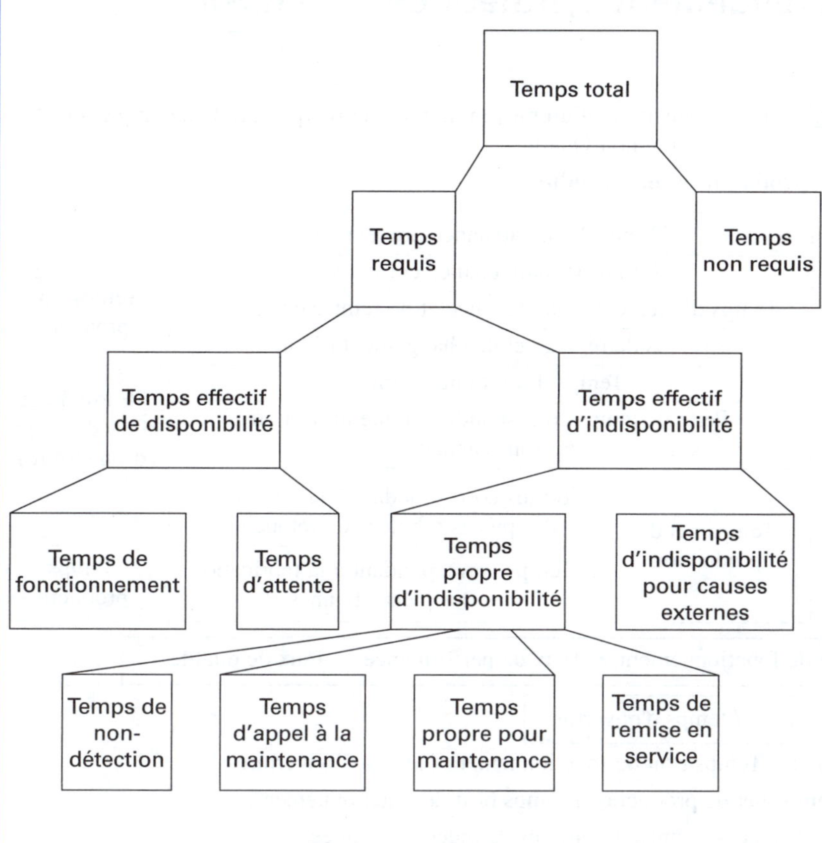

Temps non requis : période de temps pendant lequel , on n'exige pas que le moyen de production soit en état d'accomplir sa fonction (toutes périodes en dehors des périodes ouvrées).

Temps d'attente : partie du temps effectif de disponibilité pendant lequel le moyen de production n'est pas sollicité (machine à l'arrêt).

Temps d'appel à la maintenance : délai entre détection et appel à la maintenance.

Temps de remise en service : délai entre la fin des opérations de maintenance et la remise en service.

<table>
<tr><th colspan="2">Indicateurs de suivi des matériels</th></tr>
<tr><td>Disponibilité</td><td>Disponibilité moyenne =
$$\frac{\text{Temps effectif de disponibilité}}{\text{Temps requis}} = \frac{\text{TCBF}}{\text{TCBF + TCI}}$$
(TCBF = Temps cumulé de bon fonctionnement).</td></tr>
<tr><td rowspan="3">Fiabilité</td><td>N = Nombre d'interventions de maintenance avec immobilisation dans la période.
TCBF : Temps cumulé de bon fonctionnement.</td></tr>
<tr><td>$\text{FMED} = \frac{\text{TCBF}}{\text{N}}$ = Temps moyen entre deux défaillances.
= Temps moyen de bon fonctionnement (correspond au MTBF anglais)</td></tr>
<tr><td>Taux de défaillance = 1 / FMED.</td></tr>
<tr><td rowspan="2">Maintenabilité</td><td>TCI = Temps cumulé d'indisponibilité après défaillance.</td></tr>
<tr><td>$\text{TMRS} = \frac{\text{TCI}}{\text{N}}$ = Temps moyen avant remise en service.
(correspond au MTTR anglais).</td></tr>
</table>

6.6. Le Taux de rendement synthétique : « T.R.S »

Le TRS est un indicateur global de productivité d'un moyen de production qui prend en compte tous les temps non-productifs et les pertes dues à la non-Qualité.

Décomposition des temps productifs et non-productifs :

<table>
<tr><td rowspan="9">Temps d'ouverture</td><td rowspan="5">Temps d'arrêt</td><td colspan="2">Temps de maintenance préventive</td><td rowspan="8">Temps non productif

(Entre 30 et 80 % du temps d'ouverture)</td></tr>
<tr><td colspan="2">Temps de maintenance corrective</td></tr>
<tr><td colspan="2">Temps d'attente de maintenance et de remise en service</td></tr>
<tr><td colspan="2">Temps de réglage et de changement d'outil</td></tr>
<tr><td colspan="2">Temps d'arrêt entre séries</td></tr>
<tr><td rowspan="4">Temps brut de fonction-nement</td><td colspan="2">Perte de temps correspondant à une utilisation en sous capacité</td></tr>
<tr><td rowspan="3">Temps net de production</td><td>Temps correspondant à la fabrication des pièces rebutées ou retouchées</td></tr>
<tr></tr>
<tr><td>Temps correspondant à la fabrication des pièces bonnes</td><td>Temps productif</td></tr>
</table>

TRS = Taux brut de fonctionnement × Taux de performance × Taux de qualité

TRS = Temps productif / temps d'ouverture

Taux brut de fonctionnement = Temps brut de fonctionnement / temps d'ouverture.

Taux de performance = Temps net de production / temps brut de fonctionnement.

Taux de qualité = Nombre de pièces bonnes / nombres de pièces fabriquées.

7 LES OUTILS DE CONTRÔLE DE LA QUALITÉ

7.1. Les contrôles statistiques de lots (contrôles de réception). NF X 06-021

7.1.1 Principes généraux et définitions

- **Objectifs et cas d'utilisation des contrôles statistiques de lots**

« Permettre l'application à chaque lot contrôlé de l'une ou l'autre des décisions suivantes : acceptation ou rejet». Le sort réservé aux lots «rejetés» est précisé dans les procédures internes de l'entreprise selon l'origine du lot et la nature du caractère non conforme : renvoi au fournisseur, tri, retouches, dérogation, etc.)

Le contrôle porte sur des pièces ou composants et peut se situer :

- En contrôle de réception d'une livraison d'un fournisseur ;
- En contrôle en cours de processus, au passage d'une opération de fabrication à une autre ;
- En contrôle d'entrée en magasin ;
- En contrôle final avant livraison à un client.

Il peut s'opérer sur la totalité du lot : contrôle à 100 %, ou sur échantillon prélevé dans le lot : contrôle par échantillonnage qui fait l'objet d'un «plan d'échantillonnage».

<table>
<tr><th colspan="4">Les paramètres d'un plan de contrôle</th></tr>
<tr><td rowspan="2">Le type de contrôle :</td><td colspan="2">Contrôle par attribut</td><td rowspan="2">En fonction du caractère contrôlé : qualitatif ou quantitatif.</td></tr>
<tr><td colspan="2">Contrôle par mesure</td></tr>
<tr><td rowspan="4">Le schéma de prélèvement :</td><td>Simple</td><td>Un seul prélèvement</td><td rowspan="7">En fonction de paramètres définis par les services Qualité et Achat :
– Risques admis ;
– Effectifs des lots ;
– Niveau du contrôle (1, 2, 3, spécial) ;
– Coût du contrôle ;
– Caractère répétitif ou non du contrôle ;
– Qualité habituelle des lots ⇒ contrôle normal, réduit ou renforcé ;
– Niveau de Qualité Acceptable : NQA ;
– Etc.</td></tr>
<tr><td>Double</td><td rowspan="3">Plusieurs prélèvements successifs</td></tr>
<tr><td>Multiple</td></tr>
<tr><td>Progressif</td></tr>
<tr><td colspan="3">L'effectif de l'échantillon (ou des échantillons)</td></tr>
<tr><td rowspan="2">Le ou les critères, les seuils et la règle de décision à prendre à partir des résultats du contrôle :</td><td colspan="2">Contrôles par attribut :
– Critère : k = nb de défectueux ou nb de caractères non conformes pour 100 unités.
– Seuil(s) : seuil(s) d'acceptation : A et seuil(s) de rejet : R.</td></tr>
<tr><td colspan="2">Contrôle par mesure :
– Critères : indice de qualité Q_i et Q_s, $\bar{x}$, s.
– Seuils : constante d'acceptation K, écart type maximum, abaques.</td></tr>
</table>

• **Exemple :**
Avec les paramètres de départ :
– Contrôle du % d'individus non conformes par comptage ;
– Échantillonnage simple ;
– Contrôle normal ;
– Niveau 2 ;
– Lot de 1 000 pièces ;
– Niveau de Qualité Acceptable (NQA) : 2,5 % de défectueux ;
⇒ Les paramètres du Plan d'échantillonnage seront :
Effectif de l'échantillon à contrôler : n = 80 ;
Seuil d'acceptation du lot : A = 5 pièces mauvaises ;
Seuil de rejet du lot : R = 6 pièces mauvaises.

⇒ Procédure de contrôle associée au plan :

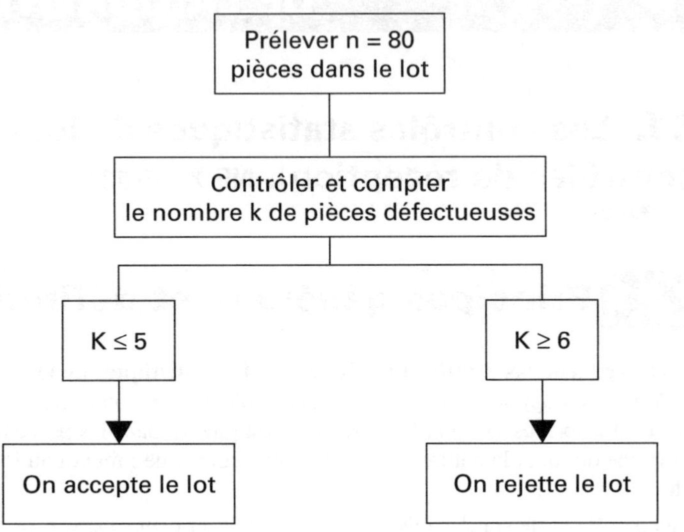

• **Normes relatives aux différents contrôles statistiques par lots**
Pour chaque type de contrôle, la norme qui s'y rapporte,
• Définit :
– Le type de contrôle en question,
– Le domaine d'application,
– Les notions fondamentales et les notations utilisées,
– Les sous-types de contrôle appartenant à ce type.
• Fournit :
– Les tables et/ou abaques permettant de définir le plan d'échantillonnage en fonction des paramètres imposés,
– Les courbes d'efficacité,
– Des exemples de détermination de plans d'échantillonnage,
– Le cas échéant, les règles de passage en contrôle réduit ou renforcé.

Type de caractère contrôlé	Plans d'échantillonnage	Référence de la norme
Attribut (contrôle par comptage)	Plans d'échantillonnage pour contrôle par comptage du pourcentage d'individus non conformes ou du nombre moyen de caractères non-conformes pour 100 unités.	NF X 06-022
	Plans d'échantillonnage progressifs pour contrôle par comptage du pourcentage d'individus non conformes ou du nombre moyen de caractères non-conformes pour 100 unités.	NF X 06-024
	Contrôle par comptage dans le cas d'un lot isolé.	NF X 06-028
Mesure (contrôle par mesurage)	Plans d'échantillonnage pour contrôle par mesurage du pourcentage d'individus non conformes.	NF X 06-023
	Plans d'échantillonnage progressifs pour contrôle par mesurage du pourcentage d'individus non conformes.	NF X 06-025

• Risques et efficacité d'un plan de contrôle

Risques associés à un contrôle statistique de lots		
	Le contrôle de réception est un test statistique qui aboutit à une décision d'acceptation ou de rejet du lot contrôlé qui présente donc des risques d'erreur (cf. 5.4.2).	
	Risque du client	**Risque d'accepter un lot qui aurait normalement du être refusé.** Ce risque correspond au risque β. Il est généralement fixé à 10 %. On définit ainsi un niveau de qualité limite p_{10} (= niveau de qualité toléré : Au-delà de cette limite le niveau de qualité est considéré comme inacceptable) qui correspond à une probabilité d'acceptation $P_a = \beta = 10\,\%$ et à une probabilité de rejet de $1 - \beta = 90\,\%$. Le risque du client signifie qu'un contrôle portant sur une série de lots qui contiendraient p_{10} % de défectueux aboutirait à les refuser dans 90 % des cas et à les accepter dans 10 % des cas.
	Risque du fournisseur	**Risque de refuser un lot qui aurait normalement du être accepté.** Ce risque correspond au risque α. Il est généralement fixé à 5 %. On définit ainsi un niveau de qualité p_{95} (= qualité considérée comme acceptable) qui correspond à une probabilité d'acceptation $P_a = 1 - \alpha = 95\,\%$. Le risque du fournisseur signifie qu'un contrôle portant sur une série de lots qui contiendraient P_{95} % de défectueux aboutirait à les accepter dans 95 % des cas et à les refuser dans 5 % des cas.
	Nota : Dans le cas d'un contrôle parfait (contrôle à 100 %), ces risques sont nuls : on est certain d'accepter un lot si celui ci est « acceptable » et certain de le refuser dans le cas contraire.	
Niveau de qualité acceptable : NQA	« Pourcentage d'individus non conformes[ ] qui ne doit pas être dépassé pour qu'une production contrôlée sur une série de lots puisse être considérée comme acceptable. » (NF X 06-022) ⇒ Dans une production (ou un approvisionnement) stable de qualité $p\,\% \leq$ NQA, la grande majorité des lots contrôlés seront acceptés.	

• Valeurs de NQA recommandées pour les contrôles par attribut (NF X 06-022) :

% d'individus non conformes ou nb moyen de caractères non conformes pour 100 unités	0,010	0,015	0, 025	0, 040	0, 065	0, 10	0, 15	0, 25	0,40	0,65	1, 0	1, 5	2, 5	4, 0	6, 5	10
Nb moyen de caractères non conformes pour 100 unités.	–	–	–	–	–	–	15	25	40	65	100	150	250	400	650	1000

Exemple : – Pour le contrôle de réception des sciages avivés, le CTBA recommande un NQA de 10 % pour les sciages dont on ne connaît pas l'utilisation a priori et qui doivent répondre aux spécifications générales dimensionnelles et qualitatives des normes NF B 53-100 et NF B 53-520.

Pour les sciages dont on connaît l'utilisation et qui doivent répondre à des spécifications particulières, le NQA recommandé est de 4 %.

• Valeurs de NQA recommandées pour les contrôles normaux par mesure : (NF X 06-023) :

0,10	0,15	0,25	0,40	0,65	1,0	1,5	2,5	4,0	6,5	10

<table>
<tr>
<td>Courbe d'efficacité</td>
<td>
L'efficacité d'un plan de contrôle peut se représenter sur une courbe qui met en relation le pourcentage réel p % de défectueux du lot contrôlé et sa probabilité P_a d'acceptation. Ces courbes sont fournies par les normes relatives aux différents types de contrôle.

Exemple : Courbe d'efficacité d'un plan de contrôle (n = 32, A = 3, R = 4)

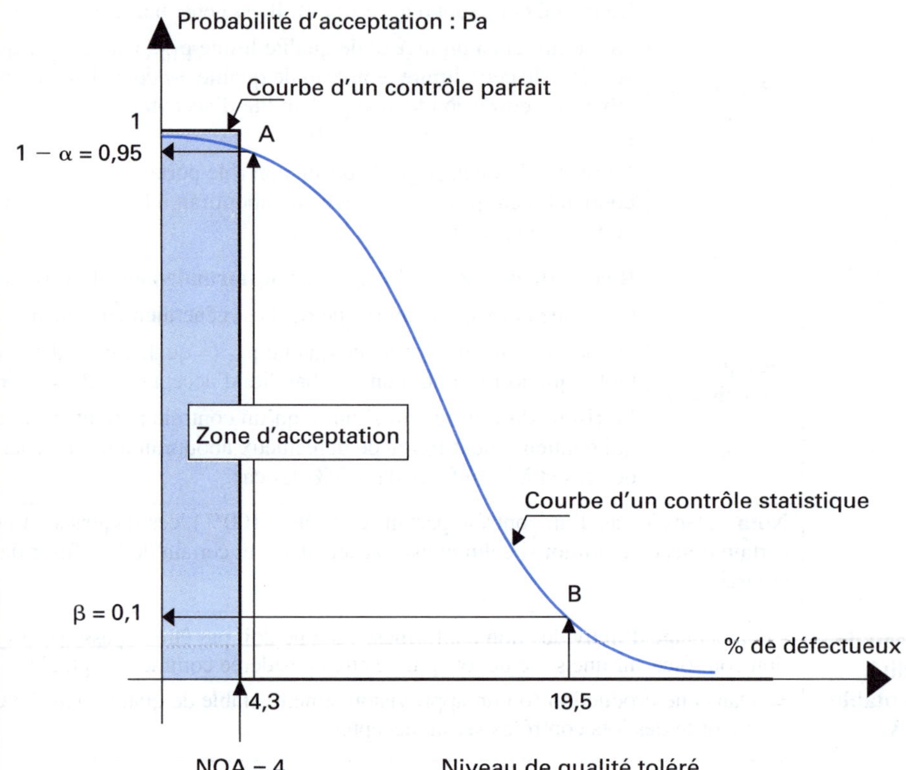

Lecture : Avec le plan choisi, un lot qui aurait 4,3 % de défectueux aurait 95 % de chances d'être accepté lors du contrôle.
Un lot qui aurait 19,5 % de défectueux aurait 90 % de chances d'être refusé.
</td>
</tr>
<tr>
<td>Rapport de discrimination : DS</td>
<td>
L'efficacité d'un plan de contrôle peut se caractériser par le rapport de discrimination DS = p_{10} / p_{95}. Un contrôle est d'autant plus efficace, c.a.d d'autant plus capable de discriminer les bons des mauvais lots, que le rapport DS est proche de 1.

Ceci se traduit graphiquement par une courbe d'efficacité d'autant moins aplatie que l'efficacité est élevée.

Pour un NQA donné, la table 2A de NF X 06-022 donne plusieurs plans de contrôle possibles faisant varier n, A et R :
Exemple : pour NQA = 1,5 % :
Plan 1 : {n = 32, A = 1, R = 2 } donne p_{10} = 11,6 et p_{95} = 1,13
⇒ DS = 11,6 % / 1,13% = 10,26
Plan 2 : {n = 125, A = 5, R = 6} donne p_{10} = 7,42 et p_{95} = 2,09
⇒ DS = 7,42 % / 2,09% = 3,55 ⇒ ce plan est plus sélectif donc plus efficace
</td>
</tr>
</table>

Qualité moyenne après contrôle d'un ensemble de lots : AOQ et AOQL	• Les pièces acceptées dans une procédure de contrôle statistique ont deux origines possibles : – Les lots acceptés en ayant trié les individus non conformes présents dans l'échantillon de contrôle. De tels lots contiennent donc encore un pourcentage de défectueux sur l'effectif $(N - n)$ non contrôlés. – Les lots refusés puis triés à 100 %. La qualité moyenne après contrôle AOQ est égale au % de défectueux existant dans l'ensemble des pièces acceptées. Pour un plan d'échantillonnage donné, il varie en fonction du pourcentage de défectueux p avant contrôle et de la probabilité $P_{a\,(p)}$ associée à p : $$AOQ = \left(1 - \frac{n}{N}\right) pP_{a(p)}$$ **Remarque importante :** L'AOQ n'a une signification que sur un ensemble de lots. • Comme AOQ ≥ 0, AOQ = 0 pour p = 0 et p = 1 ⇒ AOQ admet un maximum AOQL qui « caractérise la qualité moyenne la plus mauvaise que l'on puisse trouver en stock après contrôle » quel que soit le niveau de qualité des livraisons. La valeur de AOQL est fournie par les normes relatives aux différents types de contrôles.

• Niveaux de contrôle

Il existe trois niveaux de contrôle généraux : I, II, III et quatre niveaux de contrôles spéciaux réservés aux contrôles coûteux ou destructifs. Sauf prescription contraire, on utilise le niveau II.

• Contrôle réduit ou renforcé

Pour un même produit, on peut décider en fonction des résultats obtenus sur les contrôles antérieurs de réduire ou de renforcer le contrôle. Réduire le contrôle conduit à un contrôle plus économique mais moins strict, renforcer le contrôle conduit à un contrôle plus onéreux mais réduisant le risque du client. Les normes citées fournissent les tableaux de correspondance des plans de contrôle réduits et renforcés par rapport aux plans normaux.

• Procédure générale de passage entre contrôle Normal, Renforcé et Réduit

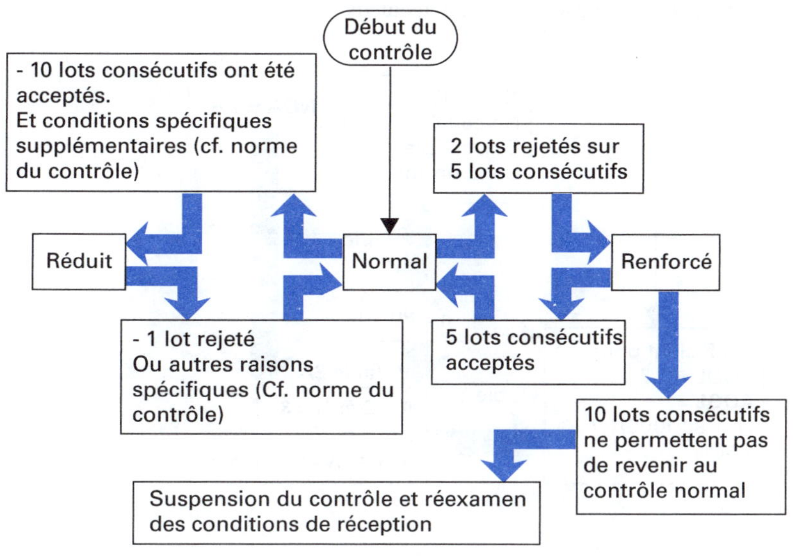

7.1.2 Les contrôles par attributs

• **Principe**

Les contrôles par attributs sont fondés sur l'application de la loi Binomiale, ou le cas échéant sur son approximation par la loi de Poisson (cf. 5.2.3) qui donne la probabilité d'obtenir un nombre k de défectueux dans un échantillon de n pièces issu d'un lot contenant p % de défectueux.

Exemple : – On extrait un échantillon de 80 pièces d'un lot de 1000 pièces contenant 1 % de défectueux. On cherche le nombre maximum de défectueux que l'on peut trouver dans cet échantillon avec un seuil de probabilité $(1 - \alpha) = 95\,\%$.

- $n = 80$, $p = 1\,\% < 0{,}1$, $np = 0{,}8 < 5 \Rightarrow$ la loi binomiale s'approxime par la loi de Poisson.
- On trouve dans une table des probabilités cumulées de la loi de Poisson (cf. annexe 4) pour $m = 0{,}8$ que l'on a 95,26 % ($\approx 0{,}95$) de chances de trouver au plus 2 défectueux dans l'échantillon et donc moins de 5 % de chances d'y trouver plus de 2 défectueux.
- Si l'on trouve plus de 2 défectueux dans l'échantillon, sachant que cet événement a moins de 5 % de chances de se produire dans le cas d'un lot ayant 1 % de défectueux, on est conduit à parier que le lot a plus de 1 % de défectueux et par suite à le rejeter.
- Le seuil d'acceptation est donc A = 2 et le seuil de rejet est donc R = 3.

• **Exemple de détermination d'un plan de contrôle par l'utilisation des tables de la norme NF X 06-022.**

Contrôle du pourcentage d'individus non conformes par comptage de lots de façades de tiroirs.

Critère : qualité de finition satisfaisante

- Échantillonnage simple.
- Contrôle normal.
- Niveau II.
- Lot de N = 1000 pièces.
- Niveau de Qualité Acceptable (NQA) : 1 % de défectueux.

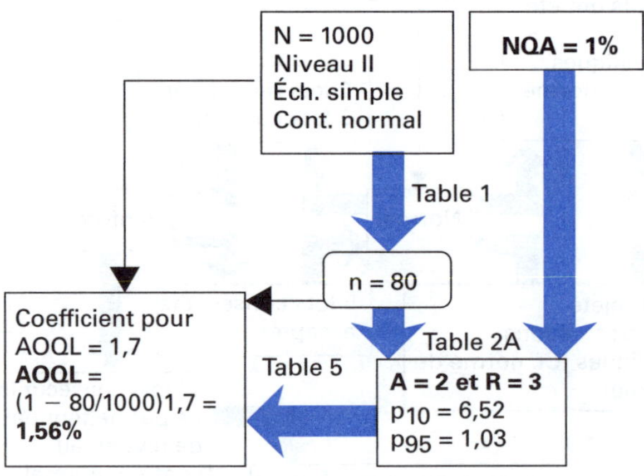

• **Échantillonnage double, multiple, progressif**

Objectif : Réduire le coût de contrôle, en réduisant le nombre d'individus contrôlés sans perdre d'efficacité.

Principe du plan double

On fait un premier prélèvement d'effectif plus petit que celui correspondant au plan simple. Si la qualité est très bonne, on accepte le lot ; si la qualité est très mauvaise, on rejette le lot. Si la qualité est intermédiaire, on fait un autre prélèvement et on décide du rejet ou de l'acceptation en fonction des résultats des deux prélèvements.

La norme NF X 06-022 indique les effectifs des deux prélèvements (table 3A) ainsi que les seuils d'acceptation et de rejet correspondant à chaque prélèvement (table 3B).

Exemple : – On peut substituer au plan simple ci-dessus le plan double suivant :

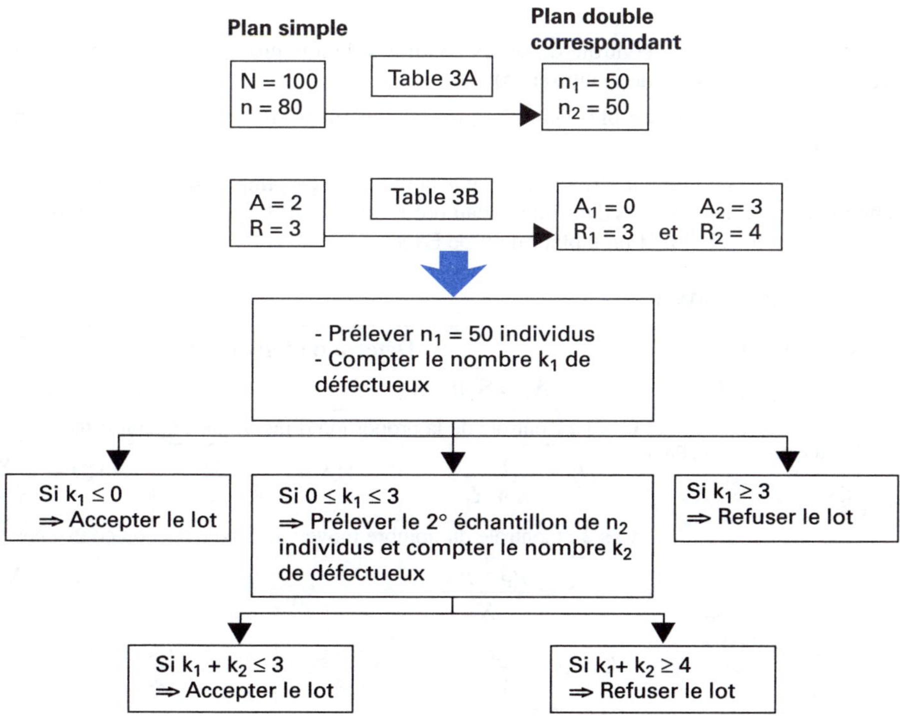

Principe du plan multiple

Identique à celui du plan double, avec prélèvements éventuels de plus de deux échantillons. Les effectifs et seuils sont donnés dans les tables 4 de NF X 06-022.

Principe du plan progressif (Plan de Wald) (cf. NF X 06-024)

On prélève les individus au fur et à mesure de leur utilisation et on enregistre sur un graphique le nombre cumulé de défectueux D_n depuis le début du contrôle. Ce graphique comporte deux droites A_n et R_n qui définissent des zones d'acceptation et de rejet.

Si le tracé pénètre dans la zone d'acceptation, on accepte le lot et on arrête le contrôle, si le tracé pénètre dans la zone de rejet, on rejette le lot et on effectue un tri.

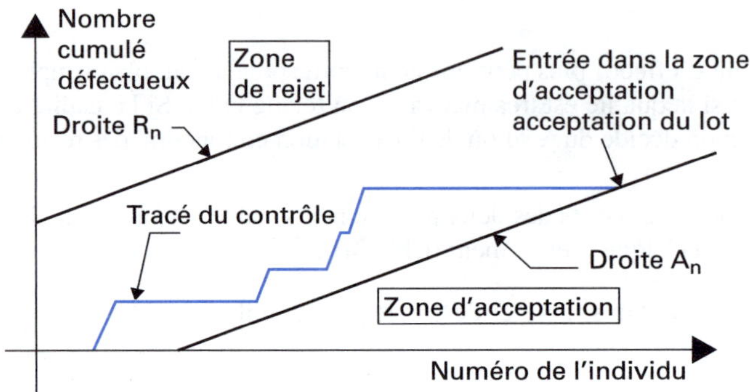

Ce type de contrôle s'applique au contrôle de séries continues de lots provenant d'une même fabrication. (Exemple : fabrication industrielle de menuiseries)

Les plans progressifs sont en général plus économiques que les plans simples, doubles, ou multiples pour une même efficacité.

Ils ont en outre l'avantage de pouvoir être exécutés par la méthode graphique sur des diagrammes pré-établis ou par enregistrement des résultats dans un tableau pré-rempli. Pour l'une ou l'autre méthode, les documents pouvant être établis à l'aide d'un tableur de type Excel.

Détermination d'un plan de Wald

<table>
<tr><th colspan="2">Données de départ</th><th colspan="12">Détermination des limites</th></tr>
<tr><th>$(p_A, 1 - \alpha)$</th><th>(p_R, β)</th><th colspan="6">$A_n = S.\,n - h_A$</th><th colspan="6">$R_n = S.\,n + h_R$</th></tr>
<tr><td colspan="2" rowspan="5">Probabilité d'acceptation : Pa
1 – α
β
% de défectueux
p_A p_R</td><td colspan="12">Cas 1 : Contrôle de la proportion d'individus non conformes</td></tr>
<tr><td colspan="4">$S = \dfrac{Y}{X + Y}$</td><td colspan="4">$HA = \dfrac{U}{X + Y}$</td><td colspan="4">$HR = \dfrac{V}{X + Y}$</td></tr>
<tr><td colspan="12">Cas 2 : Contrôle du nombre moyen de caractères non conformes par unité</td></tr>
<tr><td colspan="4">$S = \dfrac{p_R - p_A}{X}$</td><td colspan="4">$h_A = \dfrac{U}{X}$</td><td colspan="4">$h_R = \dfrac{V}{X}$</td></tr>
<tr><td colspan="3">$U = \ln \dfrac{1 - \alpha}{\beta}$</td><td colspan="3">$V = \ln \dfrac{1 - \beta}{\alpha}$</td><td colspan="3">$X = \ln \dfrac{p_R}{p_A}$</td><td colspan="3">$Y = \ln \dfrac{1 - p_A}{p_R}$</td></tr>
<tr><td colspan="2">Exemple :
$(p_A = 0{,}05\ ;\ 1 - \alpha = 0{,}95)$
$(p_R = 0{,}15\ ;\ \beta = 0{,}1)$</td><td colspan="6">Règle de décision :
Si $D_n \geq R_n \Rightarrow$ rejet du lot
Si $D_n \leq A_n \Rightarrow$ acceptation du lot</td><td colspan="6">Note : ln = logarithme népérien
et ln x = 2,3026 Log x</td></tr>
</table>

Troncature du plan

Si le contrôle reste trop longtemps entre les limites, on convient de l'arrêter à la pièce $n_t = 1{,}5\ n_0$ (avec n_0 = effectif du plan simple de même efficacité que le plan de Wald utilisé). Dans ce cas on accepte le lot si $D_n \leq Sn_t$.

Note : La Norme NF X 06-024 fournit les tables des plans de Wald correspondant aux plans de NF X 06-022. Ceci permet de définir facilement un plan de Wald de même efficacité qu'un plan défini selon NF X 06-022, sans faire les calculs précédents.

Exemple : – Contrôle de lots de traverses hautes sur 7 cotes à contrôler sur chaque individu.

Données	$\alpha = 0{,}1$	$p_A = 0{,}05$
	$\beta = 0{,}2$	$p_R = 0{,}15$
Calculs	U = 1,504	S = 0,091
	V = 2,08	$h_A = 1{,}37$
	X = 1,099	$h_R = 1{,}893$
	$p_R - p_A = 0{,}1$	
	n_{mini} d'acceptation : 16	

• ***Tableau de contrôle du nombre moyen de caractères non conformes par individu.***

n	An	Rn	Résultats individuels	Résultats cumulés	décision
1		2	0	0	continue
2		3	0	0	continue
3		3	0	0	continue
4		3	0	0	continue
5		3	0	0	continue
6		3	0	0	continue
7		3	0	0	continue
8		3	1	1	continue
9		3	0	1	continue
10		3	0	1	continue
11		3	0	1	continue
12		3	0	1	continue
13		4	0	1	continue
14		4	0	1	continue
15		4	1	2	continue
16	0	4	0	2	continue
17	0	4	0	2	continue
18	0	4	0	2	continue
19	0	4	0	2	continue

n	An	Rn	Résultats individuels	Résultats cumulés	décision
20	0	4	0	2	continue
21	0	4	0	2	continue
22	0	4	0	2	continue
23	0	4	0	2	continue
24	0	5	0	2	continue
25	0	5	0	2	continue
26	0	5	0	2	continue
27	1	5	0	2	continue
28	1	5	0	2	continue
29	1	5	0	2	continue
30	1	5	0	2	continue
31	1	5	0	2	continue
32	1	5	0	2	continue
33	1	5	0	2	continue
34	1	5	0	2	continue
35	1	6	0	2	continue
36	1	6	0	2	continue
37	1	6	0	2	continue
38	2	6	0	2	accepté
39	2	6			

• ***Graphique de contrôle du nombre moyen de caractères non conformes par individu***

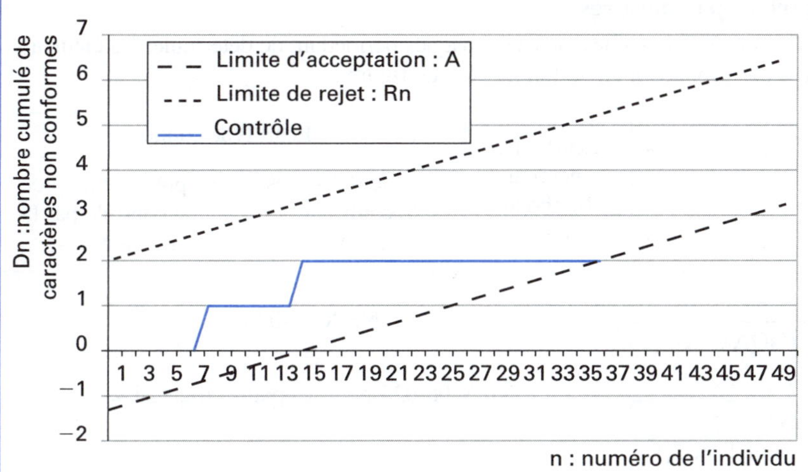

Le tableau, préparé sous Excel, a été complété au fil du contrôle jusqu'à la 38e pièce qui a conduit à l'acceptation du lot.

7.1.3 Les contrôles par mesures

• **Principe**

Les contrôles par mesures sont fondés sur les propriétés de la loi Normale à laquelle obéit généralement la distribution d'une cote.

La décision d'acceptation ou de rejet du lot est prise à partir des valeurs obtenues sur un échantillon de ce lot.

- On détermine à partir de l'échantillon un « indice qualité » Q qui caractérise l'échantillon par rapport aux limites de tolérances et la dispersion connue (ou éventuellement estimée) du lot :

– Pour une limite de tolérance supérieure T_s : $Qs = \frac{T_s - \bar{x}}{\sigma}$

– Pour une limite de tolérance inférieure T_i : $Q_i = \frac{\bar{x} - T_i}{\sigma}$

L'expression de ces indices montrent qu'une valeur faible de l'indice qualité révèle un écart faible entre la moyenne de l'échantillon et la ou les limites de tolérances et laisse donc présumer un fort pourcentage de pièces non conformes.

- On peut déterminer un seuil mini K de ces indices en dessous duquel la probabilité que l'échantillon soit issu d'un lot conforme (c.a.d contenant moins de *p* % de pièces non conformes) est très faible, par exemple ≤ 5 %.
- Si on obtient dans un échantillon contrôlé, une valeur de Q inférieure à ce seuil, sachant que cet événement a moins de 5 % chances de se produire dans le cas d'un échantillon issu d'un lot contenant moins de *p* % de pièces non conformes, on sera conduit à parier que cet échantillon est issu d'un lot ayant plus de *p* % de pièces non conformes. On rejettera donc le lot. Dans le cas contraire, on acceptera le lot.

Exemple :

Pour accepter un lot, on devra donc avoir à l'issue du contrôle (cas de σ connu) :

Cas d'une tolérance supérieure	$Q_s = \frac{T_s - \bar{x}}{\sigma} \geq K$ soit $\bar{x} \leq T_s - K_\sigma$
Cas d'une tolérance inférieure	$Q_i = \frac{\bar{x} - T_i}{\sigma} \geq K$ soit $\bar{x} \geq T_i + K_\sigma$
Cas de deux tolérances.	$Q_s = \frac{T_s - \bar{x}}{\sigma} \geq K$ et $Q_i = \frac{\bar{x} - T_i}{\sigma} \geq K$ soit $T_i + K_\sigma \leq \bar{x} \leq T_s - K_\sigma$

• **Différents types de contrôles par mesures**

La norme NF X 06-023 et NF X 06-025 donne les tables et abaques permettant de déterminer les éléments des différents plans de contrôle correspondant aux différents cas de figure :

		Écart type inconnu Méthode « s »	Écart type connu	
			dès le début des contrôles Méthode « σ »	après une période de contrôle par la méthode « s »
Une seule limite de tolérance		NF X 06-023 et NF X 06-025 pour les plans progressifs.		
Deux limites de tolérance	Limites séparées (NQA différents pour T_i et T_s)			
	Limites combinées (NQA identiques pour T_i et T_s)			

Exemple de détermination d'un plan de contrôle par utilisation des tables de la norme NFX 06-023.

Contrôle par mesurage de la proportion d'individu non conformes dans les livraisons d'avivés de chêne de 27 mm.

- Lots d'avivés de chêne, d'épaisseur nominale 27, livrés par lots de 1000 pièces.
- Spécification : Épaisseur en mm.
- Tolérance inférieure $T_i = 27$.
- Tolérance supérieure TS = 30.
- Écart type connu à partir des contrôles antérieurs : s = 0,5.
- NQA = 4 %.
- Niveau de contrôle : II.
- Échantillonnage simple.
- Contrôle normal.

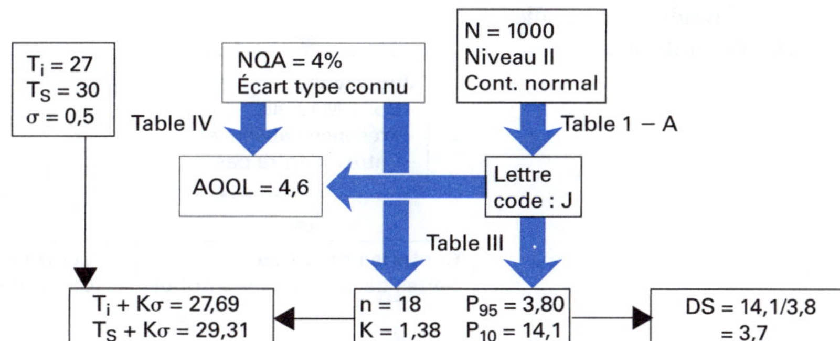

Lors du contrôle d'un lot avec ce plan d'échantillonnage, on a relevé les valeurs suivantes :

						Moyenne de l'échantillon
28,35	29,15	27,40	27,95	27,60	27,45	
27,85	29,10	28,40	28,15	28	28,20	**28,26**
28,60	29,35	29,05	27,65	28,10	28,30	

$\Rightarrow$ **On a 27,69 ≤ 28,26 ≤ 29,31** $\Rightarrow$ **on accepte le lot.**

Lors du contrôle d'un autre lot avec ce plan d'échantillonnage, on a relevé les valeurs suivantes :

						Moyenne de l'échantillon
26,7	27,7	29	26,6	28,5	27,7	
27,4	26,4	27	25,8	27,4	28	**27,56**
27,7	28,3	28	27,9	28,7	27,7	

$\Rightarrow$ **On a 27,56 ≤ 27,69** $\Rightarrow$ **on rejette le lot.**

7.2. Le contrôle en cours de fabrication MSP (maîtrise statistique du procédé)

- **Objectif**

Mettre sous surveillance une production pour :

– Détecter un déréglage ;
– Garantir et suivre la stabilité du process ;
– Suivre la qualité d'une fabrication.

- **Les deux familles de contrôle par cartes de contrôle :**

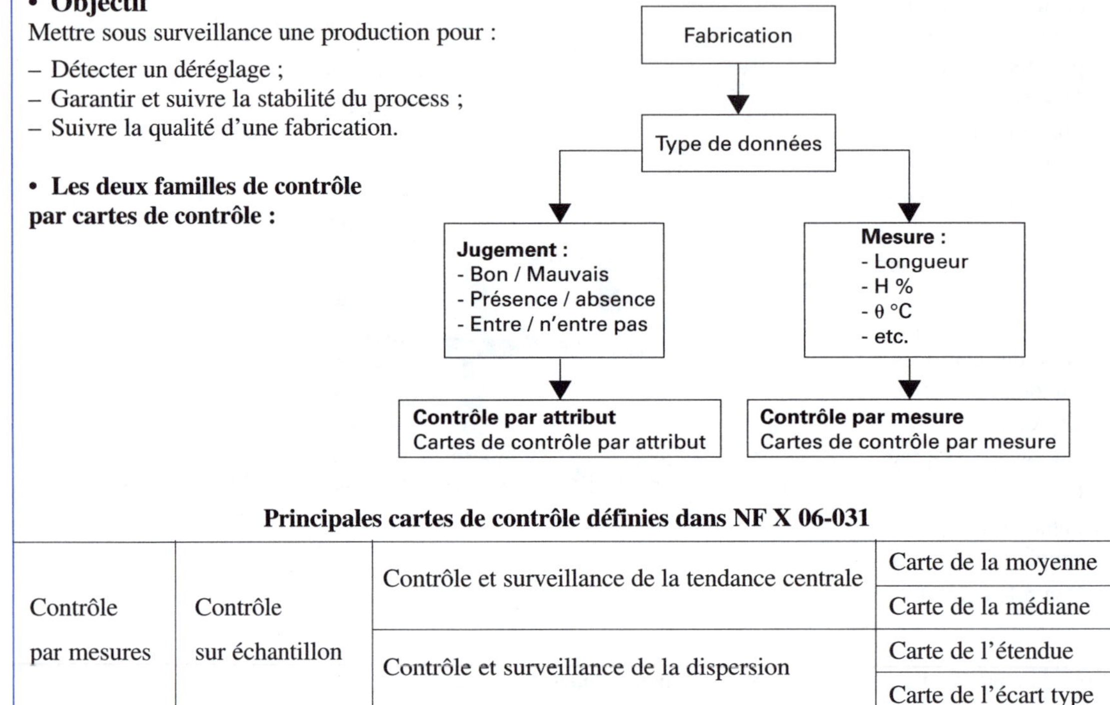

Principales cartes de contrôle définies dans NF X 06-031

Contrôle par mesures	Contrôle sur échantillon	Contrôle et surveillance de la tendance centrale	Carte de la moyenne
			Carte de la médiane
		Contrôle et surveillance de la dispersion	Carte de l'étendue
			Carte de l'écart type
	Cartes aux valeurs individuelles		
Contrôle par attributs	Carte du nombre ou de la proportion de défectueux par échantillon		
	Carte du nombre ou de la proportion de défauts par unité de contrôle		

7.2.1 Principes des cartes de contrôle par mesures

- **Variabilité d'une cote fabriquée**

La variabilité d'une cote fabriquée a deux types de causes :

– Un ensemble de causes aléatoires induisant une fluctuation « normale » autour de la valeur cible qui correspond à la dispersion « normale » de la machine. Sous l'effet de ces causes, la distribution des cotes fabriquées obéit généralement à une loi Normale.
– Un ensemble de causes, dites assignables, peu nombreuses, que l'on peut identifier et sur lesquelles on peut agir (ex : déréglage, desserrage des butées, désaffûtage de l'outil, etc.) induisant une effet systématique sur la tendance centrale et/ou sur la dispersion : dérive, décalage, augmentation de dispersion, etc.

- Une fabrication est maîtrisée (Maîtrise Statistique des Processus) si la tendance centrale et la dispersion des cotes fabriquées restent stables et ne fluctuent que sous l'effet des causes aléatoires selon une loi de distribution connue.

  Surveiller, mettre sous contrôle une fabrication, consiste à suivre ces deux paramètres pour pouvoir détecter toute fluctuation « anormale » du process.

- Les cartes de contrôle sont des outils graphiques qui permettent de suivre l'évolution de la tendance centrale et la dispersion d'échantillons prélevés au fur et à mesure de la production.

  Si ces caractéristiques restent à l'intérieur des limites de fluctuation « Normale » (limites de contrôle), la production se poursuit normalement, sinon l'opérateur stoppe la production et, après diagnostic, corrige la cause anormale de la dérive identifiée par l'analyse des cartes.
- Les limites de contrôle de la tendance centrale et de la dispersion correspondent à des valeurs qu'on a très peu de chances (moins de 0,1 %) d'observer si la production est « Normale ». Ainsi, si on observe une valeur excessive de la tendance centrale ou de la dispersion d'un échantillon, il sera raisonnable de considérer que la production n'est plus « Normale » et qu'il faut stopper.
- Pour plus de précision et de souplesse dans la conduite du process, on établit des limites intermédiaires qui correspondent à des valeurs qu'on a a peu de chances d'observer (moins de 2,5 %), assimilables à des feux clignotants oranges : ce sont les limites de surveillance. Le franchissement de ces limites conduit à un second contrôle immédiat.

Intervalle entre limites	Probabilité de la caractéristique contrôlée d'appartenir à l'intervalle	Probabilité de la caractéristique contrôlée d'être extérieure à l'intervalle
Entre limites de contrôle	99,8 %	0,2 %
Entre limites de surveillance	95 %	5 %

- Les limites sont déterminées à partir de la loi de probabilité suivie par la caractéristique contrôlée (distribution d'échantillonnage de la moyenne, de la médiane, de l'étendue, de l'écart type).
  - → La moyenne des échantillons de n individus tirés d'une population normale N $(m_0\ ;\ \sigma_0)$ suit une loi Normale N $(m_0\ ;\ \sigma_0 / \sqrt{n})$
  - → L'étendue des échantillons de n individus tirés d'une population normale N $(m_0\ ;\ \sigma_0)$ suit une loi dissymétrique de moyenne $d_n\ \sigma_0$. Les limites correspondant à des probabilités de dépassement données s'obtiennent par les tables de la fonction de répartition de la loi de l'étendue réduite.

Pour une production Normale de moyenne m_0 et d'écart type σ_0 connus :		**Caractéristique sous contrôle**	
		Moyenne	**Étendue**
,		m_0	$d_n\ \sigma_0$
Surveillance	Limites :	$\pm\ 1{,}96\ \frac{\sigma_0}{\sqrt{n}}$	$D_{S1}\ \sigma_0$ et $D_{S2}\ \sigma_0$
	Intervalle entre limites :	$3{,}92\ \frac{\sigma_0}{\sqrt{n}}$	$(D_{S2} - D_{S1})\ \sigma_0$
	Probabilité de sortir de l'intervalle :	5 %	
	Probabilité de dépasser une limite :	**2,5 % ⇒ Feu orange en cas de dépassement d'une limite**	
Contrôle	Limites :	$\pm\ 3{,}09\ \frac{\sigma_0}{\sqrt{n}}$	$D_{C1}\ \sigma_0$ et $D_{C2}\ \sigma_0$
	Intervalle entre limites :	$6{,}18\ \frac{\sigma_0}{\sqrt{n}}$	$(D_{C2} - D_{C1})\ \sigma_0$
	Probabilité de sortir de l'intervalle :	0,2 %	
	Probabilité de dépasser une limite :	**0,1 % ⇒ Feu rouge en cas de dépassement d'une limite**	

Note : Une diminution de la dispersion n'ayant que des conséquences bénéfiques (hormis le cas d'une erreur de mesurage), on n'utilise généralement que les limites supérieures de contrôle et de surveillance de la caractéristique de dispersion.

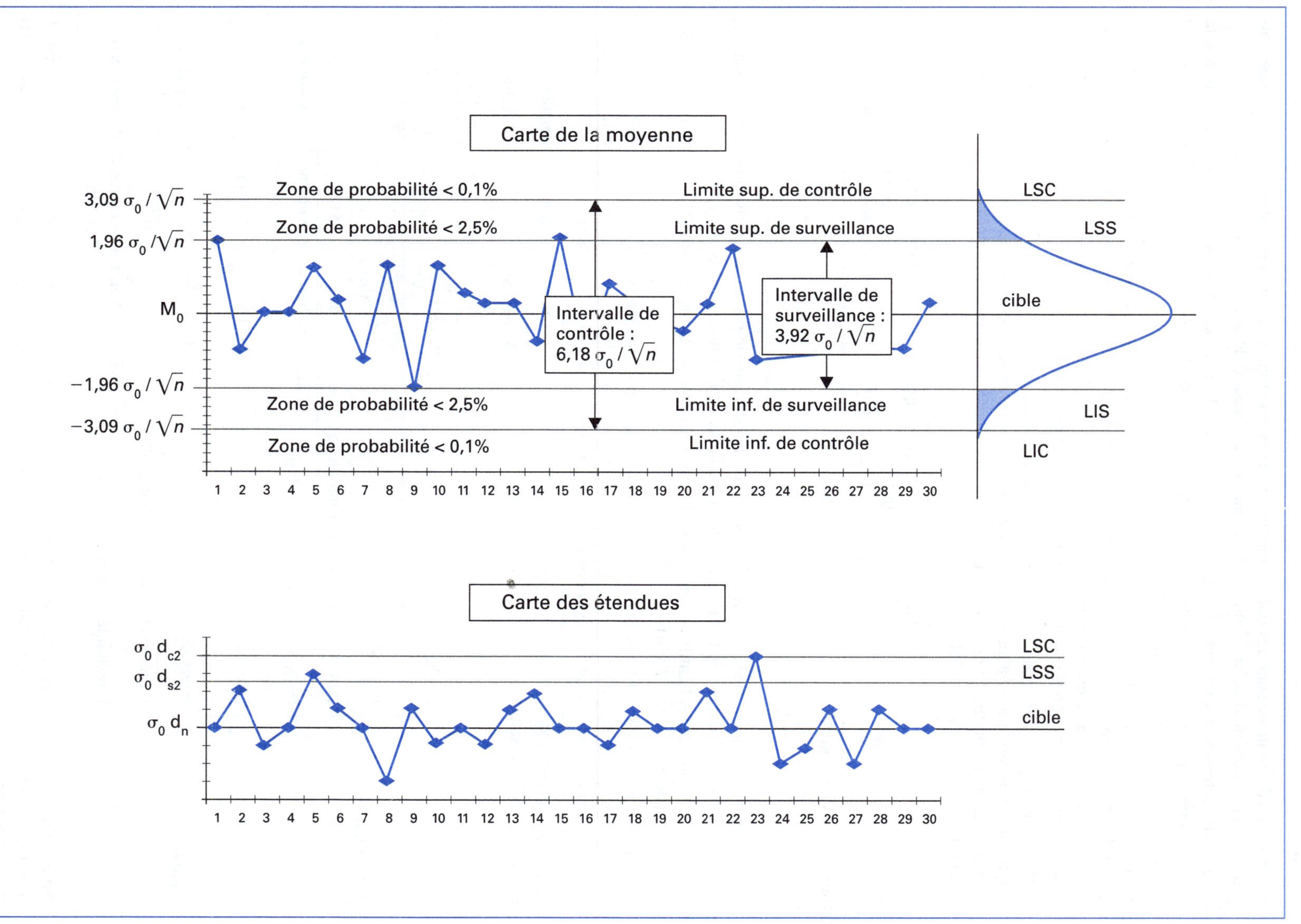

Carte de la moyenne
$3{,}09\ \sigma_0 / \sqrt{n}$
$1{,}96\ \sigma_0 / \sqrt{n}$
M_0
$-1{,}96\ \sigma_0 / \sqrt{n}$
$-3{,}09\ \sigma_0 / \sqrt{n}$
Zone de probabilité < 0,1%
Limite sup. de contrôle
Zone de probabilité < 2,5%
Limite sup. de surveillance
Intervalle de contrôle : 6,18 $\sigma_0 / \sqrt{n}$
Intervalle de surveillance : 3,92 $\sigma_0 / \sqrt{n}$
Zone de probabilité < 2,5%
Limite inf. de surveillance
Zone de probabilité < 0,1%
Limite inf. de contrôle
1 2 3 4 5 6 7 8 9 10 11 12 13 14 15 16 17 18 19 20 21 22 23 24 25 26 27 28 29 30
LSC
LSS
cible
LIS
LIC
Carte des étendues
$\sigma_0 d_{c2}$
$\sigma_0 d_{s2}$
$\sigma_0 d_n$
LSC
LSS
cible
1 2 3 4 5 6 7 8 9 10 11 12 13 14 15 16 17 18 19 20 21 22 23 24 25 26 27 28 29 30

7.2.2 Les cartes de contrôle par mesures

Études préalables à la construction d'une carte

- Choix du caractère à contrôler.
- Vérification du process de fabrication : état du matériel, documentation des fiches d'instructions, stabilité des conditions production.
- Vérification des matériels de contrôle (précision adaptée, banc de contrôle fiable, etc.).
- Choix du type de contrôle : les contrôles par mesures sont plus efficaces que les contrôles par attributs. On choisira donc le contrôle par mesures chaque fois que possible et si son coût est compatible avec le gain d'efficacité qu'il apporte.

Choix des paramètres contrôlés :

	Tendance centrale		Dispersion	
Contrôle par mesures	**Moyenne**	**Médiane**	**Étendue**	**Écart type**
	+ efficace mais quelques calculs	rapide	simple	+ efficace mais calculs complexes

Détermination des limites

- **Situation 1 : les paramètres m_0 et σ_0 de la distribution sont connus.**

C'est le cas d'une fabrication dont on a validé le réglage de telle sorte que la moyenne m_0 corresponde à la valeur cible et dont on connaît la dispersion habituelle.

⇒ On a alors : $m_0 = \text{cible} = (T_s + T_i) / 2$

σ_0 : écart type habituel de la machine.

Dans ce cas, on peut établir les cartes définitives et commencer directement le contrôle.

	Caractéristique contrôlée	Limites de contrôle LSC et LIC	Limites de surveillance LSS et LIS	Table de NF X 06-031
Tendance centrale des échantillons	Moyenne : $\bar{x}$	$m_0 \pm A_C \sigma_0$	$m_0 \pm A_S \sigma_0$	Table 1
	Médiane	$m_0 \pm E_C \sigma_0$	$m_0 \pm E_S \sigma_0$	Table 4
Dispersion des échantillons	Étendue : w	$LSC = D_{C2} \sigma_0$	$LSS = D_{S2} \sigma_0$	Table 6
		Valeur cible : $w = \sigma_0 d_n$		
	Écart type : s	$LSC = B_{C2} \sigma_0$	$LSS = B_{S2} \sigma_0$	Table 8
		Valeur cible : $s = \sigma_0 b_n$		
	Note : On n'utilise généralement que les limites supérieures de la dispersion			

Voir valeurs des coefficients dans tableaux page 169.

Exemple : Détermination des cartes de contrôle pour une moulurière.

m_0 = cible = 51
σ_0 : 0,025
Effectif des échantillon : $n = 5$

Limites	Carte de la moyenne	Carte de l'étendue
LSC	51 + 1,382 × 0,025 = 51,035	5,48 × 0,025 = 0,137
LSS	51 + 0,876 × 0,025 = 51,022	4,20 × 0,025 = 0,105
Cible	$m_0 = 51$	w = 0,025 × 2,326 = 0,058
LIS	51 – 0,876 × 0,025 = 50,978	
LIC	51 – 1,382 × 0,025 = 50,965	

Recommandation : Conserver une décimale de plus que la précision des résultats pour lever les ambiguïtés sur les limites.

• Situation 2 : les paramètres m_0 et / ou σ_0 de la distribution ne sont pas connus.

Cas 2.1 : σ_0 inconnu

C'est le cas d'une nouvelle machine ou de nouvelles conditions de fabrication, dont on ne connaît pas la dispersion mais dont on a néanmoins validé le réglage de telle sorte que la moyenne m_0 corresponde à la valeur cible imposée.

⇒ On a alors : m_0 = cible = $(T_s + T_i) / 2$
σ_0 : inconnu

Cas 2.2 : m_0 et σ_0 inconnus

C'est le cas d'une fabrication dont on ne connaît pas la dispersion et dont on ne peut (ou dont on n'a pas encore) validé le réglage sur la valeur cible.

Dans ces deux cas, il faut estimer m_0 et / ou σ_0 et établir les cartes en deux temps :

1 – Établissement des cartes provisoires.
2 – Détermination des limites définitives après ajustements et corrections.

1) Établissement des cartes provisoires :

- **Prélever** sur la fabrication r échantillons de n pièces ($n \cdot r \geq 100$).
- **Calculer** les limites provisoires avec :
  - m_0 connu ou estimé par $\bar{\bar{x}}$: la moyenne des moyennes d'échantillons.
  - σ_0 estimé : par $\bar{w}$ (la moyenne des étendues des échantillons)
    ou par $\bar{s}$ (la moyenne des écarts type des échantillons) (cf. 4.3.2).

Si m_0 est connu : remplacer $\bar{\bar{x}}$ par m_0 dans les formules du tableau.	Caractéristique contrôlée	Limites de contrôle provisoires LSC et LIC	Limites de surveillance provisoires LSS et LIS	Table de NF X 06-031
Tendance centrale des échantillons	Moyenne : $\bar{x}$	$\bar{\bar{x}} \pm A'_c \bar{\omega}$	$\bar{\bar{x}} \pm A'_s \bar{\omega}$	Table 2
		$\bar{\bar{x}} \pm A''_c \bar{s}$	$\bar{\bar{x}} \pm A''_s \bar{s}$	Table 3
Dispersion des échantillons	Médiane	$\bar{\bar{x}} \pm E'_c \bar{\omega}$	$\bar{\bar{x}} \pm E'_s \bar{\omega}$	Table 5
	Étendue : w	LSC = $D'_{C2} \bar{\omega}$	LSC = $D'_{S2} \bar{\omega}$	Table 6
		Valeur cible : $\bar{\omega}$		
	Écart type : s	LSC = $B'_{C2} \bar{s}$	LSC = $B'_{S2} \bar{s}$	Table 8
		Valeur cible : $\bar{s}$		

Voir valeurs des coefficients dans le tableau page 169.

Exemple : Établissement des cartes provisoires pour une moulurière

En reprenant les résultats du 4.3.2 sur les 20 premiers échantillons, on a :

$\overline{\overline{x}} = 24{,}905$ et $\overline{w} = 0{,}042$

Limites	Carte de la moyenne	Carte de l'étendue
LSC	24,905 + 0,594 × 0,042 = 24,929	2,36 × 0,042 = 0,099
LSS	24,905 + 0,377 × 0,042 = 24,921	1,81 × 0,042 = 0,076
Cible	24,905	0,042
LIS	24,905 – 0,377 × 0,042 = 24,889	
LIC	24,905 – 0,594 × 0,042 = 24,881	

2) Détermination des limites définitives.

- Établir les cartes provisoires.
- Effectuer le contrôle de la fabrication des r échantillons prélevés.
- Analyser les cartes provisoires :
– Ajuster le réglage si $\overline{\overline{x}} \neq m_0$;
– Rechercher les causes des points hors limites ;
– Éliminer les échantillons correspondants aux points hors limites *pour lesquels une cause systématique de variation a pu être identifiée.*
- Recalculer les limites avec les formules ci-dessus et établir une nouvelle carte.
- Vérifier que la tendance centrale et la dispersion sont stables (pas de points hors limites) sinon revoir les conditions de fabrication.
- Établir les cartes définitives avec ces nouvelles limites.
- Lancement du contrôle.

- **Coefficients pour les cartes de contrôle de la moyenne et de l'étendue :**

n	Carte de contrôle de la moyenne						Carte de contrôle de l'étendue			
	σ_0 connu		σ_0 estimé				σ_0 connu		σ_0 estimé par $\overline{w}$	
			Par $\overline{w}$		Par $\overline{s}$					
	A_c	A_s	A'_c	A'_s	A''_c	A''_s	D_{c2}	D_{s2}	D'_{c2}	D'_{s2}
2	2,185	1,386	1,937	1,229	3,874	2,457	4,65	3,17	4,12	2,81
3	1,784	1,132	1,054	0,668	2,464	1,564	5,06	3,68	2,99	2,17
4	1,545	0,980	0,750	0,476	1,936	1,228	5,31	3,98	2,58	1,93
5	1,382	0,876	0,594	0,377	1,643	1,042	5,48	4,20	2,36	1,81
6	1,262	0,800	0,498	0,316	1,452	0,921	5,62	4,36	2,22	1,72
7	1,168	0,741	0,432	0,274	1,315	0,834	5,73	4,49	2,12	1,66
8	1,092	0,693	0,384	0,244	1,209	0,767	5,82	4,61	2,04	1,62
9	1,030	0,653	0,347	0,220	1,127	0,714	5,90	4,70	1,99	1,58
10	0,977	0,620	0,317	0,202	1,059	0,672	5,97	4,79	1,94	1,56
11	0,932	0,591	0,295	0,186	1,002	0,635	6,04	4,86	1,90	1,53
12	0,892	0,566	0,274	0,174	0,953	0,605	6,09	4,92	1,87	1,51

• **Valeur des coefficients d_n et b_n en fonction de n**

n	d_n	b_n	n	d_n	b_n	n	d_n	b_n	n	d_n	b_n
2	1,128	0,564	6	2,534	0,869	10	3,078	0,923	14	3,407	0,945
3	1,693	0,724	7	2,704	0,888	11	3,173	0,930	15	3,472	0,949
4	2,059	0,798	8	2,847	0,903	12	3,258	0,936	20	3,735	0,962
5	2,326	0,841	9	2,970	0,914	13	3,336	0,941	25	3,931	0,97

Cas particuliers de cartes de contrôle par mesures

Type de carte	Conditions d'utilisation et détermination des limites
Carte de contrôle aux valeurs individuelles NF X 06-031	• Contrôle coûteux. • Fabrication très stable et Normale. ***Détermination des limites :*** • Prélever un échantillon dans une période de fabrication stable ($n \geq 30$). • Calculer $\bar{x}$ et s (cf. 4.3.1). LC = $\bar{x} \pm 3{,}09\ s$ LS = $\bar{x} \pm 1{,}96\ s$
Cartes de contrôle aux limites modifiées. NF X 06-031	• Distribution Normale. • Tolérance large par rapport à la dispersion : $\mathbf{T_s - T_i > 6{,}18\ \sigma_0}$. ***Détermination des limites de contrôle de la moyenne :*** (Cas de deux limites de tolérance : T_s et T_i)

Limites de contrôle	LSC = Ts – $g\,\sigma_0$	LIC = Ti + $g\,\sigma_0$
Limites de surveillance	LSS = Ts – $h\,\sigma_0$	LIS = Ti + $h\,\sigma_0$

Si σ_0 est inconnu, remplacer σ_0 par son estimation $\overline{w} / d_n$ ou $\overline{s} / b_n$ (cf. 4.3.2).

Valeur des coefficients g et h en fonction de n :

n	5	6	7	8	9	10
g	1,71	1,83	1,92	2	2,06	2,11
h	2,21	2,29	2,35	2,4	2,44	2,47

Nota : Ces coefficients donnent, avec ces limites modifiées et l'intervalle $T_s - T_i > 6{,}18\ \sigma_0$, la même efficacité qu'un contrôle avec les limites non modifiées et un intervalle $T_s - T_i = 6{,}18\ \sigma_0$.

Exemple : – Une moulurière d'écart type 0,02 doit usiner une cote de 35 ± 0,15.

$T_s - T_i = 0{,}3 > 6{,}18\ \sigma_0 = 0{,}12$

LSC = 35,15 – 1,71 × 0,02 = 35,116

LSS = 35,15 – 2,21 × 0,02 = 35,106

LIS = 34,85 + 2,21 × 0,02 = 34,894

LIC = 34,85 + 1,71 × 0,02 = 34,884

<table>
<tr><td rowspan="6">Adaptation des cartes dans le cas de petites séries ayant des valeurs cibles différentes</td><td colspan="2">Cas 1 : L’étendue des échantillons est constante : $\overline{\omega}_{cible}$
Pas d’erreur de réglage : m_0 connu = cible</td></tr>
<tr><td>Carte de la moyenne :
Faire le changement de variable :
$\overline{x}_{carte} = \overline{x}_{échantillon} - m_0$
et suivre les écarts moyens de $\overline{x}_{carte}$ par rapport à la cible sur une carte classique de la moyenne.</td><td>Valeurs des limites
Cible = m_0 carte = 0
LC = $\pm A'_C \overline{w}_{cible}$
LS = $\pm A'_S \overline{w}_{cible}$</td></tr>
<tr><td>Carte de l’étendue :
Suivre l’étendue des échantillons sur une carte classique de l’étendue.</td><td>Cible = $\overline{w}$
LSC = $D'_{C2} \overline{w}$
LSS = $D'_{S2} \overline{w}$</td></tr>
<tr><td colspan="2">Cas 2 : Dispersion variable d’un lot à l’autre.
Si on connaît $\overline{w}_{cible}$: étendue moyenne des échantillons pour une cible nominale donnée m_0.</td></tr>
<tr><td>Carte de la moyenne :
Faire le changement de variable :
$\overline{x}_{carte} = \dfrac{\overline{x}_{échantillon} - m_0}{\overline{\omega}_{cible}}$ et suivre $\overline{x}_{carte}$ sur une carte classique de la moyenne.</td><td>Cible = m_0 carte = 0
LC = $\pm A'_C$
LS = $\pm A'_S$</td></tr>
<tr><td>Carte de l’étendue :
Faire le changement de variable :
$w_{carte} = w_{échantillon} / \overline{w}_{cible}$ et suivre w_{carte} sur une carte classique de l’étendue.</td><td>Cible = 1
LSC = D'_{C2}
LSS = D'_{S2}</td></tr>
</table>

Nota : Pour un développement complet des cartes adaptées aux petites séries, on pourra se référer à l’ouvrage de M. Pillet –Appliquer la maîtrise statistique des procédés – *Ed Organisation*. Par ailleurs, certains logiciels de contrôle qualité offrent l’option de cartes correspondant à ces cas de figure.

Règles générales de pilotage à l’aide d’une carte de contrôle par mesures

- **Principaux critères d’analyse**
  - Points hors limites ;
  - Tendance ascendante ou descendante ;
  - Séries de points dans une même zone ;
  - Fluctuation périodique ;
  - Amplitude constante (faible ou forte).
- Surveiller la dispersion et la tendance centrale.
- On ne trace habituellement pas les limites inférieures de la carte de la dispersion, néanmoins une trop faible valeur de dispersion doit amener à vérifier la qualité du mesurage ou du contrôle.

Point hors limite de contrôle LC. 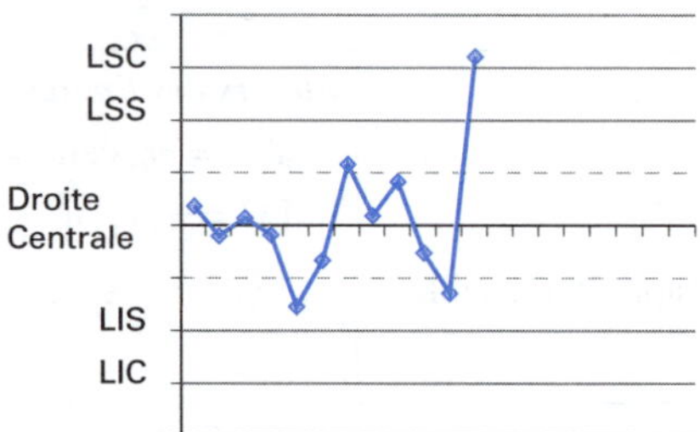 Sur carte de la moyenne ⇒ Arrêt et réglage. Sur carte de la dispersion ⇒ Arrêt et intervention.	**Point hors limites de surveillance LS.** 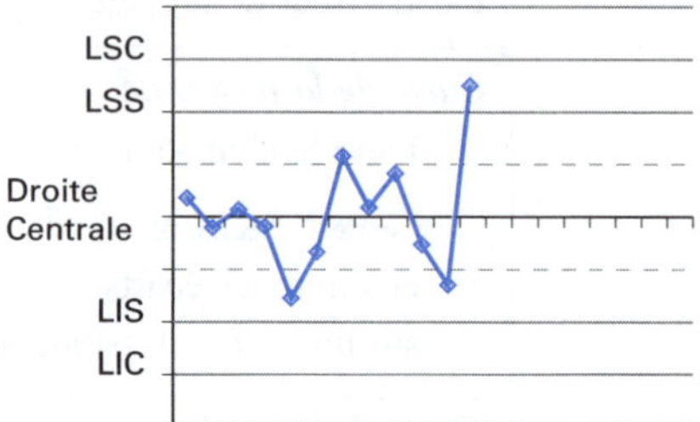 Sur carte de la moyenne ou carte de la dispersion ⇒ nouveau contrôle immédiat.
2 points sur 3 ou 4 points sur 5 entre les limites LS et LC. 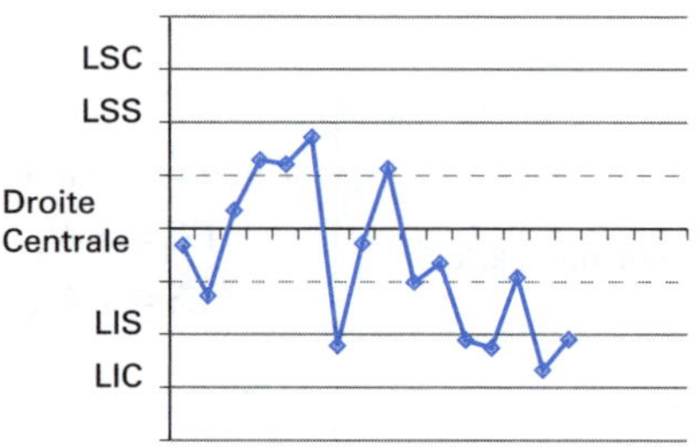 Sur carte de la moyenne ⇒ Déréglage très probable, arrêt préférable et réglage. Sur carte de la dispersion ⇒ Arrêt et intervention.	**Tendance : 6 points consécutifs ascendants ou descendants.** 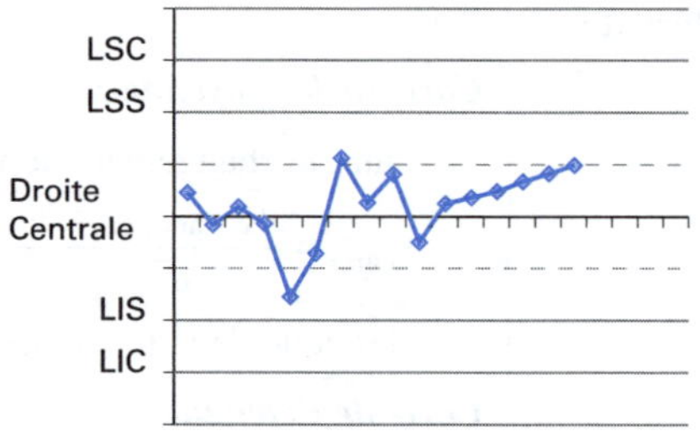 Sur carte de la moyenne ⇒ Arrêt et réglage (la moyenne dérive). Sur carte de la dispersion ⇒ si ascendant : arrêt et intervention. (La dispersion s'accentue régulièrement).
Série : 9 points d'un même coté de la droite centrale. 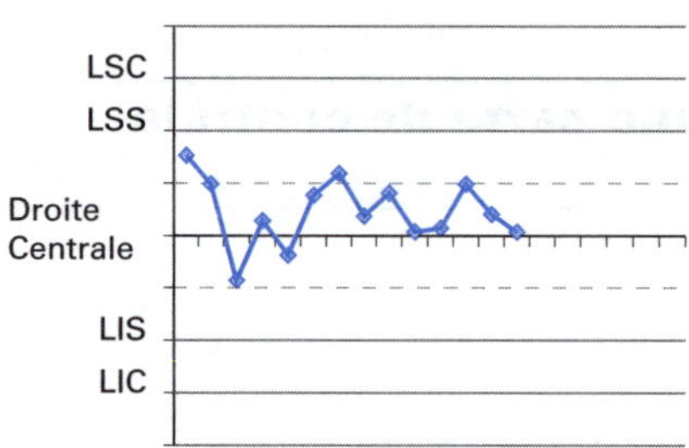 Sur carte de la moyenne ⇒ Arrêt et réglage (la moyenne s'est décalée). Sur carte de la dispersion ⇒ Au dessus : arrêt et intervention. Au-dessous : vérification du contrôle.	**Alternance régulière : 14 points alternativement ascendants et descendants.** 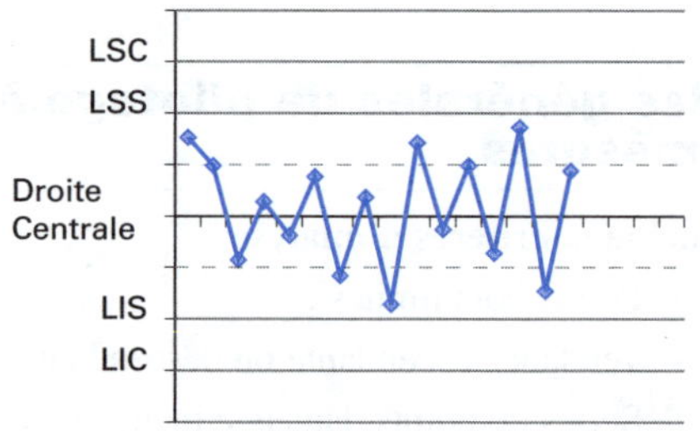 Sur carte de la moyenne ⇒ Arrêt et réglage (deux causes d'effets contraires se succèdent systématiquement).

Amplitude faible : 15 points consécutifs concentrés autour de la droite centrale.	**Amplitude forte : 8 points consécutifs dans la zone proche des LS, sans point proche de la droite centrale.**
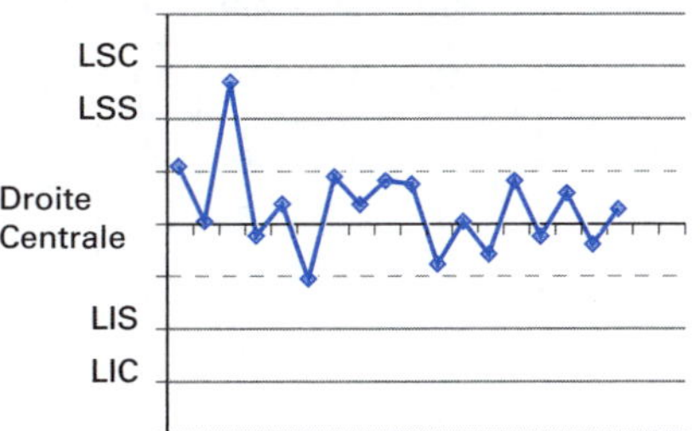	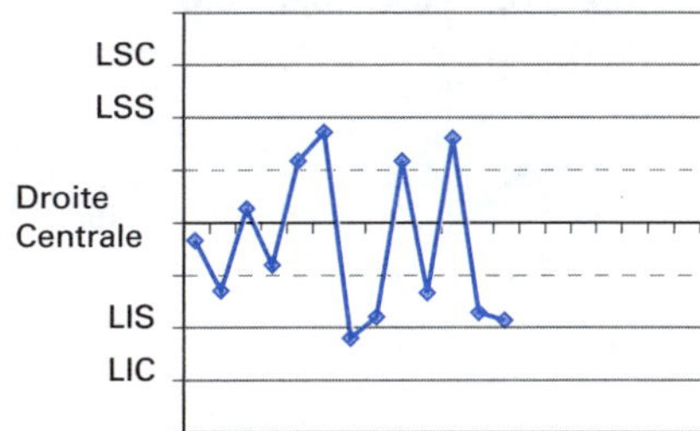
Sur carte de la moyenne ou sur carte de la dispersion ⇒ dispersion plus faible que prévue, revoir calculs de limites.	Sur la carte de la moyenne ⇒ Arrêt et intervention. (Mélange continu de deux lots différents).
Après arrêt : • Correction de réglage = valeur de l'écart entre la valeur cible et la moyenne de l'échantillon provoquant l'arrêt. • Vérification de la correction de réglage : le premier échantillon post-correction doit se situer dans le tiers central de la carte. • Annoter la carte : correction de réglage, heure.	**Tri** • Après un arrêt : trier les pièces produites entre le dernier et l'avant dernier prélèvement.

Détermination de la fréquence et de l'effectif des prélèvements

Une carte de contrôle permet de détecter un éventuel déréglage en réalisant un test statistique (ex : la carte des moyennes réalise le test de comparaison d'une moyenne observée à une moyenne théorique, cf. 5.4.3.1). Il y a donc des risques d'erreur associés aux décisions de pilotage définies au paragraphe précédent.

- Risque α : risque de conclure à un déréglage qui n'existe pas ⇒ modifier un réglage satisfaisant.

  ($\alpha = 0{,}1\,\%$ de chaque coté des LC)

- Risque β : risque de ne pas détecter un déréglage réel ⇒ poursuivre une fabrication avec un mauvais réglage. Ce risque β est d'autant plus grand que le déréglage est faible.

  L'efficacité d'un plan de contrôle correspond à la puissance définie en 5.4.2. Elle est liée à l'effectif et à la fréquence des prélèvements.

- **Effectif des prélèvements.**

La norme NF X 06-031 donne les courbes d'efficacité des différents types de cartes.

On peut établir, pour une efficacité donnée, un tableau des effectifs à prélever en fonction de la capabilité de la machine et du pourcentage maximum acceptable de pièces hors tolérances.

Effectif des prélèvements pour la carte de la moyenne (pour une puissance de 90 %)																		
	p% : pourcentage maxi admissible de défectueux																	
C_p	**0,1**	**0,2**	**0,3**	**0,4**	**0,5**	**0,6**	**0,7**	**0,8**	**0,9**	**1**	**1,5**	**2**	**2,5**	**3**	**3,5**	**4**	**4,5**	**5**
1												22	18	16	14	13	12	11
1,1								25	22	21	15	13	11	10	9	8	8	7
1,2				22	19	17	15	14	13	12	10	8	8	7	6	6	6	5
1,33	24	16	13	11	10	9	9	8	8	7	6	6	5	5	5	4	4	4
1,4	16	11	10	8	8	7	7	6	6	6	5	5	4	4	4	4	4	3
1,5	10	8	7	6	6	5	5	5	5	5	4	4	3	3	3	3	3	3
1,67	6	5	4	4	4	4	3	3	3	3	3	3	3	2	2	2	2	2

Exploitation : Avec une machine dont la capabilité est de 1,5, des prélèvements de 5 pièces sont nécessaires pour pouvoir déceler 90 % des déréglages pouvant générer 0,6 % de rebuts.

- **Fréquence de prélèvement.**

La périodicité des prélèvements est fonction de la cadence de production, du niveau de qualité souhaité, de la stabilité du process et du coût de contrôle. Elle est à déterminer selon le contexte global de production.

		Fréquence	
		Élevée	**faible**
Effectif	**Élevé**	– Bonne efficacité. – Détection rapide des déréglages. ⇒ Coûts de Non-qualité plus faibles. – Coûts de contrôle plus élevés.	– Bonne efficacité, mais détection tardive des déréglages. ⇒ Incidence d'un déréglage plus élevée.
	Faible	– Efficacité plus faible mais taille des lots entre prélèvements plus réduite. ⇒ Incidence d'un déréglage plus faible.	– Efficacité plus faible et détection plus tardive des déréglages. ⇒ Coûts de Non-qualité plus élevés. – Coûts de contrôle plus faibles.

- **Influence des facteurs à prendre en compte sur la périodicité de prélèvement.**

Cadence de production	**Importance de la caractéristique**	**Stabilité du process**	**Coût du contrôle**	**Notation**	**Somme des notes**
Élevée	Grande	Faible	Élevé	–1	
Moyenne	Normale	Correcte	Moyen	0	de – 4 à + 4
Faible	Faible	Très bonne	faible	+1	

Adaptation de la périodicité de prélèvement								
– 4	– 3	– 2	– 1	0	+ 1	+ 2	+ 3	+ 4

← **Périodicité de base** →

Diminuer le délai entre prélèvements — Augmenter le délai entre prélèvement

On peut, en période de rodage, utiliser les règles suivantes et ajuster ensuite la périodicité à l'efficacité constatée du contrôle :

Effectif	**Périodicité des prélèvements**	
	Formule de CAVE (process avec dérive) $\text{Période}_{(\text{minutes})} = \sqrt{n\text{M}\frac{60}{\text{C}}}$ Avec n : taille du prélèvement M : quantité moyenne entre deux réglages. C : cadence horaire	**Périodicité en fonction de la cadence.** (ordres de grandeur) – Cadence faible (< 60 p/h) : 5% < n / N < 10% – Cadence moyenne : 1% < n / N < 5% – Cadence forte (> 600 p/h) : n / N < 1% Avec : n : taille du prélèvement N : Quantité entre deux prélèvements ***Exemple :*** Dans les process de fabrication de type moulurière, 4F, perceuse au défilé, etc., on peut prendre une périodicité de l'ordre de 35 à 60 minutes.
n = 5 à 10		

Exemple :

- Pour une cadence horaire de 600 pièces/heure et des échantillons de 5 pièces, on peut prendre comme base de départ une périodicité P de :

$$5 / N = 0{,}01 \Rightarrow N = 500 \Rightarrow P = (500/\ 600) \times 60 = 50 \text{ minutes}$$

- Une évaluation par la formule de CAVE donnerait, dans le cas d'un changement d'outil toutes les 4 heures et pour une même cadence horaire, une périodicité de 35 minutes.

Exemple de carte de contrôle

Les logiciels de contrôle qualité permettent d'éditer des cartes de contrôle avec actualisation des résultats au fur et à mesure de la collecte des échantillons.

Carte de contrôle de la cote 24,9 ± 0,15 sur moulurière Weinig ($\sigma_0 = 0{,}02$; m_0 = cible = 24,90).

Prélèvements : 5 pièces par palette (N > 250) en sortie immédiate d'usinage.

A partir des valeurs figurant en page 50 et dans le cas où l'on suppose m_0 et σ_0 connus ($m_0 = 24{,}9$; $\sigma_0 = 0{,}02$) la carte se présente ainsi :

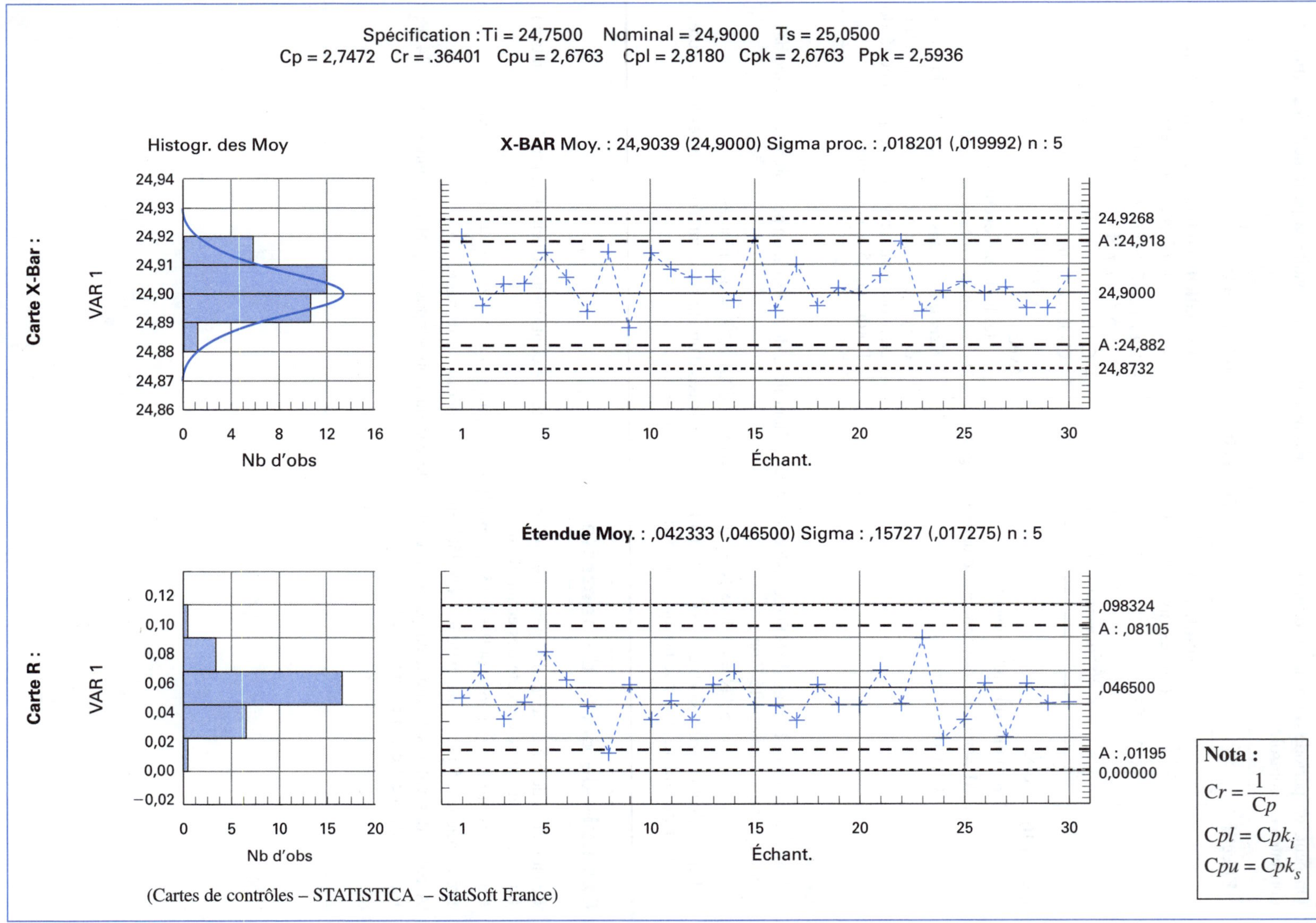

(Cartes de contrôles – STATISTICA – StatSoft France)

7.2.3 Les cartes de contrôle par attributs

Le contrôle par attribut s'utilise quand la caractéristique contrôlée est qualitative.

Son efficacité étant médiocre par rapport à un contrôle par mesures, il est nécessaire de prélever des échantillons importants ($n > 50$ voire $n > 100$).

Les différentes cartes de contrôle par attributs

Type de carte en fonction de l'effectif des échantillons de contrôle		Critère de qualité
		Nombre de pièces ou produits jugés «bons» ou «défectueux». Différents défauts peuvent qualifier l'individu de défectueux.
Effectif des échantillons de contrôle	**Nombre** Si l'effectif des échantillons est constant.	Carte du nombre d'individus non conformes
	Proportion Si l'effectif des échantillons est variable.	Carte de la proportion d'individus non conformes

Exemples :

– Nombre de produits défectueux par lot.

– Proportion de produits défectueux par lot.

Type de carte en fonction de l'effectif des échantillons de contrôle		Critère de qualité
		Nombre de défauts par unité Une unité est susceptible de présenter plusieurs défauts de nature identique ou différente.
Taille d'unité	**Variable**	Carte du nombre de défauts par unité élémentaire .
	Constante	Carte du nombre du nombre de défauts par unité de contrôle.

Unité de contrôle : unité préalablement définie sur laquelle on comptabilise le nombre de défauts qui peuvent être de nature différentes. Ex : rayures, mauvais fonctionnement, éclats, etc.

⇒ Unité de contrôle = n unités élémentaires.

- Unité = nombre fixé d'individus. Un individu pouvant comporter plusieurs défauts.

  Exemple : lot de 100 fenêtres.

- Unité = longueur ou surface de référence.

  Exemple : 100 m de moulures, 2 m d'avivé, etc.

Unité élémentaire : unité de base de l'unité de contrôle.

Exemple : un mètre de profil, une fenêtre, un mètre carré de placage, etc.

Détermination des limites des cartes de contrôle par attributs

Note : On utilise que les limites supérieures de contrôle et de surveillance.

- **Cartes du nombre ou de la proportion d'individus non conformes**

	n grand p_0 pas trop voisin de 0 $np_0 \geq 15$
Carte du nombre d'individus non conformes **Valeur centrale = np_0**	$L_C = np_0 + 3\sqrt{np_0(1-p_0)}$ $L_S = np_0 + 2\sqrt{np_0(1-p_0)}$
Carte de la proportion d'individus non conformes **Valeur centrale = p_0**	$L'_C = p_0 + 3\sqrt{\frac{p_0(1-p_0)}{u}}$ $L'_S = p_0 + 2\sqrt{\frac{p_0(1-p_0)}{u}}$

Si p_0 est inconnu, on l'estime par $\bar{p} = \frac{\sum k_i}{\sum n_i}$ quotient du nombre total de défectueux trouvés dans r échantillons successifs par le nombre total de pièces dans ces r échantillons.

- **Cartes de contrôle du nombre de défauts par unité de contrôle ou par unité élémentaire**

	$m_0 < 15$	$m_0 \geq 15$
Carte du nombre de défauts par unité de contrôle (Une unité de contrôle = n unités élémentaires). Valeur centrale = m_0 = nombre moyen de défauts par unité de contrôle $m_0 = n\, u_0$	L_C et L_S lues dans la table ci-contre en fonction de m_0	$L_C = m_0 + 3\sqrt{m_0}$ $L_S = m_0 + 2\sqrt{m_0}$
Carte du nombre de défauts par unité élémentaire **Valeur centrale = u_0** = nombre moyen de défauts par unité élémentaire.	$L'_C = L_C / n$ $L'_S = L_S / n$	$L_C = u_0 + 3\sqrt{\frac{u_0}{n}}$ $L_S = u_0 + 2\sqrt{\frac{u_0}{n}}$

Si m_0 est inconnu, on l'estime par $\bar{m} = \sum \frac{d_i}{r}$: moyenne du nombre de défauts trouvés sur r unités de contrôle.

Limite de L_C et L_S si $m_0 < 15$ (NF X 06-031)

L_C ou L_S	m_0 pour L_C	m_0 pour L_S	L_C ou L_S	m_0 pour L_C	m_0 pour L_S	L_C ou L_S	m_0 pour L_C	m_0 pour L_S
0	0,001	0,025	10	3,49	5,49	20	9,62	13,00
1	0,045	0,24	11	4,04	6,20	21	10,29	13,79
2	0,19	0,62	12	4,61	6,92	22	10,96	14,58
3	0,43	1,09	13	5,20	7,65	23	11,65	15,38
4	0,74	1,62	14	5,79	8,40	24	12,34	16,18
5	1,11	2,20	15	6,41	9,15	25	13,03	16,98
6	1,52	2,81	16	7,03	9,90	26	13,73	17,79
7	1,97	3,45	17	7,66	10,67	27	14,44	18,61
8	2,45	4,12	18	8,31	11,44	28	15,15	19,42
9	2,96	4,80	19	8,96	12,22	29	15,87	20,24

Exemple : Mise sous contrôle de l'impression de mètres rubans.

Dans une fabrication de mètres rubans, on a les informations suivantes :

L'impression des rubans se fait sur des postes différents.

Données de la pré-étude qualité :

Type de rubans	Taille des lots	% de rubans défectueux	Nombre moyen de défauts par ruban	Nombre moyen de défauts au mètre
2 m	Variable de 1500 à 8000	4,41 %	10,21	3,4
3 m		5,33 %	8,5	4,25

La mise sous contrôle a deux objectifs :

1) D'un point de vue commercial : suivre le pourcentage de produits rebutés pour un ou plusieurs défauts ⇒ cartes de la proportion de produits non conformes pour les deux types de rubans.

2) D'un point de vue technique : suivre la qualité du process d'impression ⇒ cartes du nombre de défauts par rubans pour les deux types de rubans.

Préparation des cartes de contrôle (exemple pour les rubans de 2 m) :

Carte de la proportion de non conformes	Carte du nombre de défauts par ruban
• $np_0 \geq 15 \Rightarrow n \geq 15/0{,}0441 = 340$. • Échantillons de 340 pièces. • Valeur centrale : $p_0 = 4{,}41\ \%$. • $L'_C = 0{,}0441 + 3\sqrt{\dfrac{0{,}0441 \times 0{,}9559}{340}} = 7{,}65\%$. • $L'_S = 0{,}0441 + 2\sqrt{\dfrac{0{,}0441 \times 0{,}9559}{340}} = 6{,}64\ \%$.	• Valeur centrale : $m_0 = 10{,}21$ • On lit dans la table : Prendre la valeur la plus voisine ou immédiatement inférieure à la valeur lue de m_0 pour L_C et de m_0 pour L_S. $\Rightarrow L_C = 20$ et $L_S = 16$.

Règles de pilotage de production à l'aide d'une carte de contrôle par attributs

Les règles de pilotage à l'aide des cartes de contrôle par attributs sont les mêmes que celles applicables aux cartes de contrôle par mesure. cf. p. 171.

On surveillera notamment :

- Les points hors limites ;
- Les tendances ;
- Les séries.

Effectif des échantillons ou taille de l'unité de contrôle

La norme NF X 06-031 fournit les courbes d'efficacité des cartes de contrôle du nombre de défectueux par échantillon et du nombre de défauts par unité de contrôle. On peut retenir que pour des faibles pourcentages de défectueux, il est nécessaire d'avoir de grands échantillons ou de grandes unités de contrôle pour avoir une bonne efficacité.

7.3. Gamme de contrôle

<table>
<tr><td colspan="3">Ce document définit les opérations de contrôle à exécuter.
Elles doivent figurer dans le manuel Qualité.</td></tr>
<tr><td colspan="3">Informations</td></tr>
<tr><td>Qui ?</td><td colspan="2">Auteur de la gamme - Responsable qualité – Destinataire(s) du document.</td></tr>
<tr><td>Ou ?</td><td colspan="2">Lieu du contrôle (en sortie d'usinage, en stock, en laboratoire d'essai, etc.).</td></tr>
<tr><td>Quand ?</td><td colspan="2">Place du contrôle dans le processus + délai / fabrication.</td></tr>
<tr><td>Combien ?</td><td colspan="2">Taille et fréquence des prélèvements + mode de prélèvement.</td></tr>
<tr><td rowspan="2">Quoi ?</td><td>Contrôle par mesures</td><td>Contrôle par attribut</td></tr>
<tr><td>Pièce ou produit
Caractéristiques à mesurer :
Valeurs nominales ;
Limites de tolérances ;
Niveau de gravité si hors tolérances.</td><td>Pièce ou produit
Caractéristiques des défauts :
Check-list des défauts ;
Critères de conformité ou de défectuosité ;
Limites d'acceptabilité ;
Niveau de gravité des défauts.</td></tr>
<tr><td>Comment ?</td><td>Procédure de mesurage :
Matériels nécessaires (référence, précision, etc.) ;
Règles d'étalonnage des moyens de mesure ;
Croquis de contrôle ;
Feuille de relevé de contrôle, PV.</td><td>Procédure d'évaluation :
Matériels nécessaires ;
Conditions d'évaluation : conditions d'observation et / ou d'essai. ;
Étalons et témoins de référence ;
Feuille de relevé de contrôle, PV.</td></tr>
</table>

Exemple de gamme de contrôle en cours de fabrication

Entreprise :	**GAMME DE CONTRÔLE**	**Service qualité**
Réf. pièce :	**Réf. gamme :**	**Établi par :**

Croquis de la pièce

Exemple :

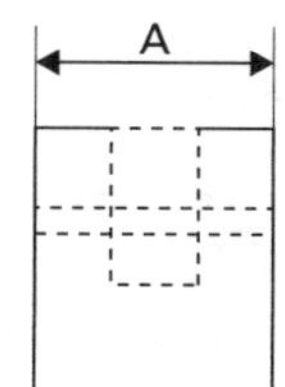

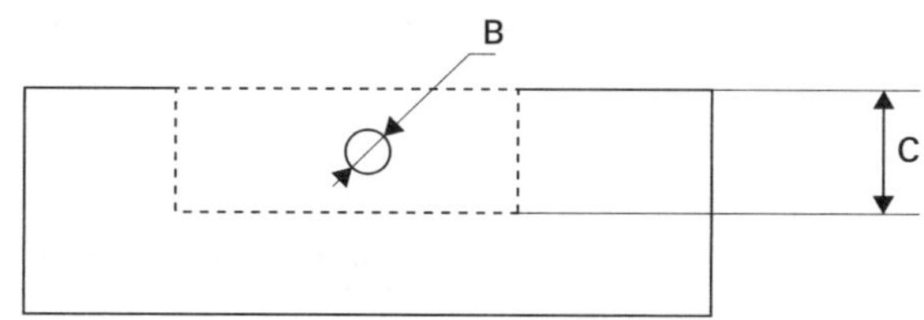

Vérifier l'équerrage des références avant toutes mesures

X* : cote à contrôler pour valider l'outillage

Cotes à contrôler		Outillages		Gravité / valeurs limites de la cote			Moyen de contrôle	
Symb.	Nominale	Cote	Moyen	Critique	Majeur	Mineur	Réglage	Fab.
Exemple :								
A	40			≥ 40,3 ; ≤ 39,8			PV	PC
B *	16	16	PH	≥ 16,2	≤ 15,8		diatest	diatest
C	62			≤ 61,8		≥ 62,5	JP	JP

N° carte de contrôle pour cote *x*

A :	B :	C :	D :	E :	F :
G :	H :	I :	J :	K :	L :

Matériels de contrôle

PV : Projecteur vertical	PC : Pied à coulisse	MC : Micro centre	RA : rapporteur d'angle
PH : Projecteur horizontal	JP : jauge de prof.	RV : règle de visu	Diatest : Mes. diamètre

Contrôle : en cours de fab.	**Prélèvement :** 5 / palette (> 250)	**Resp. contrôle réglage :**
Destinataires :		**Responsable dérogation :**

Exemple de gamme (partielle) de contrôle final de porte extérieure

Entreprise :	**GAMME DE CONTRÔLE FINAL**	**Service qualité**
Réf. produit : Porte AA	**Réf. gamme : MP3/gamPAA**	**Établi par : xx**
Numéro de série :	**Contrôle : Sortie fichage - Finition**	**Fréquence :**

Cat	Critère d'acceptabilité	N° Op	Gamme	Moyens	Défaut	N°	Dém. U	Dém. S
A	Le montage de la crémone s'effectue sans contraintes avec outils standards	1	Effectuer le montage sur un plan horizontal	Visseuse pneumat.	La crémone accroche au montage	1		M
					La crémone bute en fond d'entaille	2		M
					La têtière ne peut s'encastrer	3	M	
F	Fichage vantail : Désalignement des fiches non visible à l'œil nu	6	Accrocher le vantail sur le bâti dormant de la station de contrôle	Station	Désalignement	11		M
	Jeu fiche mâle / femelle < 0,5	7	Insérer cale entre chaque fiche mâle et femelle	Jauge 804 / 60	Jeu > 0,5	12		M
	Jeux horizontal : $2,7 \leq j \leq 3,2$ coté crémone	19	Le cadre ouvrant étant verrouillé, vérifier le bon recouvrement du cadre ouvrant sur les gâches	visuel	Saillie des gâches	32		M
E	Ponçage correct	20	Visuel sur les deux faces / plaquette étalon	Visuel Plaquette étalon	Brut de ponçage	33	M	
					Rayures de ponçage	34	M	
					Bavures de colle	35	C	
	Absence de jeu entre vantail et plinthe	23	Vérifier aux deux extrémités de la plinthe, l 'assemblage sur les battants	Visuel	La plinthe ne s'applique pas correctement	52	M	
R	Étanchéité des assemblages	25	Prélever deux échantillons angles de 300 mm de côté sur le premier vantail fabriqué et le panneau d'allège	Support Mastic plexi	Infiltration	54	C	
	Résistance en charge au nez	27	Effectuer charge au nez 50 daN à 90°	Station	Assemblages ouverts	58	C	
					Organes de rotations dégradés	59	C	
D	Cotes dans tolérances	31	Vérifier équerrage extérieur au fond de recouvrement	Poste 3 axes sortie calibreuse	hors tolérances plan	64	M	
		34	Sur chaque vantail, vérifier l'épaisseur finie au niveau traverse haute		Hors tolérances plan	67	M	
		36	Sur chaque vantail contrôlé, vérifier la hauteur de perçage de l'axe du carré de la poignée		Hors tolérances plan	69	M	

Destinataires :	**Catégories :**	A : accessoires	D : Dimensionnel	Responsable dérogation :
	E : Esthétique	F : Fonctionnel	R : étanchéité et résistance	

7.4. Contrôle préventif

7.4.1 Principes de base

- **Le contrôle après fabrication est en réalité un certificat de décès** qui doit s'accompagner d'actions d'amélioration pour diminuer la fréquence des défauts.

⇒ L'utilisation de méthodes rigoureuses (cf. 7.1 - 7.2- 7.3) améliore la fiabilité du contrôle, mais ne réduit pas d'elle-même le nombre de défauts. Ces méthodes permettent en effet de mieux détecter, mais non de prévenir, les défauts.

- Le contrôle statistique est difficilement utilisable dans le cas de taux de rebuts exprimés en p.p.m (parties par million), car ces taux nécessitent des effectifs de prélèvements très élevés.
- Le contrôle à 100 % est coûteux, très souvent impossible, et présente fréquemment une fiabilité médiocre due à l'accoutumance et aux erreurs de contrôle.
- « Le véritable but du contrôle qualité est la rationalisation de l 'assurance qualité, et non la rationalisation des méthodes de contrôle. Le contrôle doit être orienté vers la prévention des défauts ». (Shigeo Shingo –Le système Poka-Yoke– *Ed. d'Organisation*)

7.4.2 Méthodes de prévention des défauts

Contrôle consécutif

L'opérateur du stade $n + 1$ contrôle les pièces arrivant du stade n et informe l'opérateur du stade n en cas de non-qualité.

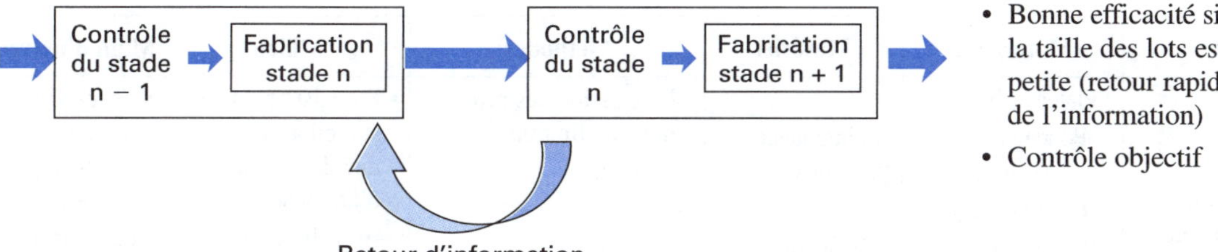

- Bonne efficacité si la taille des lots est petite (retour rapide de l'information)
- Contrôle objectif

Auto-contrôle

L'opérateur contrôle lui-même sa production.

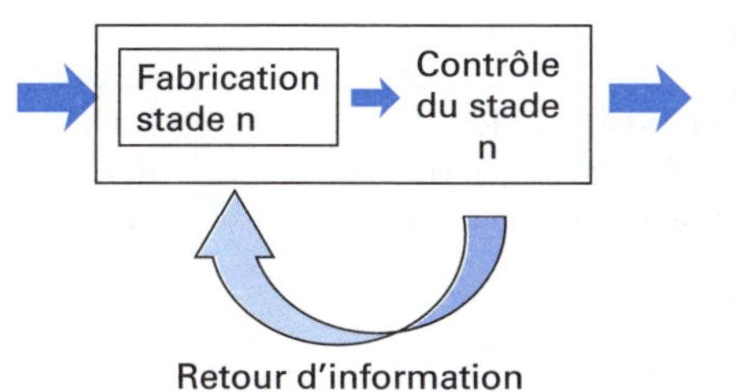

- Retour immédiat de l'information ⇒ efficacité accrue.
- La fiabilité de ce type contrôle est liée au type de politique de gestion de la non-qualité. Si l'opérateur est pénalisé en cas de rebuts, la fiabilité de l'auto-contrôle est nulle !
- Risque de « bienveillance » et de contrôle incomplet ⇒ le contrôle doit se faire sur des critères très clairement caractérisés. Idéalement, il sera associé à des systèmes anti-erreur.

Contrôle à la source

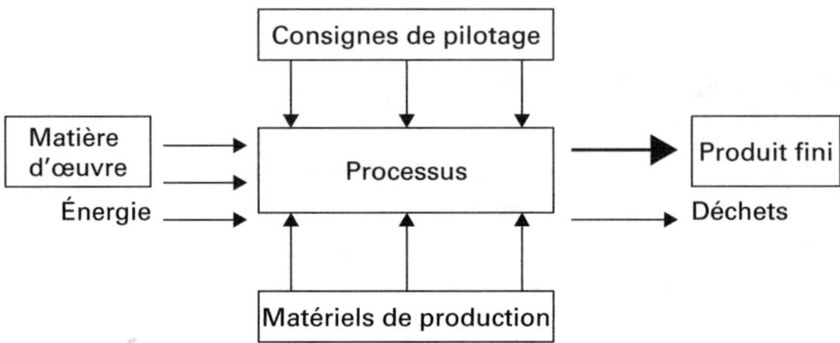

On contrôle les conditions et éléments d'entrée du processus.

- Contrôle préventif ⇒ amélioration de l'assurance qualité.
- Ce type de contrôle est très efficace dès lors que l'on maîtrise réellement les paramètres pouvant influer sur la qualité des produits fabriqués dans le processus.
- Le contrôle des conditions et éléments d'entrée est d'autant plus facile, et donc plus économique, que les procédures et fiches d'instructions sont rigoureusement établies. De plus, ils peuvent être facilement associés à des systèmes anti-erreur ou d'enregistrement automatiques.
- Ce type de contrôle permet de réduire, voire de supprimer, le contrôle en cours de fabrication ou le contrôle en sortie de processus.
- Le contrôle à la source est le plus adapté dans le cas de processus spéciaux, tels que la finition, qui ne peuvent être contrôlés en cours de process et dont le contrôle final est coûteux et/ou tardif.

Exemples d'application :

	Matériaux	Matériel	Méthodes	Milieu	Main d'œuvre
Finition plateaux de bureaux	• Plateaux bruts : – Ponçage, – θ° de surface, – Qualité placages • Produits de finition : – Référence, – Viscosité, – Extraits secs, – Densité.	Maintenance préventive. Vérification régulière des mécanismes et des systèmes de régulation .	• Préparation des produits de finition : – Dosage, – θ° C, – Viscosité. • Réglages process : – Vitesses, – Pression, – Grammage, – Réglages robot.	• Enregistrement et surveillance continue des conditions d'ambiance : – θ° cabine robot, – HR % cabine robot, – Vitesse air tunnel, – θ° air tunnel.	• Check-list de contrôle. • Vérification des visa de contrôle. • Affichage des courbes de suivi de la qualité.
Usinage de profils sur moulurière	• Qualité des bois : – H %, – Défauts (nœuds, etc.), – Bruts à plat.	• Maintenance préventive de la machine. • Contrôle outillage sur projecteur de profil.	• Instructions et procédure de réglage stabilisée. • PV de contrôle et mesure d'outillage avant montage. • Consignes de changement d'outil : durée de coupe, fréquence.	• Régulation de HR % dans l'atelier.	• Vérification des visa de contrôle.

Systèmes anti-erreur

Idée de base : Un dysfonctionnement est dû à une ou plusieurs erreurs qui peuvent être de natures diverses :

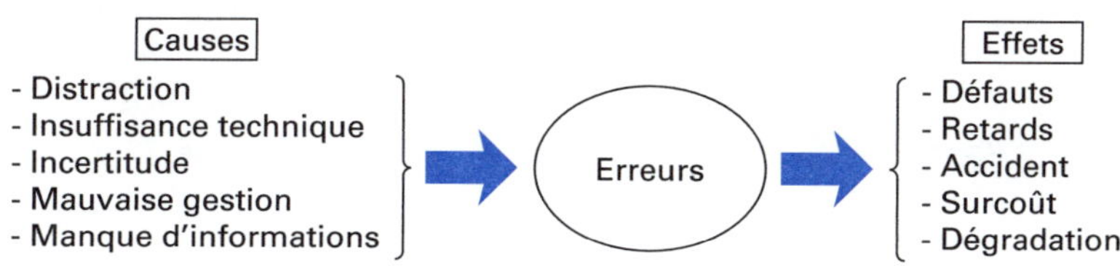

	Erreurs par inadvertance	Erreurs par insuffisance	Erreurs volontaires
Caractéristiques des erreurs	• Involontaires • Inconscientes • Accidentelles • Aléatoires	• Involontaires • Inconscientes • Régulières • Spécifiques	• Intentionnelles • Conscientes • Persistantes • Spécifiques
Traitement	**Systèmes anti-erreur**	• Amélioration de l'opération • Formation des opérateurs	• Amélioration générale de l'organisation, de la gestion de la qualité et de la gestion des ressources humaines

(cf. J.M. Juran – Gestion de la qualité - *Afnor*).

Note : Pour un développement plus complet des systèmes anti-erreur, nous recommandons la lecture de l'ouvrage de Shingo : « Le système POKA-YOKE » – *Éd. d'Organisation.*

Différents types de système anti-erreur et fonctions associées.

Fonctions	Type informatif	Type assistance
Prévention des erreurs	– Check-list – Inventaires – Procédures – Fiches d'instruction – etc.	– Gabarit de positionnement – MIP assistée – Serrage assisté – Repères, butées – Protection antichocs – etc.
Détection des erreurs		– Capteurs de position – Détrompeurs – Masques – Détecteurs – Enregistreurs – Compteurs – etc.
Action sur process	Alarme : si conséquence de l'erreur sur pièce unitaire et si non- danger. Alarme visuelle ou sonore.	Arrêt : Si conséquence de l'erreur sur série ou si danger. Arrêt d'avance, mise en mode défaillance.

8 OUTILS DE SUIVI DE LA QUALITÉ

8.1. Tableaux de bord : graphiques et tableaux de synthèse

Fonctions	Critères
Suivre l'évolution des indicateurs Qualité	• Pertinence du choix de l'indicateur suivi par rapport aux besoins de l'utilisateur du tableau de bord. • Lisibilité globale et rapide. • Mise en évidence des tendances importantes. • Mise en évidence des écarts significatifs / période de référence. • Mise en évidence des écarts significatifs / Objectifs. • Actualisation des données adaptée aux possibilités d'action correctives.
Piloter les actions Qualité	• Communication des informations. • Adaptation des tableaux de bord aux responsabilités du ou des destinataires (type, contenu, périodicité, etc.).

Exemples de contenu de différents types de tableaux de bord :

Tableau de bord de suivi de :	**Destinataires**					
	Opérateurs et responsables d'ateliers		**Service Qualité**		**Direction générale**	
	Format : Graphique		Format : Graphique et tableau		Format : Tableau et graphique de synthèse	
	Indicateurs	Périodicité et recul	Indicateurs	Périodicité et recul	Indicateurs	Périodicité et recul
Appros	Retards livraisons	Jour, semaine / mois	Retards livraisons	Semaine, mois / année	Retards	Mois / année
	Ruptures de stocks		Ruptures de stocks		Ruptures	
	Non-conformités		Non-conformités		Non-conformités	
Production	% de défauts	Jour, semaine / mois	Indices qualité (cf. 6.4.4)	Mois, trimestre / année	Bradstreet et Dutot par atelier	Mois, trimestre / année (Si besoin sur plusieurs années)
	Capabilité	Jour / semaine	Capabilité Cf. 6.1	Jour, semaine / mois	Bradstreet et Dutot par gamme commerciale	
	Accidents	Mois / trimestre	Tests et essais d'homologation	Mois / année		
	Tenue des délais	Semaine / mois	Accidents par poste et atelier	Mois, trimestre / année	Accidents par atelier	
	Action qualité en cours	Semaine / mois	Tenues des délais par produit et par atelier	Semaine, mois / année	Tenue des délais Coûts	
SAV	Retours	Semaine / mois	Réclamations	Semaine, mois / année	Indice de satisfaction	Mois / année
			Retours			
			Retards			
			Coûts			

Exemples de tableaux de bord

Suivi des dispersions - Tableau de bord Rabotage – septembre 1998

Nominale ep.	11	21	26	28	34	35	38	40	46	54	56
Sur épaisseur	0,18	0,3	0,17	0,22	0,33	0,45	-	0,29	0,3	-	0,4
Sur largeur	0,12	0,18	0,2	0,25	0,4	0,3	-	0,27	0,17	-	0,25
Prélèvements	12	41	6	55	3	3	-	59	128	-	11

Objectif de contrôle : 1 prélèvement de 5 pièces par heure productive directe

Total prélèvements :	318	Ratio :	**Objectif**	
Heures productives :	380	0,84 prél. / h	**Non atteint**	

Objectif Qualité : Cp stable et > 1,4

Satisfaisant	À stabiliser	À augmenter	À augmenter et stabiliser
46 mm	28 mm		40 mm
21 mm			

Suivi des dispersions

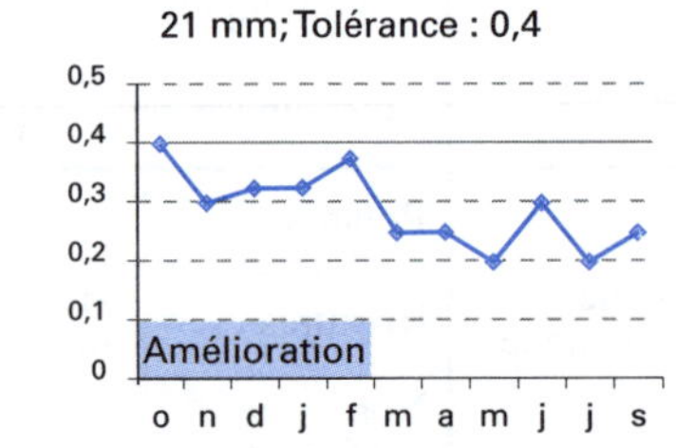

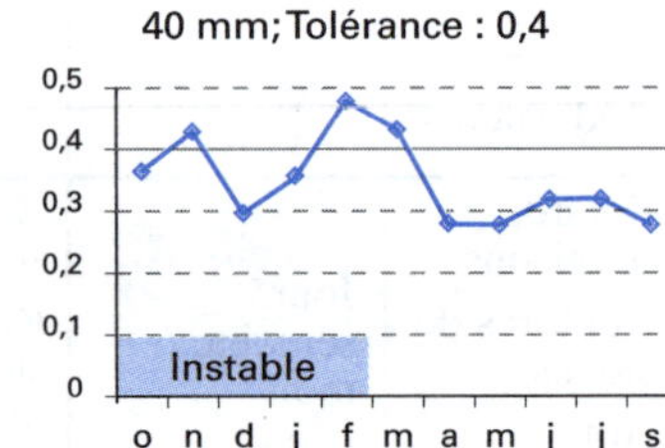

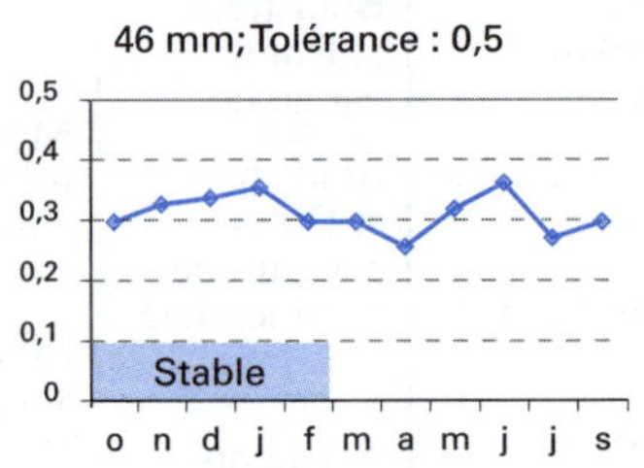

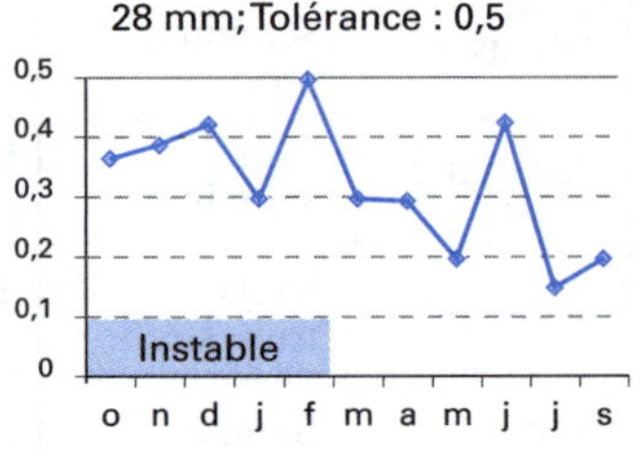

Suivi démérite et nombre de défauts par vantail					
Produit : Assemblages des Cadres ouvrants					
	Objectif 97	Moyenne 97	Moyenne 96	Total lots :	Situation à : Fin sept.
Nb défauts / vantail	0,4	0,85	0,5		
Démérite série	3,00	5,52	3,21	9	

Ratio défaut par vantail	Janv.	Fevr.	Mars	Avril	Mai	Juin	J/A	Sept.	Oct.	Nov.	Déc.
	0,07	0,51	0,47	0,6	0,8	1,83	1,52	1,01			
Démérite											
Fonctionnel	0,00	0,00	0,00	0,00	0,00	3,00	0,91	0,00			
Accessoires	0,00	0,00	0,00	0,00	0,00	0,00	0,00	0,00			
Esthétique	0,95	0,89	0,11	0,51	2,07	0,68	0,20	1,34			
Dimensionnel	0,00	3,33	2,22	2,5	4,17	6,67	7,50	7,08			
Total	0,95	4,22	2,33	3,01	6,24	10,35	8,61	8,42			

Ventilation des défauts :

Désignation	criticité	Causes	%	Catég.
Hauteur recouvrement TH hors tolérance	Maj / Unitaire	Pon/calibrage	23	D
Jeu Horizontal coté fiche hors tolérance	Maj / Série	"	15	F
Hauteur feuillure hors tolérance	Maj / Unitaire	"	13	D
Équerrage hors tolérance	Crit / Unitaire	"	11	D
Hauteur recouvrement gauche hors tolérance	Maj / Unitaire	"	11	D
Épaisseur droite hors tolérance	Maj / Unitaire	"	9	D
Défaut usinage	Maj / Série	"	6	E
Autres			11	

8.2. Lissage d'indice Qualité

Les données d'un graphique de suivi sont chronologiques. Elles sont constituées d'une composante régulière : tendance que l'on cherche à mettre en évidence, et d'aléas qui peuvent rendre cette tendance difficile à identifier. Si les indices qualité fluctuent fortement d'une période à l'autre, il est nécessaire de « lisser » ces indices afin d'atténuer les effets accidentels et de donner une meilleure lisibilité à la courbe de suivi.

Lissage pondéré ou lissage exponentiel simple :

Une des techniques de lissage très utilisée en gestion de la qualité est le lissage pondéré :

Chaque valeur lissée est la moyenne pondérée de cette valeur actuelle brute et de la valeur précédente lissée.

$$\text{Indice actuel lissé} = I_{\text{actuel brut}}\, k + I_{\text{précédent lissé}}\,(1 - k)$$

Le coefficient k atténue d'autant plus les fluctuations qu'il est faible. Si $k = 0$, toutes les valeurs seront égales à la valeur initiale ; si $k = 1$, il n'y a pas de lissage. On choisit généralement une valeur entre 0,15 et 0,35.

Dans l'exemple ci-dessus la valeur de k est de 0,3.

Exemple : **Tableau de bord des coûts de non-qualité d'un site de production**

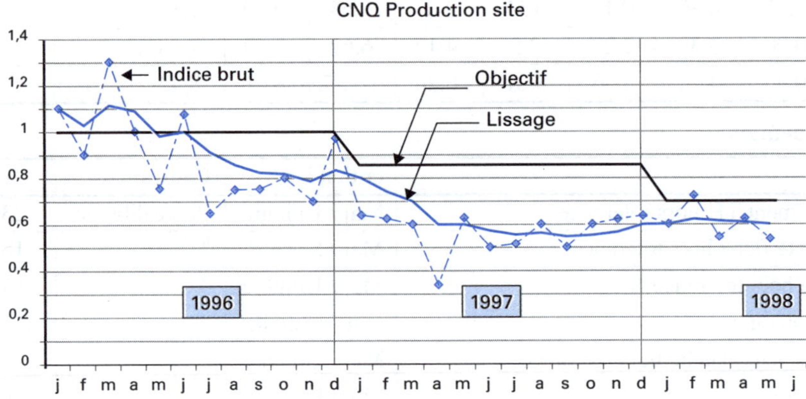

8.3. Décomposition des coûts d'obtention de la qualité

1- Coûts de la qualité

	Sources	Coûts
Prévention	Rédaction et mise à jour des documents qualité ; Évaluation des fournisseurs ; Formation à la qualité ; Audits qualités ; Fonctionnement des groupes qualités.	• Frais de personnel du service qualité ; • Frais administratifs ; • Heures non productives des opérateurs impliqués dans les actions de prévention ; • Activités sous-traitées.
Détection	Contrôle qualité	• Frais de personnel ; • Amortissement du matériel de contrôle (10 % de sa valeur actuelle estimée) ; • Entretien et étalonnage du matériel.
	Essais	• Frais de personnel ; • Amortissement du matériel d'essai ; • Entretien du matériel ; • Fournitures et produits détruits.
	SAV	• Coût d'enquête en clientèle.

2- Coûts de la non-Qualité		
	Sources	**Coûts**
Anomalies Internes	**Rebuts** Produits inaptes à être livrés.	• Matière ; • Produits rebutés pour péremption ; • Main-d'œuvre au stade de la mise au rebut ; • Stockage, manutention, transport de ces rebuts ;
	Déclassements sur produits finis ou en-cours. Produits dont le prix est diminué du fait d'une non-conformité ou d'une surproduction	• Différence entre prix normal et prix réduit ; • Frais de vente à prix réduit ; • Stocks immobilisés jusqu'à la vente.
	Retouches Opérations sur produits achetés, sous-traités, fabriqués pour qu'ils redeviennent conformes.	• Main d'œuvre de retouches non imputables aux fournisseurs ; • Contrôle après retouche ; • Diminution de prix du produit.
	Achats inemployables Produits ou matières premières inutilisables par suite d'erreur d'approvisionnement ou de modification de conception.	• Valeurs des produits.
	Pollution	• Élimination des effluents.
	Procédés superflus Frais résultant de procédés non indispensables qui engendrent des performances inutiles	• Matière ; • Main-d'œuvre.
	Autres coûts internes Coûts directement ou indirectement liés aux dysfonctionnements de l'atelier.	• Accidents ; • Absentéisme ; • Rotation du personnel.
Anomalies externes	**Remboursements liés à la mauvaise qualité**	• Indemnités.
	Avoirs dus à la non-qualité Remboursements ou annulations de factures des produits refusés par le client.	• Remboursements ; • Frais d'annulation de facture.
	Travaux non facturés Si une livraison est retournée par le client, reprise et renvoyée après remise en état.	• Prix auquel on aurait traité les travaux en opération commerciale normale.
	Coût de garantie en SAV	• Produits fournis gratuitement en remplacement ; • Frais de transports et déplacements ; • Frais fonctionnement SAV.
	Frais de retour des produits refusés	• Transport, manutention, réception.
	Pertes liées aux produits retirés de la vente	• Coûts de production des produits retirés ; • Frais engendrés par le retrait.
	Pertes de clientèle Évaluable par analyse du CA par client ou par analyse des ventes par produit.	• Manque à gagner.
	Autres coûts	• Pénalités de retard ; • Frais d'expertise ; • Prime d'assurance pour couverture en responsabilité ; • Franchises payées ; • Agios pour retard de délais (≈ 1% par mois) ; • Remises exceptionnelles de compensation.

9 OUTILS D'EXPÉRIMENTATION

9.1. Objectifs

Déterminer l'influence d'un ou plusieurs facteurs sur un système pour en optimiser la réponse.

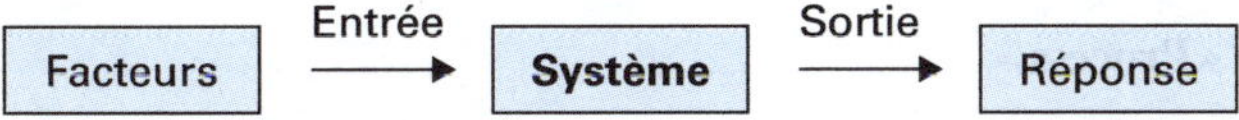

Problèmes techniques pouvant nécessiter la mise en œuvre de « plans d'expériences » :

- **Recherche de solutions constructives** garantissant une performance donnée (ex : résistance mécanique, longévité, étanchéité, etc.).
  - Recherche du rôle d'un paramètre de définition dans la performance du produit.
  - Recherche de la meilleure combinaison de solutions dans un produit.
  - Recherche des valeurs nominales optimum et des plages de tolérances.
  - Recherche de solutions constructives d'un produit pour des conditions d'utilisation données ou des conditions d'utilisation variables.

⇒ Domaines :

– Résistance des assemblages,
– Performances de nouveaux matériaux,
– Étanchéité des liaisons,
– Rigidité de structures,
– Détermination de jeux fonctionnels,
– Etc.

Exemple de Système « Produit »

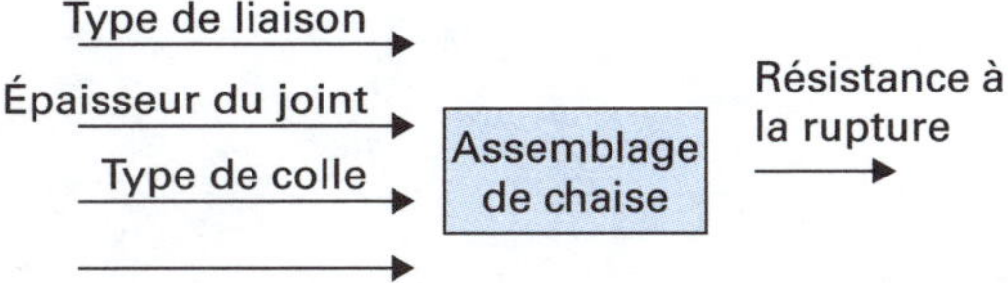

Problème posé :

Sur quelles caractéristiques de définition de l'assemblage (Facteurs d'entrée) peut-on agir pour en améliorer la résistance à la rupture (réponse) ?

- **Mise au point ou amélioration de process**
  - Recherche du rôle d'un paramètre de réglage process dans la performance du produit.
  - Recherche des valeurs optimum de réglage et des plages de tolérance.
  - Recherche des combinaisons de réglage des process complexes garantissant la meilleure stabilité du process.
  - Recherche des paramètres importants à placer sous contrôle.

⇒ Domaines :

– Résistance des collages,

– Qualité des finitions (dureté, coloration, vieillissement, etc.),

– Conception d'outillage,

– Amélioration des états de surface,

– Réduction des dispersions machines,

– Etc.

Exemple de Système « Process »

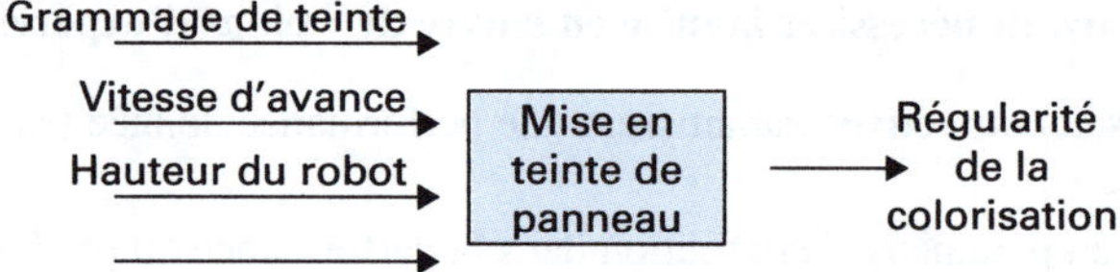

Problème posé :

Sur quels paramètres de pilotage du process (Facteurs d'entrée) peut-on agir pour améliorer la régularité de la coloration des panneaux (réponse) ?

D'une manière générale : les plans d'expériences peuvent apporter une aide chaque fois que « l'expérience acquise » n'est pas suffisante pour répondre au problème posé ou dans l'étude d'un système dont la modélisation est inconnue.

9.2. Terminologie et principes généraux

Expérience	Intervention **volontaire et contrôlée** sur un système afin d'en **mesurer les effets**.
Facteur	**Variable d'entrée du système susceptible d'en modifier la réponse.** Un facteur peut être : • Quantitatif : ses différentes valeurs prennent le nom de « niveaux » mesurables ou repérables. • Qualitatif : ses différents états prennent le nom de « modalités » non mesurables mais identifiables. Les variables d'entrée d'un système sont appelées variables indépendantes.
Réponse	**Variable de sortie du système.** Une réponse peut être (cf. 2.2) : • Quantitative – Mesurable. Exemple : résistance à la rupture en Mpa, dispersion en 1/100e de mm ; – Dénombrable. Exemple : nombre d'éclats d'usinage ; – Évaluable. Exemple : notation de performance de 1 à 10 selon barème fixé à l'avance. • Qualitative – Binaire. Exemple : absence ou présence de taches ; – A plusieurs niveaux ordonnables. Exemple : bon, moyen, mauvais. D'une manière générale les réponses de type qualitatives sont transformées en variable quantitative par le biais des effectifs. ***Exemples :*** Nombre d'échantillons tachés, nombre d'échantillons jugés bons.
Facteur contrôlé	**Facteur que l'on peut maîtriser et dont on peut fixer le niveau à une valeur donnée (ou l'état à une modalité donnée).** • **Facteur contrôlé variable :** facteur dont on souhaite étudier l'effet à différents niveaux (ou modalités). *Ex 1 :* Facteur « Vitesse d'avance du panneau » : Niveau 1 : 15 m/min Niveau 2 : 22 m/min *Ex 2 :* Facteur « Type de colle » : Modalité 1 : colle vinylique Modalité 2 : Colle polyuréthane • **Facteur contrôlé fixe :** facteur dont on n'étudie pas l'effet, et que l'on fixe à un niveau (ou à une modalité) donné. *Ex 1 :* : Grammage de colle fixé à 150 gr/m^2. *Ex 2 :* : Essence de bois fixe : hêtre. • **Facteur contrôlé Bloc :** facteur induit par le protocole expérimental et qu'il est nécessaire d'intégrer au plan d'expérience comme un facteur supplémentaire afin de pouvoir tenir compte de son effet éventuel dans l'interprétation des résultats. *Exemples :* • Utilisation de deux presses HF théoriquement « identiques » ⇒ facteur presse. • Réalisation des essais en deux périodes espacées d'une semaine ⇒ facteur période. • Comptage d'éclats sur PPM par deux opérateurs différents ⇒ facteur opérateur.

Facteur non contrôlé	**Facteur inconnu ou connu mais dont on ne peut maîtriser le niveau ou la modalité.** *Ex 1 :* HR % d'un atelier non équipé d'un système de climatisation. *Ex 2 :* Orientation (tangentielle ou radiale) des lames en panneautage à partir d'un débit en plots. ***Notes :*** • Certains facteurs, non maîtrisables en production industrielle, sont toutefois maîtrisables en conditions expérimentales. • Certains facteurs non maîtrisables peuvent toutefois être mesurables.
Facteur Bruit	**Facteur susceptible de varier lors de l'utilisation du produit (ou lors du fonctionnement du process). L'expérimentateur n'en est pas maître, mais il peut éventuellement le simuler.** *Exemples :* • Ambiance hygrothermique dans laquelle sera installée un porte extérieure. • Valeur des jeux d'assemblages d'une liaison collée. • Chocs thermiques subis par les produits durant leur transport en container. • Différence de dureté du revêtement mélaminé des PPM selon les lots d'approvisionnement. **Un système sera dit d'autant plus « robuste » que la réponse sera moins influencée par ces « bruits ».**
Facteur interne et facteur externe	**Un facteur interne au système est lié aux caractéristiques du système.** *Exemple :* Grammage de colle dans un assemblage. **Un facteur externe au système est lié à l'utilisation du système.** *Exemple :* Nombre de cycles d'essai imposés à un assemblage.

• Plan d'expérience

Un plan d'expérience est un ensemble structuré des combinaisons des niveaux (ou modalités) des différents facteurs étudiés.

Réaliser un plan d'expérience consiste à tester les différentes combinaisons, afin de pouvoir déterminer les effets des différents facteurs étudiés sur la variable de réponse.

La principale règle de structuration des combinaisons est « l'orthogonalité » :

Chaque niveau de chaque facteur doit être associé le même nombre de fois aux autres niveaux de tous les autres facteurs.

Exemple :

- Comparaison des niveaux sonores de lames de scie antibruit et standard en formatage de panneaux MDF 19 mm.
- On souhaite étudier l'effet du type de lame et de la vitesse de coupe sur le niveau sonore.

N° essai	Type de lame	Vitesse de coupe	Y_1	Y_2	Y_3	Y_4	Y_5	$\bar{Y}$ en dB
1	Standard	56 m/s						86,3
2	Standard	80 m/s						88,6
3	Anti dB	56 m/s						83,3
4	Anti dB	80 m/s						85,8

Le plan orthogonal complet « L_4 (2^2) » pour 2 facteurs à 2 niveaux comprend donc 4 lignes.

Si on réalise 5 répétitions par essai, on a besoin de 20 « unités expérimentales ».

- **Codification d'un plan complet :**

Si on affecte les niveaux de chaque facteur étudié d'un numéro de niveau, on obtient la table du plan.

Exemple : Soit une expérimentation portant sur 3 facteurs A, B et C ayant respectivement 2, 3, 2 niveaux, avec 3 répétitions. La table du plan est la suivante :

N° essai	A	B	C	Y_1	Y_2	Y_3	$\overline{Y}$
1	1	1	1				
2	1	1	2				
3	1	2	1				
4	1	2	2				
5	1	3	1				
6	1	3	2				
7	2	1	1				
8	2	1	2				
9	2	2	1				
10	2	2	2				
11	2	3	1				
12	2	3	2				

- **Variabilité de la réponse (dispersion expérimentale)**

Si on réalise plusieurs répétitions du même essai, on constate que la réponse présente une plus ou moins grande variabilité. Cette variabilité (ou dispersion) de la réponse est due aux incertitudes de mesure et à l'action des facteurs non contrôlés.

L'analyse des résultats consistant à comparer les moyennes obtenues. Plus la variabilité de la réponse sera élevée, plus il faudra faire de répétitions pour avoir des chances d'obtenir des résultats significatifs (cf. 5.4.2).

- **Effet d'un facteur**

L'effet d'un facteur à un niveau donné se traduit par une différence de moyennes

Effet du facteur A au niveau i =

Moyenne des résultats quand le facteur A est au niveau i – Moyenne générale des résultats.

$$E_{A_i} = \overline{Y_{A_i}} - \overline{\overline{Y}}$$

L'effet d'un facteur à un niveau donné traduit l'écart entre la moyenne des résultats pour ce niveau de ce facteur et la moyenne générale des résultats.

Exemple : Dans l'exemple ci-dessus, l'effet des facteurs « Type de lame » et « Vitesse de coupe » se détermine ainsi :

Effet des facteurs		Type de lames		Moyenne	Effet	Effet total de la vitesse de coupe
		Standard	Antibruit			
Vitesse de coupe	56 m/s	86,3	83,3	84,8	– 1,2	2,4
	80 m/s	88,6	85,8	87,2	+ 1,2	
Moyenne		87,45	84,55	86		
Effet		+ 1,45	– 1,45			
Effet total du type de lame		– 2,9				

Lecture : on constate que l'effet de la vitesse de coupe de 56 m/s se traduit par une diminution de 1,2 dB par rapport à la moyenne générale.

- Pour un facteur à deux niveaux, **l'effet total** est la différence entre l'effet au niveau 2 et l'effet au niveau 1.

L'effet total traduit l'écart des résultats entre les deux niveaux de ce facteur.

Exemple :

- Effet total du type de lame : la lame antibruit réduit le niveau sonore de 2,9 dBA par rapport à une lame standard.
- Effet total de la vitesse de coupe : une vitesse de coupe de 80 m/s augmente le niveau sonore de 2,4 dBA par rapport à une vitesse de coupe de 56 m/s.

- **Quel que soit le nombre de niveaux, la somme des effets d'un facteur à ses différents niveaux est nulle (au défaut d'arrondi près).**

• Représentation graphique d'un effet

- **Pour visualiser l'effet d'un facteur, on trace sa représentation graphique.**

De tels graphiques permettent d'appréhender, d'un seul coup d'œil, le sens et l'ampleur des effets, et de les comparer.

Nota :

- Pour comparer visuellement les effets, il est nécessaire de prendre une échelle et une amplitude fixes en Y et des amplitudes constantes en X.
- Dans le cas de réponses dispersées —on peut en rendre compte en traçant les barres d'erreur représentant la variabilité des réponses (étendue ou de préférence ± 2s des réponses à un niveau donné (cf. 3.5.3)— il faut réaliser l'analyse statistique (cf. étape 6) avant de conclure à la significativité des résultats.
- L'effet d'un facteur ne doit jamais être extrait de son contexte expérimental.

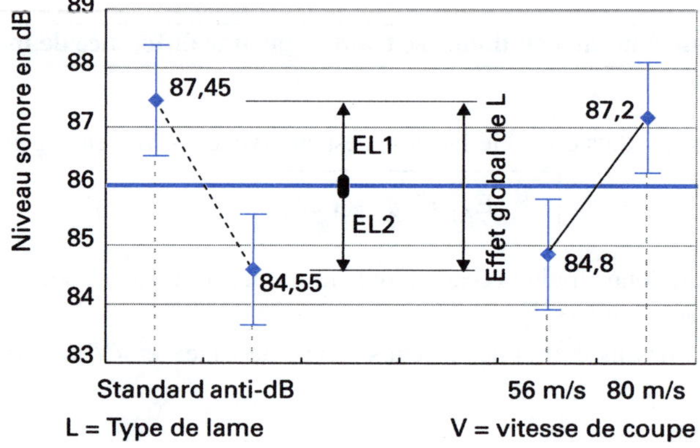

• Interaction entre facteurs

Deux facteurs sont en interaction si l'effet de l'un est modifié par le niveau (ou la modalité) de l'autre.

Exemple :

Étude de différentes technologies antibruit en lames de formatage de panneaux. Comparaison entre deux fabricants.

Interaction entre le type de technologie antibruit et la vitesse de coupe :

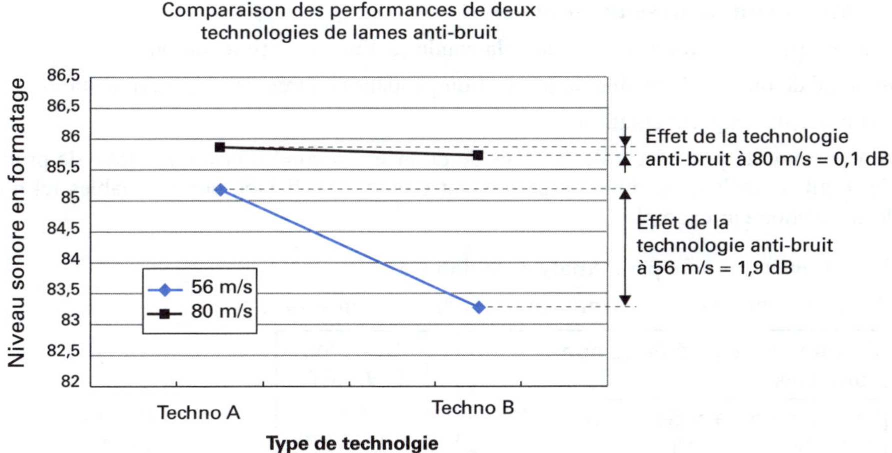

Lecture : l'effet du type de lame n'est pas le même selon que l'on usine à 56 m/s ou à 80 m/s : la différence de performance entre les lames (effet du type de technologie de fabrication des lames) est nette pour une vitesse de coupe de 56 m/s, mais négligeable à 80 m/s

- L'existence d'une interaction entre deux facteurs se détecte sur un graphique des effets par l'absence de parallélisme entre les deux courbes représentant l'effet de l'un des facteurs aux différents niveaux (ou modalités) de l'autre.

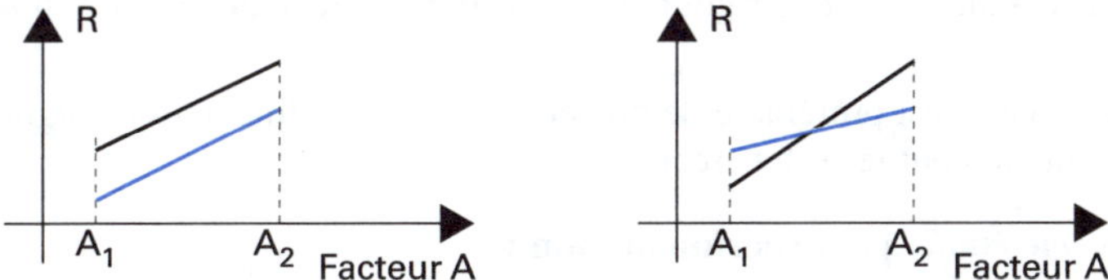

• Aléarisation

Pour éviter que les éventuels effets des facteurs non contrôlés ne créent un biais expérimental, il est nécessaire de les répartir uniformément par tirage au sort sur l'ensemble des essais. On peut, pour cela, utiliser une table de nombres aléatoires (cf. annexe 2).

Exemple :

Dans une recherche des facteurs influants sur la résistance des joints de colle en panneautage HF sur du Tauari : La porosité du bois joue un rôle sur la mouillabilité du support. Elle influence donc très probablement la résistance du collage. Cette porosité n'est pas parfaitement contrôlée d'un échantillon à l'autre, il est donc nécessaire d'aléariser son effet en tirant au sort les éprouvettes destinées à chaque ligne du plan, à partir d'un lot initial.

• Mesures en « aveugle »

Pour éviter que l'opérateur ne « pousse » inconsciemment les résultats de mesure dans le sens de ses hypothèses de départ, il est souhaitable qu'il procède aux mesures sans connaître la ligne du plan à laquelle appartiennent les individus mesurés.

Exemple :

Mesures en aveugle des échantillons dans une étude d'optimisation des paramètres de pilotage d'une chaîne de finition.

- **Expérimentation ou analyse de données**

- Dans certains cas, les contraintes interdisent la conduite d'une expérimentation.
  - Impossibilité de bloquer la chaîne de production pendant la durée d'une expérimentation.
  - Coûts et durée de l'expérimentation.

Il est alors nécessaire de procéder à des relevés de données en condition « normales » de production et d'utiliser les outils d'analyse de données permettant d'étudier la liaison entre variables tel que le diagramme de corrélation par exemple.

Exemple de problème étudié par **l'Analyse de données** :

Recherche des paramètres process influant sur la dureté d'un vernis.

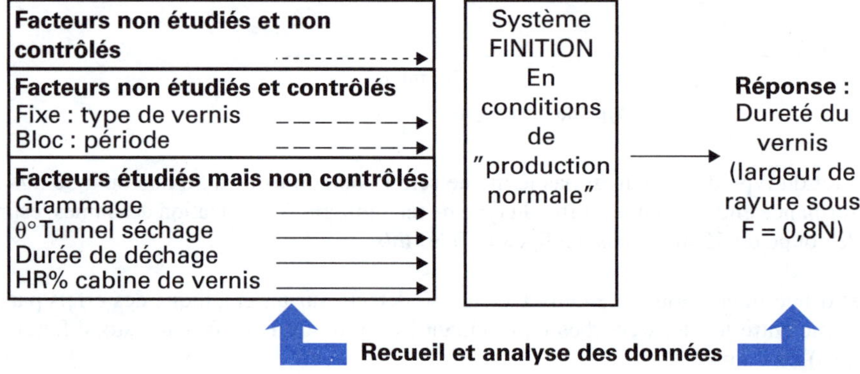

Une telle approche nécessite un relevé rigoureux des différents facteurs étudiés ainsi que de l'ensemble des paramètres non contrôlés.

- Quand cela est possible, il est préférable de procéder à une expérimentation soigneusement contrôlée : on identifiera plus facilement les effets recherchés.

Exemple de problème étudié par **expérimentation :**

Recherche des paramètres process influant sur la résistance des collages.

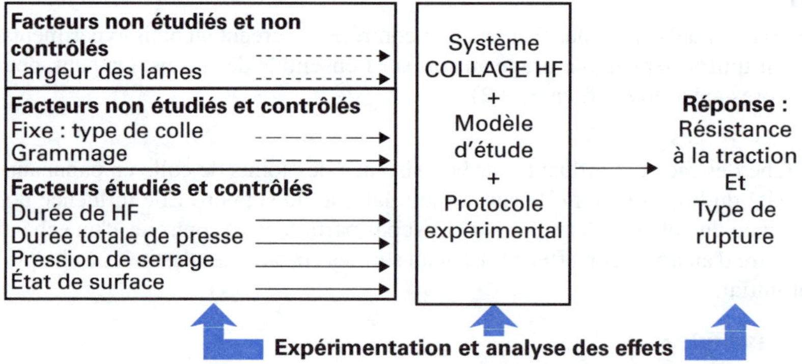

- **Expérimentation et modèle additif**

- Les plans d'expériences sont fondés sur une modélisation additive qui postule *a priori* que la réponse peut s'écrire comme la somme de plusieurs effets. Le traitement des résultats va permettre de déterminer ces effets, en les accompagnant de leur degré de significativité.

- Soit un système dont la réponse est supposée dépendre de deux facteurs A et B avec interaction AB.

– **On pose** le modèle : $Y_{ij} = m + \alpha_i + \beta_j + \alpha b_{ij} + e_{ij}$ Dans lequel :

Y_{ij} = réponse observée quand A est au niveau i et B au niveau j

m = moyenne générale des résultats (effet d'ordre o)

α_i = effet de A quand il est au niveau $i = E_{A_i} = \overline{Y_{A_i}} - \overline{\overline{Y}}$ (effet d'ordre 1)

β_j = effet de B quand il est au niveau j (effet d'ordre 1)

$\alpha\beta_{ij}$ = effet de l'interaction AB quand A est au niveau i et B au niveau j (effet d'ordre 2)

$= E_{AB_{ij}} = \overline{Y_{A_iB_j}} - \left(\overline{\overline{Y}} + E_{A_i} + E_{B_j}\right)$

e_{ij} = effet de l'erreur expérimentale (erreurs de mesure + effets des facteurs non étudiés + erreurs aléatoires) $= Y_{ij} - (m + \alpha_i + \beta_j + \alpha\beta_{ij})$ = « résidus ».

Ces résidus traduisent donc l'écart entre les valeurs observées et les valeurs prévues par le modèle. En d'autres termes, ils traduisent l'adéquation du modèle à la réalité. Si ces résidus sont importants, le modèle ne peut être considéré comme une bonne représentation de la réalité.

– **On construit** un plan d'expérience permettant de calculer les paramètres du modèle.

– **On réalise** l'expérimentation et on relève les résultats.

– **On calcule** les paramètres du modèle.

– **Si** les e_{ij} sont petits, de moyenne nulle et distribués selon un loi Normale : on détermine alors quels sont les effets significatifs et on établit le modèle que l'on peut alors exploiter, sinon il faut compléter le modèle (ajouter un facteur ayant un effet δ) et recommencer l'expérimentation.

- Tous les facteurs non étudiés doivent donc être très soigneusement fixés (protocole d'expérimentation) et les conditions de mesures très soigneusement stabilisées (protocole de mesure) car ce sont leurs fluctuations qui constituent les e_{ij}.

• Nombre de résultats nécessaire au calcul des effets. Nombre de degré de liberté (d.d.l)

Règle : Pour calculer les paramètres d'un modèle il faut au moins autant de résultats (valeurs indépendantes) que de paramètres indépendants à calculer :

Paramètres à calculer	Nombre de paramètres	Nombre de paramètres indépendants ⇒ nombre minimum de résultats (ddl) nécessaires
moyenne	1	1
α_i : Effets de A aux N_A niveaux de A	N_A	$(N_A - 1)$ car la somme des effets d'un facteur est nulle
β_j : Effets de B aux N_B niveaux de B	N_B	$(N_B - 1)$ car la somme des effets d'un facteur est nulle
$\alpha\beta_{ij}$: Effets de l'interaction AB aux différentes combinaisons des N_A niveaux de A avec N_B niveaux de B	$N_A \times N_B$	$(N_A - 1)(N_B - 1)$ car la somme des effets de l'interaction est nulle pour chaque niveau de A et pour chaque niveau de B
Total		$1 + (N_A - 1) + (N_B - 1) + (N_A - 1)(N_B - 1) = N_AN_B$

Un plan complet sans répétition fournit $N = N_AN_B$ résultats expérimentaux. On constate qu'il faudra disposer de davantage de résultats, en faisant des répétitions, pour pouvoir évaluer la variance résiduelle (ou variance de l'erreur expérimentale) et le degré de significativité des résultats observés (cf. Étape 6).

9.3. Les étapes d'une étude expérimentale et les outils associés

Étape 1 : Orientation de l'étude

Tâches	Remarques
• **Formulation du problème** = Définir : – Nature du problème ; – Contexte et limites techniques ; – Historique de problème dans l'entreprise ; – Enjeux techniques et économiques ; – Contraintes techniques et économiques.	On pourra utiliser la technique QQCOQP .
• **Formulation de l'objectif :** Bien identifier le type d'objectif : – Recherche d'une réponse maxi ou mini ; – Recherche de nominales ; – Recherche de tolérances ; – Recherche de robustesse.	• Le type d'objectif conditionnera la stratégie expérimentale. • L'objectif doit être clair, concret et le plus concis possible. ***Exemple :*** Déterminer les valeurs de consigne process et leurs tolérances permettant de garantir une résistance des collages ≥ 4,5 MPa.
• **Collecte d'informations techniques sur le problème.** – Étude bibliographique : Centres techniques ; Centres ressources ; Fournisseurs. – Données techniques internes : Fiches techniques des produits et matériels ; Relevés de contrôles et fiches d'instructions.	• Bien identifier les sources possibles d'informations. • Rechercher les personnes extérieures susceptibles d'avoir déjà été confrontées au problème. • Ausculter les données techniques relatives aux problèmes voisins. ⇒ Cette phase permet souvent de « débroussailler » le problème.

Étape 2 : Pré-étude

Tâches	Remarques
a) Définition de la réponse à mesurer. – Choix de la variable à mesurer ; – Inventaire des moyens nécessaires à la mesure ; – Définition du protocole de mesure ; – Évaluation de l'ordre de grandeur de la réponse et de l'ordre de grandeur des effets que l'on souhaite pouvoir mettre en évidence, s'ils existent ; – Évaluation de la variabilité de la réponse.	• La réponse choisie doit « coller » au plus près à l'objectif. ***Exemple :*** si l'objectif est d'améliorer la résistance d'un assemblage sous l'effet d'une sollicitation connue, il vaut mieux choisir la réponse « Déformation sous X daN » plutôt que « Effort nécessaire à une déformation de X mm ». • Le réponse doit être quantifiable et de la plus faible variabilité possible.

Incertitude de mesure ⇒	• **Améliorer répétabilité et/ou reproductibilité** • **Augmenter le nombre de mesures par individu**
Variabilité des individus ⇒	• **Augmenter le nombre de répétitions** • **Améliorer le contrôle des facteurs non étudiés**

– Mise au point du protocole de mesure ;

– Détermination du nombre de répétitions nécessaires (cf. Abaque en annexe 10).

- Les réponses qualitatives, quantifiées par notation ou comptage présentant une grande variabilité doivent faire l'objet d'un protocole rigoureux :

  Exemple : comptage d'éclats sur PPM, évaluation d'un état de surface, etc.

- Il peut être nécessaire de conduire une première série d'essai pour évaluer la variabilité de la réponse.

  La variabilité s'estime par l'écart-type de répétition S_{rep} calculé sur un échantillon préliminaire.

- **Dans le doute sur la variabilité de la réponse, il est prudent de faire au moins 4 ou 5 répétitions.**

b) Définition des facteurs à étudier

– **Inventaire exhaustif, avec les spécialistes techniques**, des facteurs susceptibles d'influer sur la réponse.

- L'exhaustivité de cet inventaire est importante car on pourra ainsi mieux contrôler les facteurs non étudiés.

– **Classification des facteurs.**

Critères de classification :

– Plausibilité de l'effet ;

– Origine du facteur ;

– Possibilité de modification de ce facteur en production normale ;

– Maîtrise de ce facteur en production ;

– Maîtrise de ce facteur en expérimentation.

Conseil : si un facteur ne fait pas l'objet de l'étude en tant que facteur principal, facteur bruit ou facteur bloc, le fixer chaque fois que possible.

			Possibilité de maîtrise du facteur		
			En production et en expérimentation	En expérimentation uniquement	Non
Effet probable	Facteur de conception du système	Pas de possibilité de modification	Fixe	Fixe	Aléarisé
		Possibilité de modification	Principal		
	Facteur bruit	Variation importante		Bruit	
		Variation faible		Fixe	
	Facteur lié à l'expérimentation	Possibilité de fixer son niveau		Fixe	
		Impossibilité de le fixer à un niveau unique		Bloc	Aléarisé
Effet peu probable			Fixe	Fixe	

– **Sélection des facteurs à étudier** **Critères de sélection :** • Importance présumée du facteur. • Coût et délai d'expérimentation. • Type de problème à résoudre : – Débroussaillage ⇒ criblage des facteurs.; – Recherche d'extremum maxi et/ou mini.; – Recherche de nominales et tolérances : ⇒ recherche du modèle du système. – Recherche de robustesse : ⇒ recherche d'optimisation Signal / Bruit.	• Quel que soit le type de plan choisi, la durée et le coût d'une expérimentation augmentent avec le nombre de facteurs étudiés ⇒ la sélection définitive se fera en fonction de ces contraintes. • Pour un plan de criblage ou une recherche d'extremum, il est souhaitable de conserver le maximum de facteurs. • Pour une recherche de modèle et/ou d'optimisation Signal / Bruit, ne conserver que les facteurs dont l'effet est certain.

c) Définition des niveaux et/ou modalités

Critères de choix des niveaux :

– Type de problème et d'objectif ;

– Nature du facteur ;

– Amplitude de la plage technologique admissible ;

– Degré de maîtrise du système.

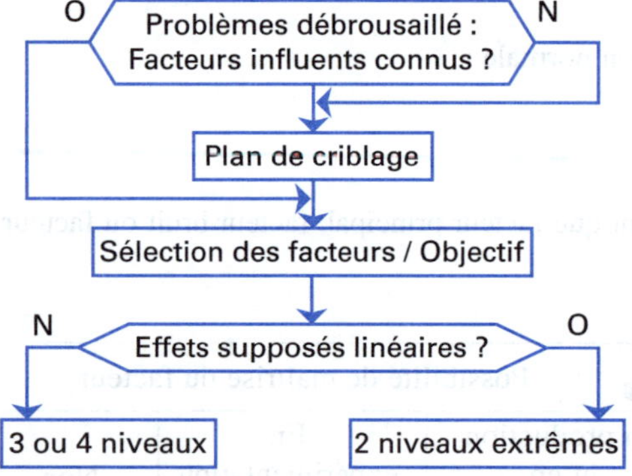

• Les niveaux doivent appartenir à la plage technologique admissible.

• Plan de criblage ⇒ 2 niveaux extrêmes

• Recherche de modèle ⇒ 3 niveaux sur la plage technologique admissible.

• Dans le cas d'un facteur externe au système ayant une incidence sur « son usure » (ex : longueur d'usinage, dose UV, etc.), prendre un nombre suffisant de niveaux pour pouvoir identifier le type de « courbe d'usure » caractéristique du système.

• **Attention** à la présomption de linéarité d'un effet :

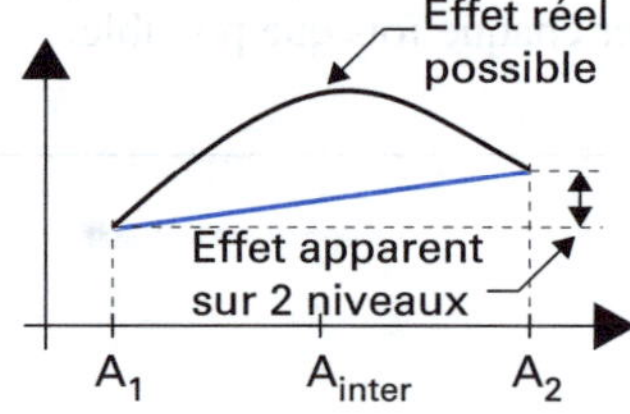

• Éviter de prendre des nombres de niveaux premiers entre eux.	• En cas de linéarité, deux niveaux extrêmes donnent une meilleure précision sur l'effet.

d) Estimation de l'existence des interactions

⇒ S'interroger pour chaque paire (A, B) de facteur :

« L'effet de A peut-il être influencé par le niveau de B ? »

– Inverser la question si nécessaire.

	A	B	C	D
A				
B	?			
C	?	?		
D	?	?	?	

- Cette phase est capitale si l'on s'oriente vers un plan fractionnaire ou une série de plans mono facteur.

- L'identification des interactions est une phase difficile. Elle nécessite la présence de spécialistes techniques du système (concepteurs, opérateurs, régleurs, labos fournisseurs, etc.).
- Les interactions sont malheureusement d'autant plus fréquentes que le système est complexe (collage, finition, état de surface, etc.).
- Les consignes d'utilisation des fiches techniques des produits sont dans ce cas d'une aide précieuse.

Ex : temps de presse :

A 20 °C : T = 10min mini

A 70 °C : T = 2 min

⇒ Existence d'une interaction entre T et θ °C

Étape 3 : Construction du plan d'expérience

Choix du type de plan

	Plans à 1 facteur	Plans complets	Plans fractionnaires
Permet d'obtenir un modèle global	Non	Oui	Oui
Permet d'étudier les interactions	Non	Oui	±
Permet une étude d'optimisation Signal / Bruit	Non	Oui	Oui
Adapté à un grand nombre de combinaisons (facteurs * niveaux)	Oui En plusieurs plans	Non	Oui

- Les plans mono facteurs sont très faciles à mettre en œuvre et à analyser mais ne donnent des résultats fiables que si les interactions sont faibles ou nulles.
- Les plans complets sont les plus fiables, ils sont faciles à construire et relativement faciles à analyser, mais très rapidement coûteux et longs si le nombre de facteurs et le nombre de niveaux dépassent 2 ou 3.
- Les plans fractionnaires sont économiques, mais peuvent être délicats à construire et à analyser en cas d'existence d'interactions inconnues.
- On pourra dans certains cas découper l'étude en une pré-étude (plans mono facteurs ou plans fractionnaires de criblage) suivie d'une étude d'approfondissement (plans complets ou plans fractionnaires avec interactions).

Plans mono facteurs

- **Principe :** on ne fait varier, d'un essai à l'autre, qu'un seul facteur à la fois ; les autres étant aléarisés ou, chaque fois que possible, fixés à un niveau prédéterminé.

Ex : 3 facteurs à 2 niveaux ⇒ 3 plans disjoints

Plan	N° essai	A	B	C	Y_1	Y_2 Y_r	$\overline{Y}$
A	1	1	b_F	c_F			
	2	2	b_F	c_F			
B	3	a_F	1	c_F			
	4	a_F	2	c_F			
C	5	a_F	b_F	1			
	6	a_F	b_F	2			

- On dispose de *r* valeurs par niveau pour chaque facteur.

- Nombre d'individus d'un ensemble de plans mono-facteurs :

  (avec F facteurs à N_i niveaux et *r* répétitions)

$$Nb = r \sum_{i=1}^{F} N_i$$

- Quand cela est possible, les facteurs fixes sont de préférence bloqués à un niveau moyen (facteur quantitatif continu), sinon au niveau le plus intéressant compte tenu des résultats précédents.

Plans multifacteurs complets

- **Principe :** on réalise toutes les combinaisons associant tous les niveaux de chaque facteur à tous les niveaux de tous les autres facteurs.

Ex : 3 Facteurs à 2 niveaux ⇒ 1 plan complet

N° essai	A	B	C	Y1	Y2		Yr	$\overline{Y}$
1	1	1	1					
2	1	1	2					
3	1	2	1					
4	1	2	2					
5	2	1	1					
6	2	1	2					
7	2	2	1					
8	2	2	2					

Domaine expérimental

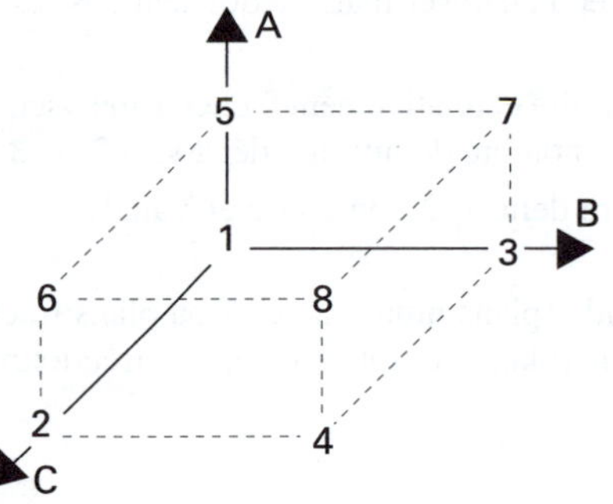

Chaque nœud constitue une combinaison de niveaux des différents facteurs.

- Nombre d'individus d'un plan multifacteurs complet :
  (avec F facteurs à N_i niveaux et r répétitions)

$$N_b = r \prod_{i=1}^{F} N_i$$

  (*r* fois le produit des nombres de niveaux).
  Ex :
  $N_b = 5\ (2 \times 2 \times 2)$
  $= 40$ individus sur 8 essais.

- On dispose pour chaque niveau d'un facteur donné de N_b / N_i valeurs.
  Ex :
  On dispose de
  40 / 2 = 20 valeurs pour chaque niveau de A (en d'autres termes : A est 20 fois au niveau 1 et 20 fois au niveau 2)

- On teste tous les points du « domaine expérimental ».
  Ex : 3 Facteurs A, B, C à deux niveaux constituent le domaine expérimental (1,2,3,4,5,6,7,8) ci-contre.

Plans multifacteurs fractionnaires

• **Principe :** Un plan fractionnaire est une fraction du plan complet correspondant.

Un plan complet de F facteurs à 2 niveaux possède 2^F lignes ⇒ plans fractionnaires à 2^{F-n} lignes ;
Un plan complet de F facteurs à 3 niveaux possède 3^F lignes ⇒ plans fractionnaires à 3^{F-n} lignes.

G. TAGUCHI a établi une liste de plans fractionnaires fractionnés de telle sorte qu'ils conservent leurs propriétés d'orthogonalité. (Cf. G. Taguchi et S. Konishi. Orthogonal arrays et linear graphs, Américain supplier Institute, inc., Dearborn, 1987).

Ex : 3 facteurs à 2 niveaux ⇒ plan fractionnaire L_4 (2^3)

N° essai	A	B	C	Y1	Y2		Yr	$\overline{Y}$
1	1	1	1					
2	1	2	2					
3	2	1	2					
4	2	2	1					

Domaine expérimental

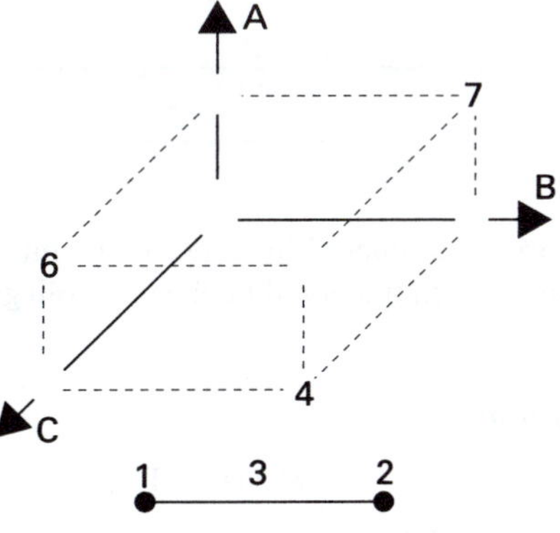

• On ne teste qu'une partie du « domaine expérimental ».

Ex : on ne teste que les points 1,4,6,et 7 du domaine complet.

⇒ On réalise 4 essais répétés 5 fois, soit 20 individus.

• On dispose pour chaque niveau d'un facteur donné de N_b / N_i valeurs.

Ex : On dispose de 20 / 2 = 10 valeurs pour chaque niveau de A (en d'autres termes : A est 10 fois au niveau 1 et 10 fois au niveau 2).

• Le graphe linéaire associé à la table indique que l'effet du facteur C mis en colonne 3 sera « aliassé » avec l'effet de l'interaction A*B si elle existe. C.à.d que l'effet calculé de C sera en réalité la somme de l'effet de C et de l'effet de l'interaction A*B.

• Chaque table de plan fractionnaire de Taguchi est associée à un graphe linéaire et à un « triangle des interactions » permettant de choisir les colonnes de la table à affecter aux différents facteurs en fonction du modèle choisi.

• Nombre de lignes d'un plan fractionnaire :
Variable selon les plans mais toujours très inférieur à celui d'un plan complet. Quelques exemples :

Complet	2^3	2^7	2^{15}	2^{31}	3^4	3^{13}	4^5	5^6
Fractionnaire	2^2	2^3	2^4	2^5	3^2	3^3	4^2	5^2

• Pour la mise en œuvre des plans fractionnaires, se reporter aux ouvrages spécialisés.

Étape 4 : Préparation des essais

- Préparation et contrôle des matériels ;
- Étalonnage des instruments de mesure ;
- Établissement du protocole d'essai ;
- Planification des essais ;
- Organisation et contrôle d'homogénéité des appros ;
- Préparation des éprouvettes (individus) ;
- Préparation des documents de relevé ;
- Test éventuel du protocole ;
- Vérification de la variabilité des réponses.

- Si cette phase n'est pas conduite en toute rigueur, les résultats seront très probablement « difficiles » à exploiter.
- Il est nécessaire d'établir un « cahier d'expérimentation » contenant les différentes rubriques à renseigner au cours des essais.

Étape 5 : Réalisations des essais

- Vérification des niveaux des facteurs étudiés ;
- Vérification des facteurs fixes ;
- Aléarisation des facteurs non contrôlés ;
- Conduite des essais en respectant scrupuleusement le protocole et relevé des résultats.

- Relever les résultats sur les documents pré-établis en documentant soigneusement toutes les rubriques.
- **Une information non relevée est une information perdue.**

Étape 6 : Analyse des résultats.

Cette partie sera traitée sur un exemple numérique.

- **Objectif :** Fabrication de marches d'escalier en Tauari : Déterminer l'influence du grammage et de l'état de surface des pièces en panneautage HF sur la résistance en traction du collage. (Collage à plat joint à la colle vinylique).

Facteurs étudiés			
Facteur G :	Niveau 1 : 100 g/m²	Facteur S :	Modalité 1 : pièces corroyées
Grammage	Niveau 2 : 150 gr/m²	État de surface initial	Modalité 2 : pièces délignées
	Niveau 3 : 200 gr/m²		

Nota : les autres facteurs ont été fixés ou aléarisés.

Plan complet			Résistance en MPa				
Numéro essai	Grammage (gr/m²)	État de Surface	R_1	R_2	R_3	R_4	R_5
1	100	corroyée	1,96	1,67	1,68	1,75	2,14
2	100	délignée	0,79	0,82	0,66	0,68	0,62
3	150	corroyée	5,15	4,94	5,00	5,10	5,05
4	150	délignée	4,25	4,14	4,37	4,32	4,17
5	200	corroyée	5,70	5,72	5,81	5,65	5,86
6	200	délignée	5,05	5,32	5,19	5,23	4,98

a) Tableaux des moyennes

Facteurs principaux :

Facteur	Niveau	Moyenne
Grammage Gr / m²	100	1,28
	150	4,65
	200	5,45
État de surface	Corroyée	4,21
	Délignée	2,34

Interaction grammage / État de surface :

		Grammage		
		100	150	200
État de surface	Corroyée	1,84	5,05	5,75
	Délignée	0,71	4,25	5,15

b) Graphe des effets

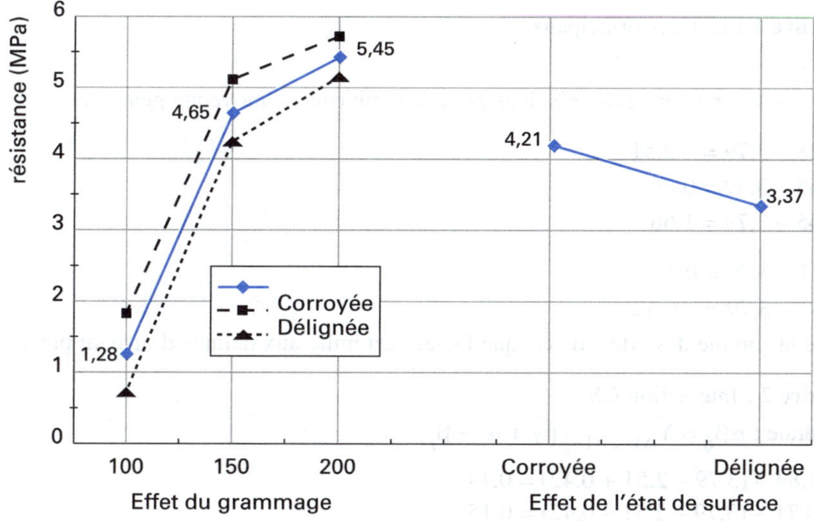

Analyse des graphes

Dans les conditions expérimentales des essais :

- L'effet du grammage est important : 100 gr/m² est clairement insuffisant. Passer de 150 gr/m² à 200 gr/m² permet d'augmenter la résistance de 25 %.
- L'effet de l'état de surface est net : les collages réalisés avec les pièces corroyées sont toujours plus résistants que ceux réalisés avec les pièces délignées (25 % en moyenne).
- L'analyse du tableau des moyennes des résultats des 6 combinaisons de niveaux montre que l'effet du grammage est plus important pour un état de surface déligné que pour un état de surface corroyé : 4,44 vs 3,91. (4,44 = 5,15 – 0,71 et 3,91 = 5,75 – 1,84). Néanmoins, les graphes de l'effet du grammage aux différentes modalités de l'état de surface étant quasi parallèles, on peut conclure que l'interaction entre grammage et état de surface est faible.

Dans un grand nombre de cas, l'analyse des graphes suffit à répondre à la question posée dans l'objectif de l'expérimentation. Si l'on souhaite quantifier les effets, il est nécessaire de calculer les paramètres du modèle.

c) Calculs des paramètres du modèle additif

Modèle additif du système :

$$\tilde{R} = m + [g_1 \ ; g_2 \ ; g_3] \, G + [s_1 \ ; s_2] \, S + \begin{bmatrix} gs_{11} & gs_{12} \\ gs_{21} & gs_{22} \\ gs_{31} & gs_{32} \end{bmatrix} GS$$

Avec :

$\tilde{R}$ = résistance théorique prévue par le modèle

m = moyenne générale des résultats = effet d'ordre 0

g_i = effet du grammage au niveau i = effet d'ordre 1

s_j = effet de l'état de surface au niveau j = effet d'ordre 1

gs_{ij}= effet de l'interaction du grammage et de l'état de surface aux niveaux i et j = effet d'ordre 2

- **Effet d'ordre 0 :** moyenne générale : $m = 3{,}79$

- **Effets d'ordre 1 :** facteurs principaux.

Formule générale :

$\alpha_i = E_{A_i} = \overline{Y_{A_i}} - \overline{\overline{Y}}$ = moyenne des résultats pour A au niveau i – moyenne générale

$\Rightarrow \quad g_1 = 1{,}28 - 3{,}79 = -2{,}51$

$g_2 = 4{,}65 - 3{,}79 = 0{,}86$

$g_3 = 5{,}45 - 3{,}79 = 1{,}66$

$s_1 = 4{,}21 - 3{,}79 = 0{,}42$

$s_2 = 3{,}37 - 3{,}79 = -0{,}42$

on vérifie que la somme des effets de chaque facteur est nulle aux défauts d'arrondi près.

- **Effet d'ordre 2** : Interaction GS

Formule générale : $\alpha\beta_{ij} = \overline{Y}_{A1 \ ; B1} - (\overline{\overline{y}} + \alpha_i + \beta_j)$

$\Rightarrow \quad gs_{11} = 1{,}84 - (3{,}79 - 2{,}51 + 0{,}42) = 0{,}14$

$gs_{12} = 0{,}71 - (3{,}79 - 2{,}51 - 0{,}42) = 0{,}15$

$gs_{21} = 5{,}05 - (3{,}79 + 0{,}86 + 0{,}42) = -0{,}02$

$gs_{22} = 4{,}25 - (3{,}79 + 0{,}86 - 0{,}42) = 0{,}02$

$gs_{31} = 5{,}75 - (3{,}79 + 1{,}66 + 0{,}42) = -0{,}12$

$gs_{32} = 5{,}15 - (3{,}79 + 1{,}66 - 0{,}42) = 0{,}12$

D'où le Modèle : $\tilde{R} = 3{,}79 + [-2{,}51 \ ; 0{,}86 \ ; 1{,}66] \, G + [0{,}42 \ ; -0{,}42] \, S + \begin{bmatrix} 0{,}14 & -0{,}15 \\ -0{,}02 & 0{,}02 \\ -0{,}12 & 0{,}12 \end{bmatrix} GS.$

On voit que l'effet du grammage est nettement le plus important.

Les résultats bruts montraient que la résistance optimum était obtenue avec un fort grammage (200 gr/m²) et un état de surface corroyé.

Le modèle permet de confirmer et d'approfondir cette conclusion :

En choisissant les niveaux de telle sorte que $\tilde{R}$ soit maximum, on obtient en prenant le grammage au niveau 3 (200 gr/m²) et l'état de surface au niveau 1 (corroyé) :

$$\tilde{R} = 3{,}79 + 1{,}66 + 0{,}42 - 0{,}12 = 5{,}75$$

On constate que l'interaction entre les facteurs, bien que faible, n'est pas négligeable.

Analyse des résidus :

Tableau des résidus :

> Résidus = $e_{ijr} = R_{ijr} - \widetilde{R}_{ij}$ avec :
>
> R_{ijr} = résultat de la $n^{\text{ième}}$ répétitions avec A au niveau i et B au niveau j.
>
> $\widetilde{R}_{ij}$ = résultat théorique avec A au niveau i et B au niveau j.

Exemple : Pour la première répétition de la première ligne du plan :

$\widetilde{R}_{ij} = \widetilde{R}_{111} = 3{,}79 - 2{,}51 + 0{,}42 + 0{,}14 = 1{,}84$

Résidu = 1,96 – 1,84 = 0,12

grammage	surface	répétition	R observée	R estimée	résidu
100	corroyée	1	1,96	1,84	0,12
100	corroyée	2	1,67	1,84	– 0,17
100	corroyée	3	1,68	1,84	– 0,16
100	corroyée	4	1,75	1,84	– 0,09
100	corroyée	5	2,14	1,84	0,3
100	délignée	1	0,79	0,71	0,08
100	délignée	2	0,82	0,71	0,11
100	délignée	3	0,66	0,71	– 0,05
100	délignée	4	0,68	0,71	– 0,03
100	délignée	5	0,62	0,71	– 0,09
150	corroyée	1	5,15	5,05	0,1
150	corroyée	2	4,94	5,05	– 0,11
150	corroyée	3	5	5,05	– 0,05
150	corroyée	4	5,1	5,05	0,05
150	corroyée	5	5,05	5,05	0
150	délignée	1	4,25	4,25	0
150	délignée	2	4,14	4,25	– 0,11
150	délignée	3	4,37	4,25	0,12
150	délignée	4	4,32	4,25	0,07
150	délignée	5	4,17	4,25	– 0,08
200	corroyée	1	5,7	5,75	– 0,05
200	corroyée	2	5,72	5,75	– 0,03
200	corroyée	3	5,81	5,75	0,06
200	corroyée	4	5,61	5,75	– 0,14
200	corroyée	5	5,86	5,75	0,11
200	délignée	1	5,05	5,15	– 0,1
200	délignée	2	5,32	5,15	0,17
200	délignée	3	5,19	5,15	0,04
200	délignée	4	5,23	5,15	0,08
200	délignée	5	4,98	5,15	– 0,17

La moyenne des résidus est : $m = 0{,}00$

L'écart type des résidus est : $s = 0{,}12$

On constate que les résidus sont petits et de moyenne nulle.

Leur distribution est approximativement Normale.

On peut considérer le modèle comme satisfaisant.

d) Analyse de variance (ANAVAR)

L'analyse de variance a pour objectif de tester la significativité des différences entre les moyennes et par suite de valider le modèle ou de le modifier.

Principe

- Comparer, dans la dispersion des résultats, la dispersion due au fait que ces résultats appartiennent à différents groupes centrés sur des moyennes différentes (dispersion inter-groupes) à la dispersion de ces résultats à l'intérieur des groupes : dispersion intra-groupes (ex : grammage 100, grammage 150, grammage 200, pièces corroyées, pièces délignées). Si la dispersion inter-groupes (due aux différences des moyennes dues à l'effet du facteur) est significativement plus grande que la dispersion intra-groupes (due au hasard), les différences de moyennes sont significatives et par là l'effet du facteur est significatif.
- Une dispersion se quantifie par une variance qui peut se décomposer en une variance intra-groupe (variance résiduelle), et une ou plusieurs variances inter-groupe (variances dues aux facteurs) :

Variance = SCE (somme des carrés des écarts à la moyenne) / Nb de d.d.l

$$SCE_T = SCE_{\text{due au facteur A}} + SCE_{\text{due au facteur B}} + SCE_{\text{due à l'interaction AB}} + SCE_{\text{résiduelle}}$$

- La comparaison des variances se fait à l'aide d'un test de Snedecor unilatéral en comparant le rapport à une valeur seuil fournie dans une table de Snedecor (cf. 5.4.4.2).

Tableau général d'analyse de variance :

Source de variation	Somme des carrés des écarts : SCE	Nb de d.d.l : ν	Variance	$F_{exp.}$	ddl F_{seuil}
Facteur A	$SCE_A = \dfrac{N\Sigma\alpha_i^2}{n_A}$	$\nu_A = \nu_A - 1$	$\nu_A = \dfrac{SCE_A}{\nu_A}$	$\dfrac{V_A}{V_R}$	$\nu_1 = \nu_A$ $\nu_2 = \nu_R$
Facteur B	$SCE_A = \dfrac{N\Sigma\beta_i^2}{n_B}$	$\nu_B = \nu_B - 1$	$\nu_B = \dfrac{SCE_B}{\nu_B}$	$\dfrac{V_B}{V_R}$	$\nu_1 = \nu_B$ $\nu_2 = \nu_R$
Interaction AB	$SCE_{AB} = \dfrac{N\Sigma\alpha\beta_{ij}^2}{n_A n_B}$	$\nu_{AB} =$ $(\nu_A - 1)(\nu_B - 1)$	$\nu_{AB} = \dfrac{SCE_{AB}}{\nu_{AB}}$	$\dfrac{V_{AB}}{V_R}$	$\nu_1 = \nu_{AB}$ $\nu_2 = \nu_R$
Erreur aléatoire (résiduelle)	$SCE_R = SCE_T - (SCE_A + SCE_B + SCE_{AB})$	$\nu_R =$ $\nu_T - (\nu_A + \nu_B + \nu_{AB})$	$\nu_R = \dfrac{SCE_R}{\nu_R}$		
Total	$SCE_T = \Sigma(x_{ijr} - \bar{\bar{x}})^2$	$\nu_T = N - 1$			

Règle de décision :

Si $F_{exp} > F_{seuil} \Rightarrow$ l'effet du facteur est significatif.

Si $F_{exp} \leq F_{seuil} \Rightarrow$ l'effet du facteur n'est pas significatif.

Application :

(les SCE ont été calculées avec 4 chiffres significatifs et arrondis à 2 chiffres significatifs).

Source de variation	Somme des carrés des écarts : SCE	Nb de d.d.l : ν	Variance	$F_{exp.}$	F_{seuil} lu dans la table de F	Écart type résiduel : Sr	Coefficient de variation : CV
Facteur G	98,12	2	49,06	3185,7	3,4		
Facteur S	5,28	1	5,28	342,85	4,26		
Interaction GS	0,36	2	0,18	11,69	3,4		
Erreur aléatoire (résiduelle)	0,37	24	0,0154			$\sqrt{V_R} = 0{,}12$	$\frac{0{,}12}{3{,}79} = 3{,}2\ \%$
Total	104,13	29	3,59				

Note : le F_{seuil} peut s'obtenir par la fonction « INVERSE.LOI.F(α, n_F, n_R) » d'EXCEL.

- **Vérification préalable des conditions de validité de l'analyse de variance :**

– Vérification de la Normalité des résidus N (o, σ) (cf. tableau des résidus).

– Vérification de l'homogénéité des variances intra- groupes.

(Note : les logiciels de statistiques fournissent ces deux informations lors d'un traitement ANAVAR).

Normalité des résidus	Coefficient de symétrie (théo = 0)			0,22	ok
	Coefficient d'aplatissement (théo = 3)			2,88	ok
Homogénéité des écarts type des résidus intra-groupes :					
« grammage »	100	150	200		
	0,15	0,08	0,11		ok
« État de surface »	corroyée		délignée		
	0,13		0,10		ok
« interaction »		100	150	200	
	corroyée	0,20	0,08	0,09	
	délignée	0,09	0,10	0,14	ok

Analyse d'un tableau d'ANAVAR.

- **Analyse de l'écart type résiduel :**

L'écart type résiduel reflète la précision des résultats ou encore l'erreur expérimentale. Une valeur élevée de S_r traduit une imprécision de l'essai. Si on réalise plusieurs essais à la suite, on peut ainsi comparer les précisions des différents essais. Il permet en outre, d'estimer l'intervalle de confiance (± 2 S_r) des résultats. Le coefficient de variation permet de comparer la précision sur différentes variables.

Écart type résiduel = 0,12

CV = 0,12 / 3,79 = 3,2 % ⇒ l'essai ci-dessus peut être considéré comme précis.

- Si les conditions de validité de l'analyse de variance sont remplies, détermination des effets significatifs : Si $F_{exp} > F_{seuil}$ ⇒ effet significatif

  Exemple : Les facteurs grammage et état de surface ont des effets significatifs, le très faible effet de l'interaction est néanmoins significatif.

  ⇒ **Le modèle établi est validé.**

e) Comparaisons des moyennes

L'Anavar a montré que les facteurs avaient chacun globalement un effet significatif ; on peut, si l'on dispose d'un logiciel de traitement statistique, déterminer à l'intérieur de chaque facteur si les moyennes sont toutes significativement différentes ou non. Plusieurs tests statistiques sont proposés par les logiciels de statistiques, comme par exemple le test de Newman-Keuls qui permet de classer les moyennes et de déterminer des groupes homogènes.

Application :

Facteur	Niveau	Moyenne	Groupes				
Grammage	200	5,45	A				
	150	4,65		B			
	100	1,28			C		
État de surface	corroyée	4,21	A				
	délignée	3,37		B			
Interaction	200 - corroyée	5,75	A				
	200 - délignée	5,15		B			
	150 - corroyée	5,05		B			
	150 - délignée	4,25			C		
	100 - corroyée	1,84				D	
	100 - délignée	0,71					E

Lecture :

Les trois niveaux de grammage induisent trois groupes distincts de résistance à la rupture.

Les deux modalités d'état de surface induisent deux groupes distincts de résistance à la rupture.

Mais l'effet de l'interaction fusionne les « 200 gr-délігné » avec les « 150 gr-corroyé ».

Il y a donc 5 classes distinctes de résistance A,B,C,D,E.

Étape 7 : Validation des résultats

On réalise un essai de confirmation des résultats dans les cas suivants :

- Dans tous les cas de plans fractionnaires : faire un essai dans une configuration non testée et vérifier le modèle. On choisira évidemment une configuration optimale si celle-ci n'a pas été testée ou proche de l'optimale si celle-ci a déjà été testée.
- Dans le cas de résultats très dispersés.

Étape 8 : Exploitation du modèle

La phase expérimentation et traitement étant terminée, on peut alors en exploiter les résultats en fonction des contraintes techniques et économiques.

Application :

- Si l'on souhaite la résistance maximum, on devra choisir un grammage de 200 gr/m² et une phase de corroyage supplémentaire. Ces modifications permettront d'obtenir une résistance de $5{,}75^{\pm 0{,}4}$ Mpa ($5{,}75 = 3{,}79 + 1{,}66 + 0{,}42 - 0{,}12$ et $0{,}4 \approx 3\ S_r$).
- Si on souhaite garantir une résistance supérieure à 4,5 Mpa, on pourra choisir entre :

– Un grammage de 150 gr/m² avec corroyage ⇒ $5{,}05^{\pm 0{,}4}$ MPa .

– Un grammage de 200 gr/m² sans corroyage ⇒ $5{,}15^{\pm 0{,}4}$ Mpa .

Le choix s'opère sur les coûts induits par ces modifications.

10 AUTRES OUTILS D'ÉTUDE DE PROBLÈME

10.1. Sélection de priorités

10.1.1 Critères de sélection quantitatifs : Diagramme de Pareto - courbe ABC

Loi de Pareto : « Un petit nombre de causes génèrent la plus grande part des effets ».

Fonction de la courbe ABC

La courbe ABC sert à visualiser un classement d'individus d'une population en fonction d'un critère par ordre d'importance vis-à-vis d'un critère de classement.

Ce classement peut servir à :

– Sélectionner une priorité parmi plusieurs actions possibles ;

– Identifier les individus (produits, machines, pièces, opérations, etc.) les plus important vis à vis d'un critère (chiffre d'affaire, nombre de pannes, temps de fabrication, coût, fréquence, etc.) ;

– Classer des individus en familles en fonction de leur poids relatif vis-à-vis du critère ;

– etc.

La courbe ABC est l'outil le plus simple et le plus adapté à la sélection de priorité, dans le cas où le critère de sélection est chiffrable et si l'on dispose de données récoltées sur une période représentative.

Procédure d'établissement de la courbe

- Définir l'objectif de l'étude.
- Déterminer la population à étudier.
- Définir le ou les critères caractéristiques en fonction de l'objectif visé.

  Note : le critère de classement peut être le résultat d'une combinaison de critères élémentaires. Ex : coût de réglage = fréquence du réglage × coût unitaire du réglage.
- Déterminer une période représentative du phénomène que l'on étudie.

  Note : Il faut prendre soin de choisir une période réellement représentative du phénomène étudié et se méfier notamment des fluctuations saisonnières.
- Constituer un tableau de données.
- Classer les individus par ordre décroissant selon leur valeur du critère retenu et calculer les valeurs cumulées.
- Tracer la courbe :
  En abscisses : les repères des individus.
  En ordonnées : les valeurs cumulées du critère et/ ou les pourcentages cumulés du critère.

  Note : il est recommandé de choisir les échelles de telle sorte que la courbe s'inscrive dans une plage à peu près carrée.

Détermination des zones

- Déterminer les zones A, B, C. (si elles existent).

  Les zones se déterminent en traçant les tangentes à partir de l'origine et de l'extrémité de la courbe ; les points où la courbe se détache des tangentes représentent les frontières des zones.
- Une courbe ABC typique présente trois zones nettes :
  - Deux parties quasi linéaires : Zones A et C.
  - Une partie intermédiaire : Zone B.
- Dans certains cas la courbe présente une forme arrondie régulière entre l'origine et l'extrémité ; alors, on détermine plusieurs zones intermédiaires.
- Si la courbe se rapproche de la diagonale, il n'y a qu'une seule zone.

Interprétation de la courbe ABC

- Les zones identifient les sous-ensembles d'individus selon leur poids relatif vis-à-vis du critère. Il est fréquent de constater qu'un petit nombre d'individus représente la plus grande part du cumul des valeurs du critère, ceci permet d'identifier les individus à traiter en priorité.
- Les individus appartenant à une même zone linéaire ou quasi linéaire ont la même importance vis-à-vis du critère étudié. Ils relèvent donc d'un même traitement ou d'une même politique de gestion.
- Les individus appartenant à la zone la plus abrupte (zone A) sont ceux qui pèsent le plus lourd dans le total du critère.
- Si la courbe se rapproche de la diagonale, cela signifie que tous les individus sont équivalents vis-à-vis du critère étudié, ils relèvent tous du même traitement.

Exemple : Analyse des coûts annuels de maintenance.

Objectif : Déterminer les catégories de machines relevant d'un même type d'action de maintenance à mettre en œuvre.

Population étudiée : matériels d'une section scierie (usinage, manutention, affûtage, aspiration, éclairage, chauffage).

Critère de sélection : coûts de maintenance corrective et préventive.

Période d'étude : année 1995.

Source de relevé : Récapitulatifs des travaux du service maintenance.

Numéro matériel	Coûts décroissants	Coûts cumulés
16	78897	78897
14	72637	151534
17	62351	213885
7	58635	272520
2	53871	326391
31	49324	375715
8	35847	411562
32	18340	429902
1	16548	446450
23	12054	458504
13	11852	470356
5	9458	479814
10	8924	488738
18	8261	496999
20	7431	504430
11	6798	511228

Numéro matériel	Coûts décroissants	Coûts cumulés
9	6537	517765
12	5668	523433
6	4927	528360
29	2547	530907
26	1843	532750
4	1548	534298
27	1289	535587
3	726	536313
15	647	536960
28	536	537496
21	402	537898
24	398	538296
30	374	538670
22	360	539030
19	270	539300
25	180	539480

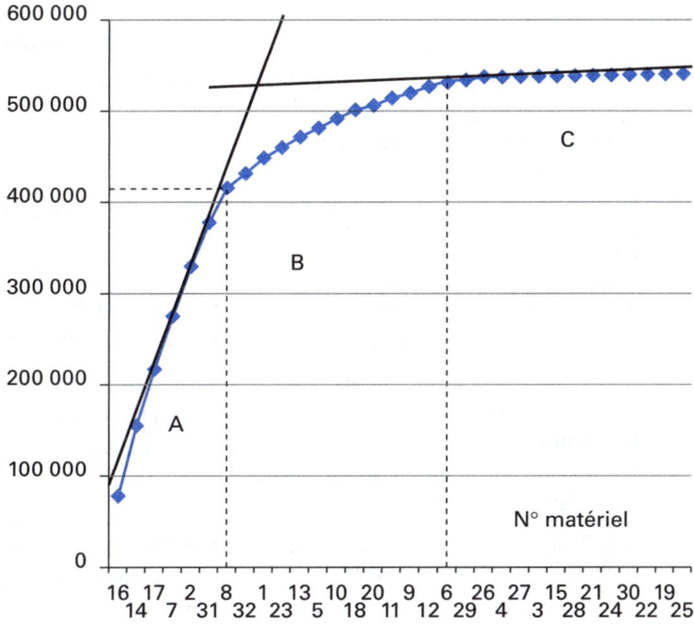

Le diagramme montre l'existence de deux zones quasi linéaires A et C et une zone intermédiaire B :

Zone A : 7 matériels (n° 16, 14, 17, 7, 2, 31, 8), soit 22% du parc, génèrent un coût de maintenance de 411562 F, soit 76% des coûts. Ces matériels sont prioritaires et doivent faire l'objet d'une étude de remise à niveau ou de remplacement.

Zone B : 12 matériels appartiennent à cette zone intermédiaire. Ils doivent faire l'objet d'une étude de remise à niveau ou de surveillance préventive.

Zone C : 13 matériels appartiennent à cette zone, elles ne génèrent que 2% des coûts de maintenance. Ils resteront pour le moment en maintenance corrective.

10.1.2 Données verbales et contexte flou : Diagramme KJ

Dans le cas de situation problématique globale (Cf. 1.2), il s'agit tout d'abord de s'accorder et de formuler le problème, à partir d'un ensemble de points de vue émis par les acteurs de l'action.

Le diagramme KJ (ou diagramme d'affinités) est un outil permettant d'aboutir à une formulation structurée et consensuelle des données du problème.

Phases d'élaboration d'un diagramme KJ :
(D'après H. Mitoneau : Changer le management de la qualité : sept nouveaux outils – AFNOR Gestion).

Phases	Contenu	Recommandations
Préparation	• Constitution du groupe de travail. • Préparation du matériel : tableau, feutres, fiches mobiles (magnétique, autocollante…)	• $5 < n < 10$. • Prévoir large.
Amorçage	• Lancement d'une question initiale Ex : « À quoi peut être dû …. ? » ; « Quelles sont les difficultés à . . ? » • Brève discussion de la question.	• Question globale et sereine. • Exclure les questions de type accusation. • Éviter « la prise de pouvoir ». • Créer une atmosphère de dialogue.
Recueil des idées « brutes »	• Rédaction des fiches réponses par les membres du groupe. Impératifs : Des faits précis et non des jugements, formulation nuancée.	• Une idée par fiche, fiche courte. • Nombre de fiches par membre : $3 < n < 5$.
Élimination des ambiguïtés	• Vérification systématique de la compréhension commune de chaque fiche.	• Respect de chaque fiche. • Compléter ou modifier les fiches ambiguës.
Regroupement de premier niveau	• Rapprocher sur le tableau les fiches ayant des significations voisines. Attention : ne pas se limiter aux « liens logiques ». • Si une fiche est solitaire, la laisser telle quelle.	• Procéder par approches successives. • Inciter les membres à déplacer eux-mêmes les fiches. • Se méfier des rapprochements automatiques fondés sur l'existence de mots identiques.
Élaboration de titres de premier niveau	Phrase résumant l'ensemble des fiches.	• S'efforcer de faire une phrase. • Ne pas perdre ni rajouter d'idées dans le titre. • Ne pas introduire de jugement. • Adapter le niveau d'abstraction. • Rejeter les titres qui sont des propositions de solutions.
Regroupement de deuxième niveau	Même travail que phase précédente réalisé sur les titres de premier niveau.	Ne procéder à ces phases que si le nombre de titres du premier niveau est supérieur à 5.
Élaboration de titres de deuxième niveau		
Identification des relations	Tracer les flèches mettant en évidence les relations entre les regroupements.	Identifier clairement la relation.
Mise en page du diagramme	Reconstruction du tableau pour obtenir une lecture claire.	Soigner la mise en page.
Pondération des éléments du problème	Identification des éléments prépondérants de premier niveau.	• Échelle d'évaluation sur 3 niveaux. • Vote simultané de tous les membres du groupe.
Conclusion	Rédaction d'une phrase synthétisant la représentation commune du problème.	Veiller au consensus.

Structure d'un diagramme KJ

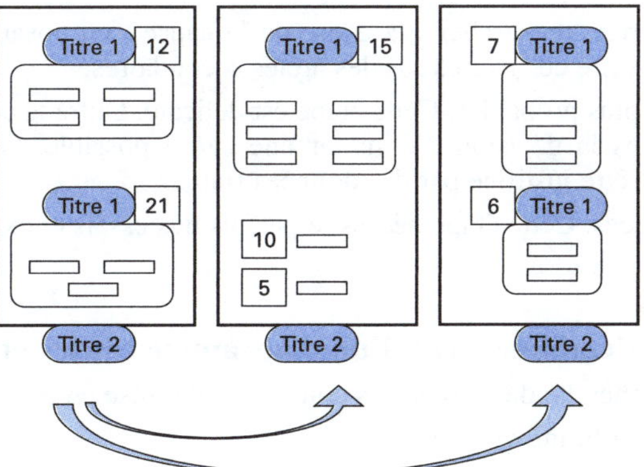

10.2. Recherche de causes

10.2.1 Diagramme Causes-effet ou Diagramme d'Ischikawa

Fonction d'un diagramme causes-effet

- Aider à la recherche de causes d'un effet.
- Permettre l'analyse des liens entre causes.

Principe

Son principe consiste à établir une liste exhaustive des causes sur un graphe en « arêtes de poisson » structuré en familles de causes. L'architecture en arêtes de poisson permet de mettre en évidence les différents niveaux des causes inventoriées.

Son efficacité est liée au caractère systématique et structuré de la recherche des causes possibles.

Procédure d'établissement

- Définir exactement le défaut étudié.

  Le défaut doit être défini avec la plus grande précision possible, pour bien orienter la recherche de causes et éviter de se perdre dans des causes trop générales.
- Définir les principales familles de causes.

  Le choix de la typologie de causes dépend du défaut étudié et de la connaissance du contexte lié au défaut.

  Principales classifications utilisées :
  - 5M : Matériaux, méthodes, matériels, milieu, main d'œuvre.
  - Process : Débit, corroyage, usinage, finition, montage, emballage.
  - Étude produit /process : CDCF, étude de développement, étude d'industrialisation, fabrication, contrôle qualité, gestion des données techniques.
  - Mixte : 5M + process.

Cette première classification peut, dans la plupart des cas, être complétée des sous-familles connues *a priori.*

- Rechercher et affecter les causes possibles dans chaque famille et sous-famille.

La structuration du graphe favorise le caractère systématique de la recherche. Il est parfois nécessaire de constituer des sous-familles de niveau hiérarchique inférieur.

- Pour chaque cause répertoriée, rechercher « la cause de la cause » en posant pour chacune d'elles la question « pourquoi ? ». Inscrire ces causes sur des arêtes secondaires.
- Sélectionner les causes les plus probables. Cette étape est délicate. Outre la compétence technique, elle nécessite de la rigueur dans la décision d'éliminer une cause possible. On peut adopter une règle simple : toute décision doit être justifiée par des données fiables.
- Tester les causes sélectionnées. Cette étape nécessite parfois des essais et expérimentations.
- Faire le bilan.

Conditions nécessaires à l'établissement d'un diagramme causes-effet

L'efficacité de cet outil de recherche dépend de ses conditions de mise en œuvre :

– Problème bien défini et aussi limité que possible ;

– Priorité aux problèmes techniques ;

– Travail de groupe ;

– Compétence technique des membres du groupe ;

– Climat de discussion serein ;

– Ne s'autoriser que des discussions techniques ;

– S'en tenir aux faits.

Efficacité

Si ces conditions sont remplies, cet outil permet de :

– Trouver la cause de problème étudié ;

– Faire le bilan de la maîtrise actuelle du process ;

– Dresser un diagnostic général des dysfonctionnements ;

– Améliorer la formation technique des opérateurs.

Exemple : familles et sous-familles de causes de défauts.

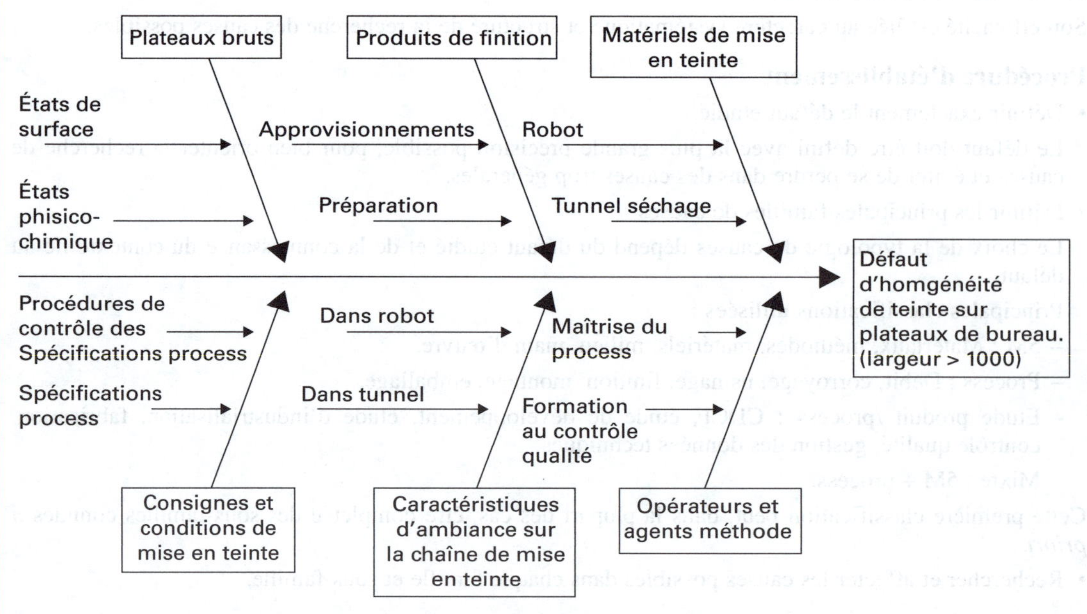

Exemple de développement partiel d'une arête du diagramme :

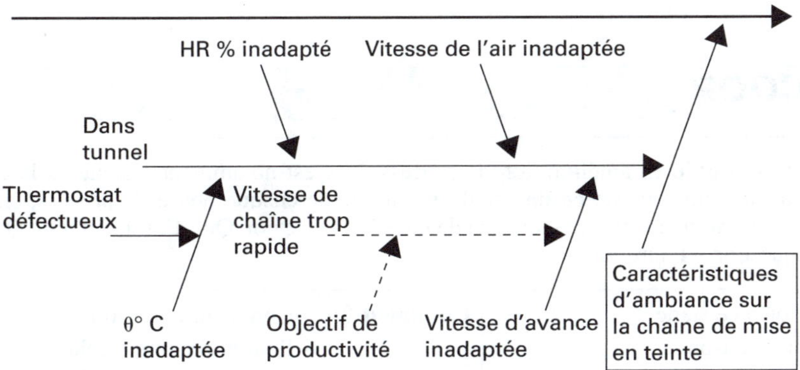

10.2.2 Diagramme des relations.

Si le problème traité est complexe avec de multiples causes liées entre elles, on peut procéder à un travail d'identification et de schématisation des relations entre causes en utilisant un outil du même type que le diagramme KJ : le diagramme de relations.

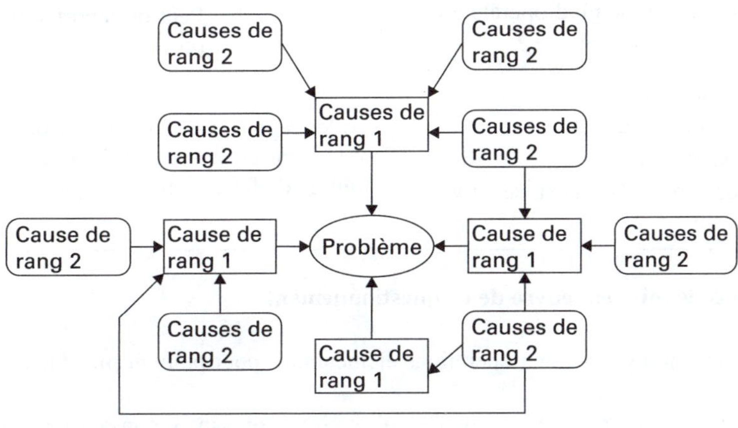

10.3. Recherche de solutions

10.3.1 QQCOQP

Cette technique est très utilisée en amélioration de process. Elle est notamment associée à la conduite d'une étude déroulement. Elle consiste en une analyse critique de chaque phase du process, en posant méthodiquement et systématiquement une séquence de questions : « Quoi, Qui, Comment, Où, Quand ? » en leur associant la question « Pourquoi ? »

Quoi ?	– Que fait-on à ce stade ? – Pourquoi le fait-on ? – Peut-on le supprimer ? – Peut-on le simplifier ? – Peut-on le faire faire ?	**Comment ?**	– Comment le fait-on ? – Pourquoi comme cela ? – Est-ce la seule manière ? – Peut-on simplifier ? – Peut-on modifier ? – Peut-on utiliser un autre moyen de production ?
Qui ?	– Qui exécute ce travail ? – Pourquoi lui ? Eux ? – Peut-on réduire le nb d'opérateurs ? – Peut-on le, les remplacer ?	**Quand ?**	– Pourquoi fait-on cela à ce stade ? – Peut-on modifier ? – Peut-on reporter en fin, en début de process ?
Où ?	– Où le fait-on ? – Pourquoi en ce lieu ? – Peut-on modifier ? – Peut-on rapprocher du stade suivant, précédent ?	Si les réponses ne sont pas évidentes, répondre aux questions en se mettant dans la situation : si on était **obligé** de faire autrement, que pourrait-on faire ?	

Recommandations de mise en œuvre de ce questionnement :

- Décomposer finement les phases en opérations élémentaires pour pouvoir plus facilement les remettre en cause.
- S'efforcer d'apporter une réponse argumentée. Toute question sans réponse argumentée est une piste potentielle d'amélioration. L'habitude n'est pas forcément la meilleure solution.
- Attendre la fin de la phase d'analyse critique pour tenir compte des contraintes propres à l'entreprise.
- S'autoriser des idées innovantes même si elles semblent difficilement réalisables.
- Reprendre le questionnement selon différentes approches :
  - Approche chronologique : suivre l'analyse de déroulement.
  - Approche par catégories d'opérations : usinage, réglage, stockage, manutention, contrôle.
  - Approche en donnant la priorité de recherche sur les opérations les plus coûteuses.

10.3.2 Check-lists

Cette technique consiste à répondre systématiquement à une liste de questions types adaptées au problème traité. Le caractère systématique du questionnement permet de faire émerger des solutions nouvelles.

Exemple : Extrait de check-list de recherche d'amélioration de capabilité opérationnelle.

Matériau usiné
- Le matériau est-il stabilisé ? A combien d'humidité ?
- Sa géométrie est-elle compatible avec un bon Isostatisme ?
- Quelle est la qualité de ses surfaces d'appui ?
- Sa structure est-elle compatible avec la précision demandée ?
- Quelle est sa stabilité dimensionnelle ?
- L'origine des lots est-elle homogène ?
- La qualité des bois est-elle constante ?

Matériel de fabrication
- La machine a-t-elle été révisée récemment ?
- Quelle est la précision de ses butées ?
- Y a-t-il des jeux dans les liaisons outils/porte-outils, porte-outils/arbre, arbre/bâti, guides/bâti ?
- L'outil est-il adapté à l'usinage ?
- L'outil est-il affûté ? Depuis quand ? A quelle précision ?
- Quelle est sa durée de coupe ?
- Les organes de réglages sont-ils correctement étalonnés ?
- Le guidage du mouvement d'avance est-il précis ?
- Peut-on utiliser un autre matériel ?

Matériel de contrôle
- Quelle est la précision du matériel de contrôle ?
- Est-elle adaptée aux tolérances ?
- Le matériel de contrôle est-il correctement étalonné ?

Méthodes
- Les calculs de capabilité sont-ils fiables ?
- A-t-on vérifié la Normalité de la distribution ?
- A quel stade du process s'est effectué le relevé ?
- Le contrôle a-t-il suivi une procédure fiable ?
- Y a-t-il des différences de réglage entre lots ?
- Quelles sont les consignes de réglage ? Y a-t-il des consignes écrites ?
- Quelles sont les conditions d'usinage ? Ont-elles fait l'objet d'une étude préalable ?
- Ces conditions sont-elles adaptées à la précision requise ?

Milieu
- Les conditions hygrothermiques lors de l'usinage sont-elles satisfaisantes ?
- Les conditions hygrothermiques lors des stockages en-cours sont-elles satisfaisantes ?

Main-d'œuvre
- Les opérateurs suivent-ils les consignes ?
- Sont-ils compétents dans les tâches de réglage, usinage, contrôle ?
- La cadence de production est-elle normale ?
- Quel est l'état des relations humaines dans l'atelier ?

ANNEXE

1 VOCABULAIRE GÉNÉRAL DE LA STATISTIQUE (NF X 06-003)

Population	Ensemble des individus pris en considération. *Exemple :* ensemble de pièces usinées, ensemble de résultats de mesures, ensemble de machines, etc.
Échantillon	Un ou plusieurs individus prélevés dans une population et destinés à fournir une information sur la population ; cette information peut éventuellement servir à une décision concernant la population ou le processus qui l'a produite.
Taux d'échantillonnage	Rapport de l'effectif de l'échantillon avec l'effectif de la population dans laquelle il a été prélevé.
Plan d'échantillonnage	Plan selon lequel on prélève un ou plusieurs échantillons en vue d'une information à recueillir.
Échantillonnage au hasard	Prélèvement de n individus dans une population de telle sorte que toutes les combinaisons possibles de n individus aient la même probabilité d'être prélevées.
Échantillonnage exhaustif	Prélèvement de n individus en une seule fois ou de n individus successifs sans remise dans la population des individus prélevés. Si le taux de prélèvement est inférieur à 10%, on peut considérer que les individus sont indépendants.
Échantillonnage systématique	Prélèvement des n individus en prélèvements à intervalles réguliers. Les prélèvements peuvent être de un ou plusieurs individus.
Effectif	Nombre d'individus d'une population ou d'un échantillon. Symboles : N = effectif de la population. n = effectif d'un sous-ensemble de la population (échantillon ou classe).
Individu :	Valeur observée d'un caractère quantitatif ou modalité observée d'un caractère qualitatif. Objet concret ou conventionnel sur lequel un ou plusieurs caractères peuvent être observés.
Caractère	Propriétés servant à distinguer les individus d'une population. Un caractère peut être quantitatif ou qualitatif.
Caractère quantitatif	Caractère pouvant être mesuré, repéré et plus généralement pouvant être exprimable par un nombre. Un caractère quantitatif peut être continu ou discret. Un caractère quantitatif est généralement appelé « variable statistique » et ses valeurs observées sont désignées par la lettre « x ».
Caractère continu	Caractère pouvant prendre toute valeur numérique entre deux bornes. *Exemple :* longueur d'une pièce usinée, température de séchage, puissance consommée d'un moteur, etc.
Caractère discret	Caractère qui ne peut prendre que des valeurs isolées. *Exemple :* le nombre de pièces défectueuses d'un lot, le nombre de pannes d'une machine, etc.
Caractère qualitatif	Caractère dont les différentes modalités ne sont ni mesurables ni repérables. *Exemple :* type de colle utilisée, essence de bois, numéro de code de nomenclature, etc.
Série statistique	Tableau de nombres indiquant la répartition d'un ou plusieurs caractères dans une population ou un échantillon.

Série statistique simple

Série relative à un seul caractère

Distribution à un caractère

Relation entre les modalités ou les valeurs d'un caractère et leurs effectifs ou leurs fréquences.

Cas d'un caractère qualitatif : tableau des effectifs correspondant à chaque modalité du caractère étudié :

Exemple :

Type de défaut	critique	majeur	secondaire	mineur
Effectifs	10	5	20	56

Cas d'un caractère quantitatif (distribution à une variable) :

Caractère discret

- Valeurs non groupées en classe :
  Tableau des effectifs correspondant à chaque valeur observée du caractère étudié :

Exemple :

Nombre de défauts / meuble	0	1	2	...	15
Effectifs	150	25	30	...	2

- Valeurs groupées en classes :
  Tableau des effectifs correspondant à chaque classe :

Exemple :

Nombre de pannes / an	[0 , 5[	[5, 10[	[10 , 15[	[15 , 20[	[20 , 25[
Nombres de machines	6	10	5	2	1

Caractère continu :

Tableau des effectifs correspondant à chaque classe de valeurs :

Exemple :

Longueur	[10,10,1[	[10,1,10,2[	[10,2,10,3[	[10,3,10,4[	[10,4,10,5[	[10,5,10,6[
Effectifs	2	5	8	22	6	6

Classe

Partition de l'intervalle total de variation du caractère étudié en intervalles partiels et jointifs.

Si le nombre de valeurs observées est trop élevé (dans tous les cas de caractère quantitatif continu, et dans certains cas de caractère quantitatif discret), on opère un regroupement de ces valeurs en classes délimitées par deux valeurs de la variable x, les limites de classe, dont la différence s'appelle l'intervalle de classe. Toutes les observations se situant dans une classe sont considérées comme ayant la même valeur observée, le centre de classe : moyenne arithmétique des limites de classes.

Série statistique double

Série statistique relative à deux caractères.

Distribution à deux caractères

Relation entre les modalités ou les valeurs de deux caractères considérés simultanément et les effectifs ou les fréquences correspondants.

Les distributions à deux caractères se présentent de manière générale dans un tableau à double entrée dont les lignes d'une part, et les colonnes d'autre part, correspondent aux modalités, valeurs ou classes de l'un et l'autre caractère. A l'intersection d'une ligne et d'une colonne figure l'effectif ou la fréquence correspondant à la combinaison de modalités, valeurs ou classes.

Distribution à deux caractères (suite)

Tableau de contingence associant les effectifs à chaque couple de modalités de deux caractères qualitatifs.

Exemple : Distribution des défauts dans une gamme de portes extérieures selon le modèle et le composant endommagé :

	modèle « Louisiane »	Modèle « Berry »	Modèle « Brocéliande »
Panneaux	5	7	3
Vitrage	8	2	4
Accessoires	1	9	5

Tableau des effectifs associant les effectifs à chaque couple de classes de deux caractères quantitatifs.

Exemple : Distribution des opérations de montage selon le temps de montage en minutes et le nombre de composants à assembler :

Temps de montage :	[1 , 3[	[3 , 5[	[5 , 7[	[7 , 9[	Total
Composants : [2 , 4[	7	1	0	1	9
Composants : [4 , 6[	15	3	1	4	23
Composants : [6 , 8[	10	10	7	2	29
Total	32	14	8	7	61

Distribution marginale ou totale

Dans une série double, distribution d'une des deux variables indépendamment de l'autre.

Exemple : Distribution des opérations de montage selon le nombre de composants :

	Total des effectifs
Composants : [2 , 4[	9
Composants : [4 , 6[	23
Composants : [6 , 8[	29
Total	6

Distribution conditionnelle ou liée

Dans une série double, distribution d'une des deux variables pour une modalité, valeur ou classe de l'autre variable.

Exemple : Distribution des opérations de montage selon le temps de montage pour les produits ayant 4 ou 5 composants :

	[1 , 3[	[3 , 5[	[5 , 7[	[7 ,9[	Total
Composants : [4 , 6[	15	3	1	4	23

Tableau de corrélation

Une série double relative à deux caractères quantitatifs peut également se présenter sous la forme d'un tableau associant à chaque individu le couple des valeurs prises par chacune de ces variables sur cet individu.

N° éprouvette panneau	1	2	3	4	5	6	7	8	9	1
DE avant mise en teinte	0,62	0,75	0,51	0,5	1,01	0,26	1,41	0,86	0,24	0,63
DE après mise en teinte	0,29	0,41	0,58	0,5	0,98	0,07	0,81	0,79	0,44	0,47

Statistique descriptive

Méthodes permettant de rassembler, organiser, représenter, caractériser et analyser les données

Statistique inférentielle ou inductive

Méthodes permettant d'induire les caractéristiques d'une population à partir de celles d'un échantillon.

ANNEXE

2 TABLE DE NOMBRES ALÉATOIRES

1	2	3	4	5	6	7	8	9	10
02404	42408	67981	43684	55467	47030	42545	43920	11199	36521
59253	71535	26149	35629	87127	45581	00185	01041	46662	98897
20471	13914	99330	37938	69649	57964	97149	41628	78664	80727
65946	60766	74084	22484	49514	89820	41310	19722	07045	28808
49952	29123	45950	67578	13524	03023	18046	75287	74989	58152
17328	70732	46319	26950	19037	02831	36558	82712	05590	64941
19420	70215	90476	76400	51553	12158	14668	15656	37895	94559
19121	41190	49145	05373	00755	17817	22757	76116	76977	94570
99403	96757	34512	06475	89028	00290	93766	70812	98331	09611
78578	51589	83195	56332	75076	58202	58038	38817	63835	13486
89830	60177	94550	10119	09083	33398	29974	67721	75037	70444
89502	83947	99940	60969	79452	91472	12611	41681	95285	44153
47886	49549	64465	14508	28215	47766	03076	25940	47239	93425
21325	89726	96964	66106	68517	67954	16570	72433	91514	79333
59927	79213	96072	64540	59002	26619	02930	83677	26442	97346
44232	30754	59691	34893	92531	70313	24969	14458	91409	79369
58597	14598	23589	50700	96194	15831	08968	45321	04207	34438
99185	70628	95475	94156	39588	57825	36521	85188	64339	27460
20986	57081	53928	47768	18313	82950	12335	32298	08662	54552
75371	04678	96443	72965	68012	52485	55139	73430	74306	85960
13240	79748	67309	46843	19734	45248	20434	77530	06735	53622
05412	00586	33144	36553	57446	66156	31637	15924	71923	73089
54401	85120	18976	42639	67159	86473	79129	02003	08708	65578
61746	35493	36645	23427	12223	67361	19073	39770	13548	64994
50483	68401	34226	66607	36112	14443	78651	09970	86482	86338
55872	75721	68194	70065	62636	76536	61122	18934	57260	69447
36400	13236	25341	74477	31365	84502	34022	78158	44113	20549
03454	13967	95650	82123	91422	69308	19610	20522	10510	78179
68329	47970	00605	23532	03540	51239	37749	60779	53907	46907
52572	88006	94321	55784	59721	63064	98730	84514	17055	73888
91241	13322	35342	85566	90832	53907	34692	72878	24089	50360
01993	48316	20995	90202	65406	96207	11940	55429	31512	35399
26428	32887	17086	31548	24240	43789	49953	01486	73662	83201
68335	94334	26895	89630	75309	07033	95049	20406	53360	50756
73548	57010	04191	94160	94533	11264	05042	07881	32239	16572
57913	03318	98663	25295	47813	46003	85625	98613	15959	04108

Exemple d'utilisation :

Soit un échantillon de 30 pièces à prélever dans un lot de 250 pièces.

- Choisir au hasard un point de départ dans la table
  exemple : 00185 à l'intersection de la 2e ligne et 7e colonne.
- Choisir un ordre de lecture systématique.
  exemple : Les suites de 3 chiffres de haut en bas.
- Retenir les 30 premières suites de 3 chiffres formant un nombre inférieur à 251.
  exemple : 1, 180, 146, 227, 126, 30, 165, 29, 249, 89, 123, 204, etc.
- Trier dans l'ordre croissant les numéros d'ordre ainsi obtenus.
- Prélever dans le lot, les 30 pièces correspondant aux numéros retenus.
- Ne pas « arranger » une liste de numéros qui ne correspondrait pas à notre vision du hasard.

ANNEXE 3
PROBABILITÉS DE LA LOI BINOMIALE

Pour N = 5

Nombre de défectueux	**Probabilités individuelles : $Pr(k) = C_n^k\, p^k (1 - p)^{n-k}$**									
k	*p* = 1 %	*p* = 2 %	*p* = 3 %	*p* = 4%	*p* = 5 %	*p* = 6 %	*p* = 7 %	*p* = 8 %	*p* = 9 %	*p* = 10 %
0	0,9510	0,9039	0,8587	0,8153	0,7738	0,7339	0,6957	0,6591	0,6240	0,5905
1	0,0480	0,0922	0,1328	0,1699	0,2036	0,2342	0,2618	0,2865	0,3086	0,3280
2	0,0010	0,0038	0,0082	0,0142	0,0214	0,0299	0,0394	0,0498	0,0610	0,0729
3			0,0003	0,0006	0,0011	0,0019	0,0030	0,0043	0,0060	0,0081
4							0,0001	0,0002	0,0003	0,0005

Nombre de défectueux	**Probabilités cumulées : $Pr(o - c) = \sum_{k=0}^{k=c} C_n^k\, p^k (1 - p)^{n-k}$**									
k	*p* = 1 %	*p* = 2 %	*p* = 3 %	*p* = 4%	*p* = 5 %	*p* = 6 %	*p* = 7 %	*p* = 8 %	*p* = 9 %	*p* = 10 %
0	0,9510	0,9039	0,8587	0,8153	0,7738	0,7339	0,6957	0,6591	0,6240	0,5905
1	0,9990	0,9962	0,9915	0,9852	0,9774	0,9681	0,9575	0,9466	0,9326	0,9185
2	1	1	0,9997	0,9994	0,9988	0,9980	0,9969	0,9955	0,9937	0,9914
3			1	1	1	1	0,9999	0,9998	0,9997	0,9995
4							1	1	1	1

Pour N = 10

Nombre de défectueux	**Probabilités individuelles : $Pr(k) = C_n^k\, p^k (1 - p)^{n-k}$**									
k	*p* = 1 %	*p* = 2 %	*p* = 3 %	*p* = 4%	*p* = 5 %	*p* = 6 %	*p* = 7 %	*p* = 8 %	*p* = 9 %	*p* = 10 %
0	0,9044	0,8171	0,7374	0,6648	0,5987	0,5386	0,4840	0,4344	0,3894	0,3487
1	0,0914	0,1667	0,2281	0,2770	0,3151	0,3438	0,3643	0,3777	0,3851	0,3874
2	0,0042	0,0153	0,0317	0,0519	0,0746	0,0988	0,1234	0,1478	0,1714	0,1937
3	0,0001	0,0008	0,0026	0,0058	0,0105	0,0168	0,0248	0,0343	0,0452	0,0574
4			0,0001	0,0004	0,0010	0,0019	0,0033	0,0052	0,0078	0,0112
5					0,0001	0,0001	0,0003	0,0005	0,0009	0,0015
6									0,0001	0,0001

Nombre de défectueux	**Probabilités cumulées : $Pr(o - c) = \sum_{k=0}^{k=c} C_n^k\, p^k (1 - p)^{n-k}$**									
k	*p* = 1 %	*p* = 2 %	*p* = 3 %	*p* = 4%	*p* = 5 %	*p* = 6 %	*p* = 7 %	*p* = 8 %	*p* = 9 %	*p* = 10 %
0	0,9044	0,8171	0,7374	0,6648	0,5987	0,5386	0,4840	0,4344	0,3894	0,3487
1	0,9957	0,9838	0,9655	0,9418	0,9139	0,8824	0,8483	0,8121	0,7746	0,7361
2	0,9999	0,9991	0,9972	0,9938	0,9885	0,9812	0,9717	0,9599	0,9460	0,9298
3	1	1	0,9999	0,9996	0,9990	0,9980	0,9964	0,9942	0,9912	0,9872
4			1	1	0,9999	0,9998	0,9997	0,9994	0,9990	0,9984
5					1	1	1	1	0,9999	0,9999
6									1	1

Pour N = 15

Nombre de défectueux	Probabilités individuelles : $Pr(k) = C_n^k\ p^k\,(1-p)^{n-k}$									
k	*p* = 1 %	*p* = 2 %	*p* = 3 %	*p* = 4%	*p* = 5 %	*p* = 6 %	*p* = 7 %	*p* = 8 %	*p* = 9 %	*p* = 10 %
0	0,8601	0,7386	0,6333	0,5421	0,4633	0,3953	0,3367	0,2863	0,2430	0,2059
1	0,1303	0,2261	0,2938	0,3388	0,3658	0,3785	0,3801	0,3734	0,3605	0,3432
2	0,0092	0,0323	0,0636	0,0988	0,1348	0,1691	0,2003	0,2273	0,2496	0,2669
3	0,0004	0,0029	0,0085	0,0178	0,0307	0,0468	0,0653	0,0857	0,1070	0,1285
4		0,0002	0,0008	0,0022	0,0049	0,0090	0,0148	0,0223	0,0317	0,0428
5			0,0001	0,0002	0,0006	0,0013	0,0024	0,0043	0,0069	0,0105
6						0,0001	0,0003	0,0006	0,0011	0,0019
7								0,0001	0,0001	0,0003

Nombre de défectueux	Probabilités cumulées : $Pr(o - c) = \sum_{k=0}^{k=c} C_n^k\ p^k\,(1-p)^{n-k}$									
k	*p* = 1 %	*p* = 2 %	*p* = 3 %	*p* = 4%	*p* = 5 %	*p* = 6 %	*p* = 7 %	*p* = 8 %	*p* = 9 %	*p* = 10 %
0	0,8601	0,7386	0,6333	0,5421	0,4633	0,3953	0,3367	0,2863	0,2430	0,2059
1	0,9904	0,9647	0,9270	0,8809	0,8290	0,7738	0,7168	0,6597	0,6035	0,5490
2	0,9996	0,9970	0,9906	0,9797	0,9638	0,9429	0,9171	0,8870	0,8531	0,8159
3	1	0,9998	0,9992	0,9976	0,9945	0,9896	0,9825	0,9727	0,9601	0,9445
4		1	0,9999	0,9998	0,9994	0,9986	0,9972	0,9950	0,9918	0,9873
5			1	1	1	0,9999	0,9997	0,9993	0,9987	0,9978
6						1	1	0,9999	0,9999	0,9997
7								1	1	1

Pour N = 20

Nombre de défectueux	Probabilités individuelles : $Pr(k) = C_n^k\ p^k\,(1-p)^{n-k}$									
k	*p* = 1 %	*p* = 2 %	*p* = 3 %	*p* = 4%	*p* = 5 %	*p* = 6 %	*p* = 7 %	*p* = 8 %	*p* = 9 %	*p* = 10 %
0	0,8179	0,6676	0,5438	0,4420	0,3585	0,2901	0,2342	0,1887	0,1516	0,1216
1	0,1652	0,2725	0,3364	0,3683	0,37-74	0,3703	0,3526	0,3282	0,3000	0,2702
2	0,0159	0,0528	0,0988	0,1458	0,1887	0,2246	0,2521	0,2711	0,2818	0,2852
3	0,0010	0,0065	0,0183	0,0364	0,0596	0,0860	0,1139	0,1414	0,1672	0,1901
4		0,0006	0,0024	0,0065	0,0133	0,0233	0,0364	0,0523	0,0703	0,0898
5			0,0002	0,0009	0,0022	0,0048	0,0088	0,0145	0,0222	0,0319
6				0,0001	0,0003	0,0008	0,0017	0,0032	0,0055	0,0089
7						0,0001	0,0002	0,0005	0,0011	0,0020
8								0,0001	0,0002	0,0004
9										0,0001

Nombre de défectueux	Probabilités cumulées : $Pr(o - c) = \sum_{k=0}^{k=c} C_n^k\ p^k\,(1-p)^{n-k}$									
k	*p* = 1 %	*p* = 2 %	*p* = 3 %	*p* = 4%	*p* = 5 %	*p* = 6 %	*p* = 7 %	*p* = 8 %	*p* = 9 %	*p* = 10 %
0	0,8179	0,6676	0,5438	0,4420	0,3585	0,2901	0,2342	0,1887	0,1516	0,1216
1	0,9831	0,9401	0,8802	0,8103	0,7358	0,6605	0,5869	0,5169	0,4516	0,3917
2	0,9990	0,9929	0,9790	0,9561	0,9245	0,8850	0,8390	0,7879	0,7334	0,6769
3	1	0,9994	0,9973	0,9926	0,9841	0,9710	0,9529	0,9294	0,9007	0,8670
4		1	0,9997	0,9990	0,9974	0,9944	0,9893	0,9817	0,9710	0,9568
5			1	0,9999	0,9997	0,9991	0,9981	0,9962	0,9932	0,9887
6				1	1	0,9999	0,9997	0,9994	0,9987	0,9976
7						1	1	0,9999	0,9998	0,9996
8								1	1	0,9999
9										1

Pour N = 30

Nombre de défectueux	Probabilités individuelles : $Pr(k) = C_n^k \, p^k (1 - p)^{n-k}$									
k	*p* = 1 %	*p* = 2 %	*p* = 3 %	*p* = 4%	*p* = 5 %	*p* = 6 %	*p* = 7 %	*p* = 8 %	*p* = 9 %	*p* = 10 %
0	0,7397	0,5455	0,4010	0,2939	0,2146	0,1563	0,1134	0,0820	0,0591	0,0424
1	0,2242	0,3340	0,3721	0,3673	0,3389	0,2992	0,2560	0,2138	0,1752	0,1413
2	0,0328	0,0988	0,1669	0,2219	0,2586	0,2769	0,2794	0,2696	0,2513	0,2277
3	0,0031	0,0188	0,0482	0,0863	0,1270	0,1650	0,1963	0,2188	0,2319	0,2361
4	0,0002	0,0026	0,0101	0,0243	0,0451	0,0711	0,0997	0,1284	0,1548	0,1771
5		0,0003	0,0016	0,0053	0,0124	0,0236	0,0390	0,0581	0,0796	0,1023
6			0,0002	0,0009	0,0027	0,0063	0,0122	0,0210	0,0328	0,0474
7				0,0001	0,0005	0,0014	0,0032	0,0063	0,0111	0,0180
8					0,0001	0,0003	0,0007	0,0016	0,0032	0,0058
9							0,0001	0,0003	0,0008	0,0016
10								0,0001	0,0002	0,0004
11										0,0001

Nombre de défectueux	Probabilités cumulées : $Pr(o - c) = \sum_{k=0}^{k=c} C_n^k \, p^k (1 - p)^{n-k}$									
k	*p* = 1 %	*p* = 2 %	*p* = 3 %	*p* = 4%	*p* = 5 %	*p* = 6 %	*p* = 7 %	*p* = 8 %	*p* = 9 %	*p* = 10 %
0	0,7397	0,5455	0,4010	0,2939	0,2146	0,1563	0,1134	0,0820	0,0591	0,0424
1	0,9639	0,8794	0,7731	0,6612	0,5535	0,4555	0,3694	0,2958	0,2343	0,1837
2	0,9967	0,9783	0,9399	0,8831	0,8122	0,7324	0,6488	0,5654	0,4855	0,4114
3	0,9998	0,9971	0,9881	0,9694	0,9392	0,8974	0,8450	0,7842	0,7175	0,6474
4	0,9999	0,9996	0,9982	0,9937	0,9844	0,9685	0,9447	0,9126	0,8723	0,8245
5	1	1	0,9997	0,9989	0,9967	0,9921	0,9838	0,9707	0,9519	0,9268
6			1	0,9999	0,9994	0,9983	0,9960	0,9918	0,9848	0,9742
7				1	0,9999	0,9997	0,9992	0,9980	0,9959	0,9922
8					1	0,9999	0,9999	0,9996	0,9910	0,9980
9						1	1	0,9999	0,9998	0,9995
10								1	1	0,9999
11										1

Note : Ces valeurs sont fournies par Excel par la fonction « LOI.BINOMIALE ».

ANNEXE 4 — PROBABILITÉS DE LA LOI DE POISSON

Nombre de défectueux	**Probabilités individuelles : $Pr(k) = e^{-m} \frac{m^k}{k!}$**								
k	*m* = 0,1	*m* = 0,2	*m* = 0,3	*m* = 0,4	*m* = 0,5	*m* = 0,6	*m* = 0,7	*m* = 0,8	*m* = 0,9
0	0,9048	0,8187	0,7408	0,6703	0,6065	0,5488	0,4966	0,4493	0,4066
1	0,0905	0,1637	0,2222	0,2681	0,3033	0,3293	0,3476	0,3595	0,3659
2	0,0045	0,0164	0,0333	0,0536	0,0758	0,0988	0,1217	0,1438	0,1647
3	0,0002	0,0011	0,0033	0,0072	0,0126	0,0198	0,0284	0,0383	0,0494
4		0,0001	0,0003	0,0007	0,0016	0,0030	0,0050	0,0077	0,0111
5				0,0001	0,0002	0,0004	0,0007	0,0012	0,0020
6							0,0001	0,0002	0,0003

Nombre de défectueux	**Probabilités cumulées : $Pr(o - c) = \sum_{k=0}^{k=c} e^{-m} \frac{m^k}{k!}$**								
k	*m* = 0,1	*m* = 0,2	*m* = 0,3	*m* = 0,4	*m* = 0,5	*m* = 0,6	*m* = 0,7	*m* = 0,8	*m* = 0,9
0	0,9048	0,8187	0,7408	0,6703	0,6065	0,5488	0,4966	0,4493	0,406 6
1	0,9953	0,9825	0,9631	0,9384	0,9098	0,8781	0,8442	0,8088	0,7725
2	0,9998	0,9988	0,9964	0,9920	0,9856	0,9769	0,9659	0,9526	0,937 2
3	1	0,9999	0,9997	0,9992	0,9982	0,9966	0,9942	0,9909	0,9866
4		1	1	0,9999	0,9998	0,9996	0,9992	0,9986	0,9977
5				1	1	1	0,9999	0,9998	0,9997
6							1	1	1

Nombre de défectueux	**Probabilités individuelles : $Pr(k) = e^{-m} \frac{m^k}{k!}$**								
k	*m* = 1,0	*m* = 1,5	*m* = 2,0	*m* = 2,5	*m* = 3,0	*m* = 3,5	*m* = 4,0	*m* = 4,5	*m* = 5,0
0	0,3679	0,2231	0, 1353	0,0821	0,0498	0,0302	0,0183	0,0111	0,0067
1	0,3679	0,3347	0,2707	0,2052	0,1494	0, 1057	0,0733	0,0500	0,0337
2	0,1839	0,2510	0,2707	0,2565	0,2240	0,1850	0,1465	0,1125	0,0842
3	0,0613	0,1255	0,1804	0,2138	0,2240	0,2158	0,1954	0,1687	0,1404
4	0,0153	0,0471	0,0902	0,1336	0,1680	0,1888	0,1954	0,1898	0,1755
5	0,0031	0,0141	0,0361	0,0668	0,1008	0,1322	0,1563	0,1708	0,1755
6	0,0005	0,0035	0,0120	0,0278	0,0504	0,0771	0,1042	0,1281	0,1462
7	0,0001	0,0008	0,0034	0,0099	0,0216	0,0385	0,0595	0,0824	0,1044
8		0,0001	0,0009	0,0031	0,0081	0,0169	0,0298	0,0463	0,0653
9			0,0002	0,0009	0,0027	0,0066	0,0132	0,0232	0,0363
10				0,0002	0,0008	0,0023	0,0053	0,0104	0,0181
11					0,0002	0,0007	0,0019	0,0043	0,0082
12					0,0001	0,0002	0,0006	0,0016	0,0034
13						0,0001	0,0002	0,0006	0,0013
14							0,0001	0,0002	0,0005
15								0,0001	0,0002
16									0,0001

Nombre de défectueux	Probabilités cumulées : $Pr(o - c) = \sum_{k=0}^{k=c} e^{-m} \frac{m^k}{k!}$								
k	*m* = 1,0	*m* = 1,5	*m* = 2,0	*m* = 2,5	*m* = 3,0	*m* = 3,5	*m* = 4,0	*m* = 4,5	*m* = 5,0
0	0,3679	0,2231	0,1353	0,0821	0,0498	0,0302	0,0183	0,0111	0,006 7
1	0,7358	0,5578	0,4060	0,2873	0,1991	0,1359	0,0916	0,0611	0,040 4
2	0,9197	0,8088	0,6767	0,5438	0,4232	0,3208	0,2381	0,1736	0,124 7
3	0,9810	0,9344	0,8571	0,7576	0,6472	0,5366	0,4335	0,3423	0,264 0
4	0,9963	0,9814	0,9473	0,8912	0,8153	0,7254	0,6288	0,5321	0,440 5
5	0,9994	0,9955	0,9834	0,9579	0,9161	0,8576	0,7851	0,7029	0,616 0
6	0,9999	0,9991	0,9955	0,9858	0,9665	0,9347	0,8893	0,8311	0,762 2
7	1	0,9998	0,9989	0,9958	0,9881	0,9733	0,9489	0,9134	0,8666
8		1	0,9998	0,9989	0,9962	0,9901	0,9786	0,9597	0,9319
9			1	0,9997	0,9989	0,9967	0,9919	0,9829	0,9682
10				0,9999	0,9997	0,9990	0,9972	0,9933	0,9863
11				1	0,9999	0,9997	0,9991	0,9976	0,9945
12					1	0,9999	0,9997	0,9992	0,9980
13						1	0,9999	0,9997	0,9993
14							1	0,9999	0,9998
15								1	0,9999
16									1

Nombre de défectueux	Probabilités individuelles : $Pr(k) = e^{-m} \frac{m^k}{k!}$								
k	*m* = 5,5	*m* = 6,0	*m* = 6,5	*m* = 7,0	*m* = 7,5	*m* = 8,0	*m* = 8,5	*m* = 9,0	*m* = 9,5
0	0,0041	0,0025	0,0015	0,0009	0,0006	0,0003	0,0002	0,0001	0,0001
1	0,0225	0,0149	0,0098	0,0064	0,0041	0,0027	0,0017	0,0011	0,0007
2	0,0618	0,0446	0,0318	0,0223	0,0156	0,0107	0,0074	0,0050	0,0034
3	0, 1133	0,0892	0,0688	0,0521	0,0389	0,0286	0,0208	0,0150	0,0107
4	0, 1558	0, 1339	0, 1118	0,0912	0,0729	0,0573	0,0443	0,0337	0,0254
5	0,1714	0,1606	0,1454	0,1277	0,1094	0,0916	0,0752	0,0607	0,0483
6	0,1571	0,1606	0,1575	0,1490	0,1367	0,1221	0,1066	0,0911	0,0764
7	0,1234	0,1377	0,1462	0,1490	0,1465	0,1396	0,1294	0,1171	0,1037
8	0,0849	0,1033	0,1188	0,1304	0,1373	0,1396	0,1375	0,1318	0,1232
9	0,0519	0,0688	0,0858	0,1014	0,1144	0,1241	0,1299	0,1318	0,1300
10	0,0285	0,0413	0,0558	0,0710	0,0858	0,0993	0,1104	0,1186	0,1235
11	0,0143	0,0225	0,0330	0,0452	0,0585	0,0722	0,0853	0,0970	0,1067
12	0,0065	0,0113	0,0179	0,0264	0,0366	0,0481	0,0604	0,0728	0,0844
13	0,0028	0,0052	0,0089	0,0142	0,0211	0,0296	0,0395	0,0504	0,0617
14	0,0011	0,0022	0,0041	0,0071	0,0113	0,0169	0,0240	0,0324	0,0419
15	0,0004	0,0009	0,0018	0,0033	0,0057	0,0090	0,0136	0,01944	0,026 5
16	0,0001	0,0003	0,0007	0,0014	0,0026	0,0045	0,0072	0,0109	0,0157
17		0,0001	0,0003	0,0006	0,0012	0,0021	0,0036	0,0058	0,0088
18			0,0001	0,0002	0,0005	0,0009	0,0017	0,0029	0,0046
19				0,0001	0,0002	0,0004	0,0008	0,0014	0,0023
20					0,0001	0,0002	0,0003	0,0006	0,0011
21						0,0001	0,0001	0,0003	0,0005
22							0,0001	0,0001	0,0002
23									0,0001
24									

Nombre de défectueux	Probabilités cumulées : $Pr(o - c) = \sum_{k=0}^{k=c} e^{-m} \frac{m^k}{k!}$								
k	*m* = 5,5	*m* = 6,0	*m* = 6,5	*m* = 7,0	*m* = 7,5	*m* = 8,0	*m* = 8,5	*m* = 9,0	*m* = 9,5
0	0,0041	0,0025	0,0015	0,0009	0,0006	0,0003	0,0002	0,0001	0,000 1
1	0,0266	0,0174	0,0113	0,0073	0,0047	0,0030	0,0019	0,0012	0,0008
2	0,0884	0,0620	0,0430	0,0296	0,0203	0,0138	0,0093	0,0062	0,004 2
3	0,2017	0,1512	0,1118	0,0818	0,0591	0,0424	0,0301	0,0212	0,014 9
4	0,3575	0,2851	0,2237	0,1730	0,1321	0,0996	0,0746	0,0550	0,040 3
5	0,5289	0,4457	0,3690	0,3007	0,2414	0,1912	0,1496	0,1157	0,088 5
6	0,6860	0,6063	0,5265	0,4497	0,3782	0,3134	0,2562	0,2068	0,164 9
7	0,8095	0,7440	0,6728	0,5987	0,5246	0,4530	0,3856	0,3239	0,268 7
8	0,9044	0,8472	0,7916	0,7291	0,6620	0,5925	0,5231	0,4557	0,391 8
9	0,9462	0,9161	0,8774	0,8305	0,7764	0,7166	0,6530	0,5874	0,521 8
10	0,9747	0,9574	0,9332	0,9015	0,8622	0,8159	0,7634	0,7060	0,64 53
il	0,9890	0,9799	0,9661	0,9466	0,9208	0,8881	0,8487	0,8030	0,75 20
12	0,9955	0,9912	0,9840	0,9730	0,9573	0,9362	0,9091	0,8758	0,83 64
13	0,9983	0,9964	0,9929	0,9872	0,9784	0,9658	0,9486	0,9261	0,89 81
14	0,9994	0,9986	0,9970	0,9943	0,9897	0,9827	0,9726	0,9585	0,94 00
15	0,9998	0,9995	0,9988	0,9976	0,9954	0,9918	0,9862	0,9780	0,96 65
16	0,9999	0,9998	0,9996	0,9990	0,9980	0,9963	0,9934	0,9889	0,98 23
17	1	1	0,9998	0,9996	0,9992	0,9984	0,9970	0,9947	0,9911
18			1	0,9999	0,9997	0,9993	9,9987	0,9976	0,9957
19				1	0,9999	0,9997	0,9995	0,9989	0,9980
20					1	0,9999	0,9998	0,9996	0,9991
21						1	0,9999	0,9998	0,9996
22							1	0,9999	0,9998
23								1	0,9999
24									1

Nombre de défectueux	Probabilités individuelles : $Pr(k) = e^{-m} \frac{m^k}{k!}$								
k	*m* = 10	*m* = 11	*m* = 12	*m* = 13	*m* = 14	*m* = 15	*m* = 16	*m* = 17	*m* = 18
0									
1	0,0005	0,0002	0,0001						
2	0,0023	0,0010	0,0004	0,0002	0,0001				
3	0,0076	0,0037	0,0018	0,0008	0,0004	0,0002	0,0001		
4	0,0189	0,0102	0,0053	0,0027	0,0013	0,0007	0,0003	0,0002	0,000 1
5	0,0378	0,0224	0,0127	0,0070	0,0037	0,0019	0,0010	0,0005	0,000 2
6	0,0631	0,0411	0,0255	0,0152	0,0087	0,0048	0,0026	0,0014	0,000 7
7	0,0901	0,0646	0,0437	0,0281	0,0174	0,0104	0,0060	0,0034	0,001 9
8	0,1126	0,0888	0,0655	0,0457	0,0304	0,0194	0,0120	0,0072	0,004 2
9	0,1251	0,1085	0,0874	0,0661	0,0473	0,0324	0,0213	0,0135	0,008 3
10	0,1251	0,1194	0,1048	0,0859	0,0663	0,0486	0,0341	0,0230	0,01 50
il	0,1137	0,1194	0,1144	0,1015	0,0844	0,0663	0,0496	0,0356	0,02 45
12	0,0948	0,1094	0,1144	0,1099	0,0984	0,0829	0,0661	0,0504	0,03 68
13	0,0729	0,0926	0,1056	0,1099	0,1060	0,0956	0,0814	0,0658	0,05 09
14	0,0521	0,0728	0,0905	0,1021	0,1060	0,1024	0,0930	0,0700	0,06 55
15	0,0347	0,0534	0,0724	0,0885	0,0989	0,1024	0,0992	0,0906	0,07 86
16	0,0217	0,0367	0,0543	0,0719	0,0866	0,0960	0,0992	0,0963	0,08 84
17	0,0128	0,0237	0,0383	0,0550	0,0713	0,0847	0,0934	0,0963	0,09 36
18	0,0071	0,0145	0,0255	0,0397	0,0554	0,0706	0,0830	0,0909	0,09 36
19	0,0037	0,0084	0,0161	0,0272	0,0409	0,0558	0,0699	0,0814	0,08 87
20	0,0019	0,0046	0,0097	0,0177	0,0286	0,0418	0,0559	0,0692	0,07 98
21	0,0009	0,0024	0,0055	0,0109	0,0191	0,0299	0,0426	0,0560	0,06 84

.../...

22	0,0004	0,0012	0,0030	0,0065	0,0121	0,0204	0,0310	0,0433	0,05 60
23	0,0002	0,0006	0,0016	0,0037	0,0074	0,0133	0,0216	0,0320	0,04 38
24	0,0001	0,0003	0,0008	0,0020	0,0043	0,0083	0,0144	0,0227	0,03 29
25		0,0001	0,0004	0,0010	0,0024	0,0050	0,0092	0,0154	0,0237
26			0,0002	0,0005	0,0013	0,0029	0,0057	0,0101	0,0164
27			0,0001	0,0002	0,0007	0,0016	0,0034	0,0063	0,0109
28				0,0001	0,0003	0,0009	0,0019	0,0039	0,0070
29					0,0002	0,0004	0,0010	0,0023	0,0044
30					0,0001	0,0002	0,0006	0,0013	0,0026
31						0,0001	0,0003	0,0007	0,0015
32						0,0001	0,0001	0,0004	0,0009
33							0,0001	0,0002	0,0005
34								0,0001	0,0002
35									0,0001
36									0,0001

Nombre de défectueux	**Probabilités cumulées : $Pr(o - c) = \sum_{k=0}^{k=c} e^{-m} \frac{m^k}{k!}$**								
k	*m* = 10	*m* = 11	*m* = 12	*m* = 13	*m* = 14	*m* = 15	*m* = 16	*m* = 17	*m* = 18
0									
1	0,0005	0,0002	0,0001						
2	0,0028	0,0012	0,0005	0,0002	0,0001				
3	0,0104	0,0049	0,0023	0,0010	0,0005	0,0002	0,0001		
4	0,0293	0,0161	0,0076	0,0037	0,0018	0,0009	0,0004	0,0002	0,0001
5	0,0671	0,0375	0,0203	0,0107	0,0055	0,0028	0,0014	0,0007	0,0003
6	0,1302	0,0786	0,0458	0,0259	0,0142	0,0076	0,0040	0,0021	0,0010
7	0,2203	0,1432	0,0895	0,0540	0,0316	0,0180	0,0100	0,0054	0,0029
8	0,3329	0,2320	0,1550	0,0997	0,0620	0,0374	0,0220	0,0126	0,0071
9	0,4580	0,3405	0,2424	0,1658	0,1093	0,0698	0,0433	0,0261	0,0154
10	0,5831	0,4599	0,3472	0,2517	0,1756	0,1184	0,0774	0,0491	0,030 4
il	0,6968	0,5793	0,4616	0,3532	0,2600	0,1847	0,1270	0,0847	0,054 9
12	0,7916	0,6887	0,5760	0,4631	0,3584	0,2676	0,1931	0,1350	0,091 7
13	0,8645	0,7813	0,6816	0,5730	0,4644	0,3622	0,2745	0,2009	0,142 6
14	0,9166	0,8541	0,7721	0,6751	0,5704	0,4656	0,3675	0,2808	0,208 1
15	0,9513	0,9075	0,8445	0,7636	0,6693	0,5680	0,4667	0,3714	0,286 7
16	0,9730	0,9442	0,8988	0,8355	0,7559	0,6640	0,5659	0,4677	0,375 0
17	0,9857	0,9679	0,9371	0,8905	0,8272	0,7487	0,6593	0,5440	0,468 6
18	0,9928	0,9824	0,9626	0,9302	0,8826	0,8193	0,7423	0,6550	0,562 2
19	0,9965	0,9908	0,9787	0,9574	0,9235	0,8751	0,8122	0,7363	0,650 9
20	0,9984	0,9954	0,9884	0,9751	0,9521	0,9169	0,8681	0,8055	0,730 7
21	0,9993	0,9978	0,9939	0,9860	0,9712	0,9468	0,9107	0,8615	0,799 1
22	0,9997	0,9990	0,9969	0,9925	0,9833	0,9672	0,9617	0,9048	0,855 1
23	0,9999	0,9996	0,9985	0,9962	0,9907	0,9805	0,9633	0,9367	0,898 9
24	1	0,9999	0,9993	0,9982	0,9950	0,9888	0,9777	0,9593	0,9313
25		1	0,9997	0,9992	0,9974	0,9938	0,9869	0,9748	0,9554
26			0,9999	0,9997	0,9987	0,9967	0,9926	0,9848	0,9718
27			1	0,9999	0,9994	0,9983	0,9960	0,9912	0,9827
28				1	0,9997	0,9992	0,9979	0,9950	0,9897
29					0,9999	0,9996	0,9989	0,9973	0,9941
30					1	0,9998	0,9995	0,9986	0,9967
31						0,9999	0,9998	0,9993	0,9982
32						1	0,9999	0,9996	0,9990
33							1	0,9998	0,9995
34								0,9999	0,9998
35								1	0,9999
36									1

Note : Ces valeurs sont fournies par Excel par la fonction « LOI.POISSON ».

ANNEXE

5.1 FONCTION DE RÉPARTITION DE LA LOI NORMALE RÉDUITE

Probabilité de trouver une valeur inférieure à *u*

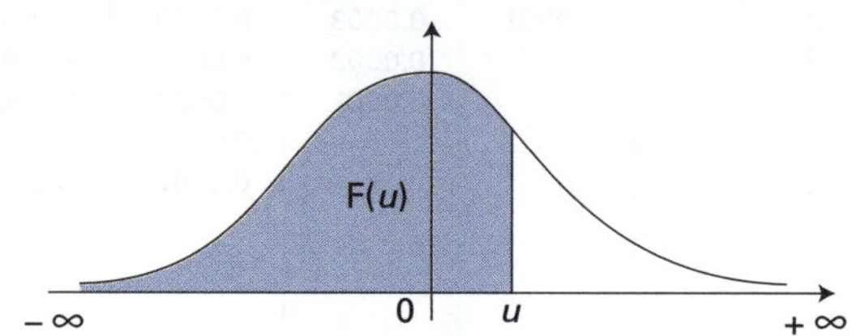

u	0,00	0,01	0,02	0,03	0,04	0,05	0,06	0,07	0,08	0,09
0,0	0,5000	0, 5040	0, 5080	0, 5120	0, 5160	0,5199	0, 5239	0, 5279	0, 5319	0, 5359
0,1	0,5398	0,5438	0,5478	0,5517	0,5557	0,559 6	0,5636	0,5675	0,5714	0,5753
0,2	0,5793	0,5832	0,5871	0,5910	0,5948	0,598 7	0,6026	0,6064	0,6103	0,6141
0,3	0,6179	0,6217	0,6255	0,6293	0,6331	0,636 8	0,6406	0,6443	0,6480	0,6517
0,4	0,6554	0,6591	0,6628	0,6664	0,6700	0,673 6	0,6772	0,6808	0,6844	0,6879
0,5	0,6915	0,6950	0,6985	0,7019	0,7054	0,708 8	0,7123	0,7157	0,7190	0,7224
0,6	0,7257	0,7290	0,7324	0,7357	0,7389	0,742 2	0,7454	0,7486	0,7517	0,7549
0,7	0,7580	0,7611	0,7642	0,7673	0,7704	0,773 4	0,7764	0,7794	0,7823	0,7852
0,8	0,7881	0,7910	0,7939	0,7967	0,7995	0,802 3	0,8051	0,8078	0,8106	0,8133
0,9	0,8159	0,8186	0,8212	0,8238	0,8264	0,828 9	0,8315	0,8340	0,8365	0,8389
1,0	0,8413	0,8438	0,8461	0,8485	0,8508	0,853 1	0,8554	0,8577	0,8599	0,8621
1,1	0,8643	0,8665	0,8686	0,8708	0,8729	0,874 9	0,8770	0,8790	0,8810	0,8830
1,2	0,8849	0,8869	0,8888	0,8907	0,8925	0,894 4	0,8962	0,8980	0,8997	0,9015
1,3	0,9032	0,9049	0,9066	0,9082	0,9099	0,911 5	0,9131	0,9147	0,9162	0,9177
1,4	0,9192	0,9207	0,9222	0,9236	0,9251	0,926 5	0,9279	0,9292	0,9306	0,9319
1,5	0,9332	0,9345	0,9357	0,9370	0,9382	0,939 4	0,9406	0,9418	0,9429	0,9441
1,6	0,9452	0,9463	0,9474	0,9484	0,9495	0,950 5	-0,9515	0,9525	0,9535	0,9545
1,7	0,9554	0,9564	0,9573	0,9582	0,9591	0,959 9	0,9608	0,9616	0,9625	0,9633
1,8	0,9641	0,9649	0,9656	0,9664	0,9671	0,967 8	0,9686	0,9693	0,9699	0,9706
1,9	0,9713	0,9719	0,9726	0,9732	0,9738	0,974 4	0,9750	0,9756	0,9761	0,9767
2,0	0,9772	0,9779	0,9783	0,9788	0,9793	0,979 8	0,9803	0,9808	0,9812	0,9817
2,1	0,9821	0,9826	0,9830	0,9834	0,9838	0,984 2	0,9846	0,9850	0,9854	0,9857
2,2	0,9861	0,9864	0,9868	0,9871	0,9875	0,987 8	0,9881	0,9884	0,9887	0,9890
2,3	0,9893	0,9896	0,9898	0,9901	0,9904	0,990 6	0,9909	0,9911	0,9913	0,9916
2,4	0,9918	0,9920	0,9922	0,9925	0,9927	0,992 9	0,9931	0,9932	0,9934	0,9936
2,5	0,9938	0,9940	0,9941	0,9943	0,9945	0,994 6	0,9948	0,9949	0,9951	0,9952
2,6	0,9953	0,9955	0,9956	0,9957	0,9959	0,996 0	0,9961	0,9962	0,9963	0,9964
2,7	0,9965	0,9966	0,9967	0,9968	0,9969	0,997 8	0,9971	0,9972	0,9973	0,9974
2,8	0,9974	0,9975	0,9976	0,9977	0,9977	0,997 8	0,9979	0,9979	0,9980	0,9981
2,9	0,9981	0,9982	0,9982	0,9983,	0,9984	0,9984	0,9985	0,9985	0,9986	0,9986

Table pour les grandes valeurs de *u*

u	3,0	3,1	3,2	3,3	3,4	3,5	3,6	3,8	4,0	4,5
F(*u*)	0,99865	0,99904	0,99931	0,99952	0,99966	0,99976	0,999841	0,999928	0,999968	0,999997

Note : Pour *u* négatif, prendre le complément à 1 de la valeur lue dans la table,

Note : La valeurs F(*u*) est fournie par Excel par la fonction « LOI.NORMALE.STANDARD ».

Exemple :
Pour *u* = 1,25 : F(*u*) = 0,8944
Pour *u* = - 1,25 : F(*u*) = 1 - 0,8944 = 0,1056

ANNEXE 5.2

PRINCIPAUX FRACTILES DE LA LOI NORMALE RÉDUITE

NF X 06-072

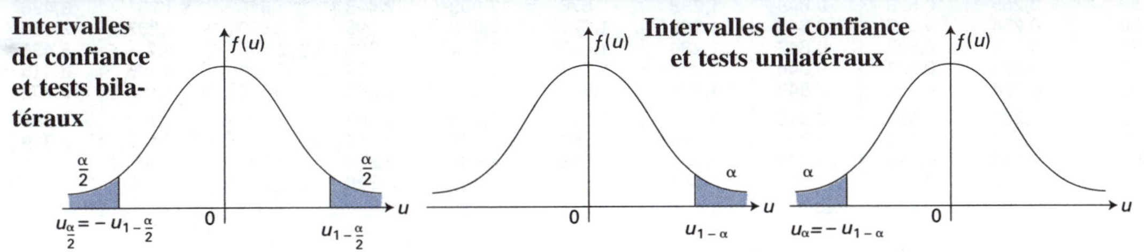

Table 1- Fractiles de la loi normale réduite

	Niveau de signification	Niveau de confiance		
Intervalles de confiance et tests bilatéraux	$\alpha = 0{,}05$	$1 - \alpha = 0{,}95$	$u_{1-\frac{\alpha}{2}} = u_{0,975}$	1,96
	$\alpha = 0{,}01$	$1 - \alpha = 0{,}99$	$u_{1-\frac{\alpha}{2}} = u_{0,995}$	2,58
Intervalles de confiance et tests unilatéraux	$\alpha = 0{,}05$	$1 - \alpha = 0{,}95$	$u_{1-\alpha} = u_{0,95}$	1,64
	$\alpha = 0{,}01$	$1 - \alpha = 0{,}99$	$u_{1-\alpha} = u_{0,99}$	2,33

6.1

FRACTILES DE LA LOI DE STUDENT

La table donne les valeurs de $t_{1-\alpha}$ ou $t_{1-\frac{\alpha}{2}}$ en fonction de $P = 1 - \alpha$ ou $P = 1 - \frac{\alpha}{2}$ et du nombre de degré de liberté ν.

ν \ P	0,60	0,70	0,80	0,90	0,95	0,975	0,990	0,995	0,999	0,9995
1	0,325	0,727	1,376	3,078	6,314	12,71	31,82	63,66	318,3	636,6
2	0,289	0,617	1,061	1,886	2,920	4,303	6,965	9,925	22,33	31,60
3	0,277	0,584	0,978	1,638	2,353	3,182	4,541	5,841	10,22	12,94
4	0,271	0,569	0,941	1,533	2,132	2,776	3,747	4,604	7,173	8,610
5	0,267	0,559	0,920	1,476	2,015	2,571	3,365	4,032	5,893	6,859
6	0,265	0,553	0,906	1,440	1,943	2,447	3,143	3,707	5,208	5,959
7	0,263	0,549	0,896	1,415	1,895	2,365	2,998	3,499	4,785	5,405
8	0,262	0,546	0,889	1,397	1,860	2,306	2,896	3,355	4,501	5,041
9	0,261	0,543	0,883	1,383	1,833	2,262	2,821	3,250	4,297	4,781
10	0,260	0,542	0,879	1,372	1,812	2,228	2,764	3,169	4,144	4,587
11	0,260	0,540	0,876	1,363	1,796	2,201	2,718	3,106	4,025	4,437
12	0,259	0,539	0,873	1,356	1,782	2,179	2,681	3,055	3,930	4,318
13	0,259	0,538	0,870	1,350	1,771	2,160	2,650	3,012	3,852	4,221
14	0,258	0,537	0,868	1,345	1,761	2,145	2,624	2,977	3,787	4,140
15	0,258	0,536	0,866	1,341	1,753	2,131	2,602	2,947	3,733	4,073
16	0,258	0,535	0,865	1,323	1,721	2,080	2,518	2,831	3,527	3,819
22	0,256	0,532	0,858	1,321	1,717	2,074	2,508	2,819	3,505	3,792
23	0,256	0,532	0,858	1,319	1,714	2,069	2,500	2,801	3,485	3,767
24	0,256	0,531	0,857	1,318	1,711	2,064	2,492	2,797	3,467	3,745
25	0,256	0,531	0,856	1,316	1,708	2,060	2,485	2,787	3,450	3,725
26	0,256	0,531	0,856	1,315	1,706	2,056	2,479	2,779	3,435	3,707
27	0,256	0,531	0,855	1,314	1,703	2,052	2,473	2,771	3,421	3,690
28	0,256	0,530	0,855	1,313	1,701	2,048	2,467	2,763	3,408	3,674
29	0,256	0,530	0,854	1,311	1,699	2,045	2,462	2,756	3,396	3,659
30	0,256	0,530	0,854	1,310	1,697	2,042	2,457	2,750	3,385	3,646

32	0,256	0,530	0,853	1,309	1,694	2,037	2,449	2,738	3,365	3,622
34	0,255	0,529	0,852	1,307	1,691	2,032	2,441	2,728	3,348	3,601
36	0,255	0,529	0,852	1,306	1,688	2,028	2,434	2,719	3,333	3,582
38	0,255	0,529	0,851	1,304	1,686	2,024	2,429	2,712	3,319	3,566
40	0,255	0,529	0,851	1,303	1,684	2,021	2,423	2,704	3,307	3,551
50	0,255	0,528	0,849	1,298	1,676	2,009	2,403	2,678	3,261	3,496
60	0,254	0,527	0,848	1,296	1,671	2,000	2,390	2,660	3,232	3,460
70	0,254	0,527	0,847	1,294	1,667	1,994	2,381	2,648	3,211	3,435
80	0,254	0,527	0,846	1,292	1,664	1,990	2,374	2,639	3,195	3,415
90	0,254	0,526	0,846	1,291	1,662	1,987	2,368	2,632	3,183	3,402
100	0,254	0,526	0,845	1,290	1,660	1,984	2,365	2,626	3,174	3,389
200	0,254	0,525	0,843	1,286	1,653	1,972	2,345	2,601	3,131	3,339
500	0,253	0,525	0,842	1,283	1,648	1,965	2,334	2,586	3,106	3,310
∞	0,253	0,524	0,842	1,282	1,645	1,960	2,326	2,576	3,090	3,291

Exemple : pour $\nu = 29$ d.d.l et $1 - \alpha/2 = 0{,}975$, on lit $t = 2{,}045$

ANNEXE 6.2 PRINCIPAUX FRACTILES DE LA LOI DE STUDENT

NF X 06-072

Intervalles de confiance et tests unilatéraux

Intervalles de confiance et tests bilatéraux

	Niveau de signification	Niveau de confiance	ν	1	2	3	4	5	6	7	8	9	10	11	12	13	14	15
Intervalles de confiance et tests bilatéraux	$\alpha = 0{,}05$	$1 - \alpha = 0{,}95$	$t_{1-\frac{\alpha}{2}} = t_{0{,}975}$	12,7	4,30	3,18	2,38	2,67	2,45	2,37	2,31	2,26	2,23	2,20	2,18	2,16	2,14	2,13
	$\alpha = 0{,}01$	$1 - \alpha = 0{,}99$	$t_{1-\frac{\alpha}{2}} = t_{0{,}995}$	63,7	9,93	5,84	4,60	4,03	3,71	3,50	3,36	3,25	3,17	3,11	3,06	3,01	2,98	2,95
Intervalles de confiance et tests unilatéraux	$\alpha = 0{,}05$	$1 - \alpha = 0{,}95$	$t_{1-\alpha} = t_{0{,}95}$	6,31	2,92	2,35	2,13	2,02	1,94	1,90	1,86	1,83	1,81	1,80	1,78	1,77	1,76	1,75
	$\alpha = 0{,}01$	$1 - \alpha = 0{,}99$	$t_{1-\alpha} = t_{0{,}99}$	31,8	6,97	4,54	3,75	3,37	3,14	3,00	2,90	2,82	2,76	2,72	2,68	2,65	2,62	2,60

ν	16	17	18	19	20	21	22	23	24	25	26	27	28	29	30	40	80	120	∞
$t_{0{,}975}$	2,12	2,11	2,10	2,09	2,09	2,08	2,07	2,07	2,06	2,06	2,06	2,05	2,05	2,05	2,04	2,02	2,00	1,98	1,96
$t_{0{,}995}$	2,92	2,90	2,88	2,86	2,84	2,83	2,82	2,81	2,80	2,72	2,78	2,77	2,76	2,76	2,75	2,70	2,66	2,62	2,58
$t_{0{,}95}$	1,75	1,74	1,73	1,73	1,73	1,72	1,72	1,71	1,71	1,71	1,71	1,70	1,70	1,70	1,70	1,68	1,67	1,66	1,64
$t_{0{,}99}$	2,58	2,57	2,55	2 ,54	2,53	2,52	2,51	2,50	2,49	2,49	2,48	2,47	2,47	2,46	2,46	2,42	2,39	2,36	2,33

Note : Les valeurs de $t_{1-\frac{\alpha}{2}}$ sont fournies par Excel par la fonction « LOI.STUDENT.INVERSE » en spécifiant α et ν.

ANNEXE 7

FRACTILES DE LA LOI DE F

Valeurs de $F_{1-\alpha}$ ou $F_{1-\frac{\alpha}{2}}$ ayant la probabilité α ou $\frac{\alpha}{2}$ d'être dépassées $\left(F = \frac{S_1^2}{S_2^2}\right)$.

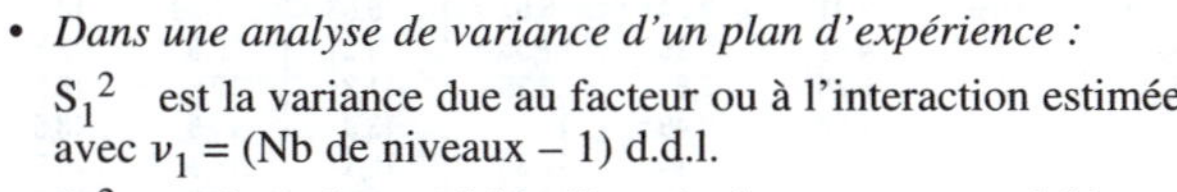

- *Dans une analyse de variance d'un plan d'expérience :*

  S_1^2 est la variance due au facteur ou à l'interaction estimée avec ν_1 = (Nb de niveaux – 1) d.d.l.

  S_2^2 est la variance résiduelle estimée avec $\nu_2 = \nu_r$ d.d.l.

- *Dans une comparaison de deux variances :* S_1^2 est la plus grande des deux variances, estimée avec

$\nu_1 = (N_1 - 1)$ d.d.l et S_2^2 la plus petite des deux variances, estimée avec $\nu_2 = (N_2 - 1)$ d.d.l.

Intervalles de confiance et tests bilatéraux : valeurs de $F_{1-\alpha/2} = F_{0,975}$

$\alpha = 0,05$ — Niveau de confiance = $1 - \alpha = 0,95$

ν_2 \ ν_1	1	2	3	4	5	0	7	8	10	12	15	20	24	30	40	60	120	∞
1	647,8	799,5	864,2	899,6	921,8	937,1	948,2	956,7	968,6	976,7	984,9	993,1	997,2	1001	1006	1010	1014	1018
2	38,51	39,00	39,17	39,25	39,30	39,33	39,36	39,37	39,40	39,41	39,43	39,45	39,46	39,46	39,47	39,48	39,49	39,50
3	17,44	16,04	15,44	15,10	14,88	14,73	14,62	14,54	14,42	14,34	14,25	14,17	14,12	14,08	14,04	13,99	13,95	13,90
4	12,22	10,65	9,98	9,60	9,36	9,20	9,07	8,98	8,84	8,75	8,66	8,56	8,51	8,46	8,41	8,36	8,31	8,26
5	10,01	8,43	7,76	7,39	7,15	6,98	6,85	6,76	6,62	6,52	6,43	6,33	6,28	6,23	6,18	6,12	6,07	6,02
6	8,81	7,26	6,60	6,23	5,99	5,82	5,70	5,60	5,46	5,37	5,27	5,17	5,12	5,07	5,01	4,96	4,90	4,85
7	8,07	6,54	5,89	5,52	5,29	5,12	4,99	4,90	4,76	4,67	4,57	4,47	4,42	4,36	4,31	4,25	4,20	4,14
8	7,57	6,06	5,42	5,05	4,82	4,65	4,53	4,43	4,30	4,20	4,10	4,00	3,95	3,89	3,84	3,78	3,73	3,67
10	6,94	5,46	4,83	4,47	4,24	4,07	3,95	3,85	3,72	3,62	3,52	3,42	3,37	3,31	3,26	3,20	3,14	3,08
12	6,55	5,10	4,47	4,12	3,89	3,73	3,61	3,51	3,37	3,28	3,18	3,07	3,02	2,96	2,91	2,85	2,79	2,72
15	6,20	4,77	4,15	3,80	3,58	3,41	3,29	3,20	3,06	2,96	2,86	2,76	2,70	2,64	2,59	2,52	2,46	2,40
20	5,87	4,46	3,86	3,51	3,29	3,13	3,01	2,91	2,77	2,68	2,57	2,46	2,41	2,35	2,29	2,22	2,16	2,09
24	5,72	4,32	3,72	3,38	3,15	2,99	2,87	2,78	2,64	2,54	2,44	2,33	2,27	2,21	2,15	2,08	2,01	1,94
30	5,57	4,18	3,59	3,25	3,03	2,87	2,75	2,65	2,51	2,41	2,31	2,20	2,14	2,07	2,01	1,94	1,87	1,79
40	5,42	4,05	3,46	3,13	2,90	2,74	2,62	2,53	2,39	2,29	2,18	2,07	2,01	1,94	1,88	1,80	1,72	1,64
60	5,29	3,93	3,34	3,01	2,79	2,63	2,51	2,41	2,27	2,17	2,06	1,94	1,88	1,82	1,74	1,67	1,58	1,48
120	5,15	3,80	3,23	2,89	2,67	2,52	2,39	2,30	2,16	2,05	1,94	1,82	1,76	1,69	1,61	1,53	1,43	1,31
∞	5,02	3,69	3,12	2,79	2,57	2,41	2,29	2,19	2,05	1,94	1,83	1,71	1,64	1,57	1,48	1,39	1,27	1,00

Intervalles de confiances et tests unilatéraux : valeurs de $F_{1-\alpha} = F_{0,95}$

$\alpha = 0,05$ — Niveau de confiance = $1 - \alpha = 0,95$

ν_2 \ ν_1	1	2	3	4	5	0	7	8	10	12	15	20	24	30	40	60	120	∞
1	161,4	199,5	215,7	224,6	230,2	234,0	236,8	238,9	241,9	243,9	245,9	248,0	249,1	250,1	251,1	252,2	253,3	254,3
2	18,51	19,00	19,16	19,25	19,30	19,33	19,35	19,37	19,40	19,41	19,43	19,45	19,45	19,46	19,47	19,48	19,49	19,50
3	10,13	9,55	9,28	9,12	9,01	8,94	8,89	8,85	8,79	8,74	8,70	8,66	8,64	8,62	8,59	8,57	8,55	8,53
4	7,71	6,94	6,59	6,39	6,26	6,16	6,09	6,04	5,96	5,91	5,86	5,80	5,77	5,75	5,72	5,69	5,66	5,63
5	6,61	5,79	5,41	5,19	5,05	4,95	4,88	4,82	4,74	4,68	4,62	4,56	4,53	4,50	4,46	4,43	4,40	4,36
6	5,99	5,14	4,76	4,53	4,39	4,28	4,21	4,15	4,06	4,00	3,94	3,87	3,84	3,81	3,77	3,74	3,70	3,67
7	5,59	4,74	4,35	4,12	3,97	3,87	3,79	3,73	3,64	3,57	3,51	3,44	3,41	3,38	3,34	3,30	3,27	3,23
8	5,32	4,46	4,07	3,84	3,69	3,58	3,50	3,44	3,35	3,28	3,22	3,15	3,12	3,08	3,04	3,01	2,97	2,93
10	4,96	4,10	3,71	3,48	3,33	3,22	3,14	3,07	2,98	2,91	2,85	2,77	2,74	2,70	2,66	2,62	2,58	2,54
12	4,75	3,89	3,49	3,26	3,11	3,00	2,91	2,85	2,75	2,69	2,62	2,54	2,51	2,47	2,43	2,38	2,34	2,30
15	4,54	3,68	3,29	3,06	2,90	2,79	2,71	2,64	2,54	2,48	2,40	2,33	2,29	2,25	2,20	2,16	2,11	2,07
20	4,35	3,49	3,10	2,87	2,71	2,60	2,51	2,45	2,35	2,28	2,20	2,12	2,08	2,04	1,99	1,95	1,90	1,84
24	4,26	3,40	3,01	2,78	2,62	2,51	2,42	2,36	2,25	2,18	2,11	2,03	1,98	1,94	1,89	1,84	1,79	1,73
30	4,17	3,32	2,92	2,69	2,53	2,42	2,33	2,27	2,16	2,09	2,01	1,93	1,89	1,84	1,79	1,74	1,68	1,62
40	4,08	3,23	2,84	2,61	2,45	2,34	2,25	2,18	2,08	2,00	1,92	1,84	1,79	1,74	1,69	1,64	1,58	1,51
60	4,00	3,15	2,76	2,53	2,37	2,25	2,17	2,10	1,99	1,92	1,84	1,75	1,70	1,65	1,59	1,53	1,47	1,39
120	3,92	3,07	2,68	2,44	2,29	2,17	2,09	2,02	1,91	1,83	1,75	1,66	1,61	1,55	1,50	1,43	1,35	1,25
∞	3,84	3,00	2,60	2,37	2,21	2,10	2,01	1,94	1,83	1,75	1,67	1,57	1,52	1,46	1,39	1,32	1,22	1,00

Note : Les valeurs de $F_{1-\alpha}$ sont fournies par Excel par la fonction « INVERSE.LOI.F» en spécifiant α, ν_1 et ν_2.

8.1 FRACTILES DE LA LOI DE χ^2

La table donne, en fonction de ν, les valeurs de χ^2_α et $\chi^2_{\frac{\alpha}{2}}$ avec P = α ou P = $\frac{\alpha}{2}$, et les valeurs $\chi^2_{1-\alpha}$ et $\chi^2_{1-\frac{\alpha}{2}}$ avec P = 1 – α ou P = 1 – $\frac{\alpha}{2}$.

ν \ p	0,001	0,005	0,010	0,025	0,05	0,10	0,50	0,90	0,95	0,975	0,990	0,995	0,999
1	–	–	–	0,001	0,004	0,016	0,455	2,71	3,84	5,02	6,63	7,88	10,8
2	0,002	0,010	0,020	0,051	0,103	0,211	1,39	4,61	5,99	7,38	9,21	10,6	13,8
3	0,024	0,072	0,115	0,216	0,352	0,584	2,37	6,25	7,81	9,35	11,3	12,8	16,3
4	0,091	0,207	0,297	0,484	0,711	1,06	3,36	7,78	9,49	11,1	13,3	14,9	18,5
5	0,210	0,412	0,554	0,831	1,15	1,61	4,35	9,24	11,1	12,8	15,1	16,7	20,5
6	0,381	0,676	0,872	1,24	1,64	2,20	5,35	10,6	12,6	14,4	16,8	18,5	22,5
7	0,598	0,989	1,24	1,69	2,17	2,83	6,35	12,0	14,1	16,0	18,5	20,3	24,3
8	0,857	1,34	1,65	2,18	2,73	3,49	7,34	13,4	15,5	17,5	20,1	22,0	26,1
9	1,15	1,73	2,09	2,70	3,33	4,17	8,34	14,7	16,9	19,0	21,7	23,6	27,9
10	1,48	2,16	2,56	3,25	3,94	4,87	9,34	16,0	18,3	20,5	23,2	25,2	29,6
11	1,83	2,60	3,05	3,82	4,57	5,58	10,3	17,3	19,7	21,9	24,7	26,8	31,3
12	2,21	3,07	3,57	4,40	5,23	6,30	11,3	18,5	21,0	23,3	26,2	28,3	32,9
13	2,62	3,57	4,11	5,01	5,89	7,04	12,3	19,8	22,4	24,7	27,7	29,8	34,5
14	3,04	4,07	4,66	5,63	6,57	7,79	13,3	21,1	23,7	26,1	29,1	31,3	36,1
15	3,48	4,60	5,23	6,26	7,26	8,55	14,3	22,3	25,0	27,5	30,6	32,8	37,7
16	3,94	5,14	5,81	6,91	7,96	9,31	15,3	23,5	26,3	28,8	32,0	34,3	39,3
17	4,42	5,70	6,41	7,56	8,67	10,1	16,3	24,8	27,6	30,2	33,4	35,7	40,8
18	4,90	6,26	7,01	8,23	9,39	10,9	17,3	26,0	28,9	31,5	34,8	37,2	42,3
19	5,41	6,84	7,63	8,91	10,1	11,7	18,3	27,2	30,1	32,9	36,2	38,6	43,8
20	5,92	7,43	8,26	9,59	10,9	12,4	19,3	28,4	31,4	34,2	37,6	40,0	45,3
21	6,45	8,03	8,90	10,3	11,6	13,2	20,3	29,6	32,7	35,5	38,9	41,4	46,8
22	6,98	8,64	9,54	11,0	12,3	14,0	21,3	30,8	33,9	36,8	40,3	42,8	48,3
23	7,53	9,26	10,2	11,7	13,1	14,8	22,3	32,0	35,2	38,1	41,6	44,2	49,7
24	8,08	9,89	10,9	12,4	13,8	15,7	23,3	33,2	36,4	39,4	43,0	45,6	51,2
25	8,65	10,5	11,5	13,1	14,6	16,5	24,3	34,4	37,7	40,6	44,3	46,9	52,6
26	9,22	11,2	12,2	13,8	15,4	17,3	25,3	35,6	38,9	41,9	45,6	48,3	54,1
27	9,80	11,8	12,9	14,6	16,2	18,1	26,3	36,7	40,1	43,2	47,0	49,6	55,5
28	10,4	12,5	13,6	15,3	16,9	18,9	27,3	37,9	41,3	44,5	48,3	51,0	56,9
29	11,0	13,1	14,3	16,0	17,7	19,8	28,3	39,1	42,6	45,7	49,6	52,3	58,3
30	11,6	13,8	15,0	16,8	18,5	20,6	29,3	40,3	43,8	47,0	50,9	53,7	59,7
32	12,8	15,1	16,4	18,3	20,1	22,3	31,3	42,6	46,2	49,5	53,5	56,3	62,5
34	14,1	16,5	17,8	19,8	21,7	24,0	33,3	44,9	48,6	52,0	56,1	59,0	65,2
36	15,3	17,9	19,2	21,3	23,3	25,6	35,3	47,2	51,0	54,4	58,6	61,6	68,0
38	16,6	19,3	20,7	22,9	24,9	27,3	37,3	49,5	53,4	56,9	61,2	64,2	70,7
40	17,9	20,7	22,2	24,4	26,5	29,1	39,3	51,8	55,8	59,3	63,7	66,8	73,4
50	24,7	28,0	29,7	32,4	34,8	37,7	49,3	63,2	67,5	71,4	76,2	79,5	86,7
60	31,7	35,5	37,5	40,5	43,2	46,5	59,3	74,4	79,1	83,3	88,4	92,0	99,6
70	39,0	43,3	45,4	48,8	51,7	55,3	69,3	85,5	90,5	95,0	100,4	104,2	112,3
80	46,5	51,2	53,5	57,2	60,4	64,3	79,3	96,6	101,9	106,6	112,3	116,3	124,8
90	54,2	59,2	61,8	65,6	69,1	73,3	89,3	107,6	113,1	118,1	124,1	128,3	137,2
100	61,9	67,31	70,1	74,2	77,9	82,4	99,3	118,5	124,3	129,6	135,8	140,2	149,4

Exemple : Pour ν = 20 d.d.l , $\chi^2_{0,975}$ = 34,2

ANNEXE

8.2 PRINCIPALES FRACTILES DE LA LOI DE χ^2

NF X 06-072

Intervalles de confiance et tests bilatéraux

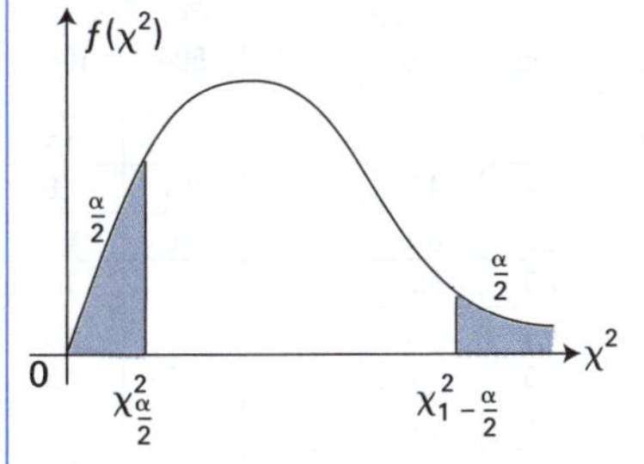

Intervalles de confiance et tests unilatéraux

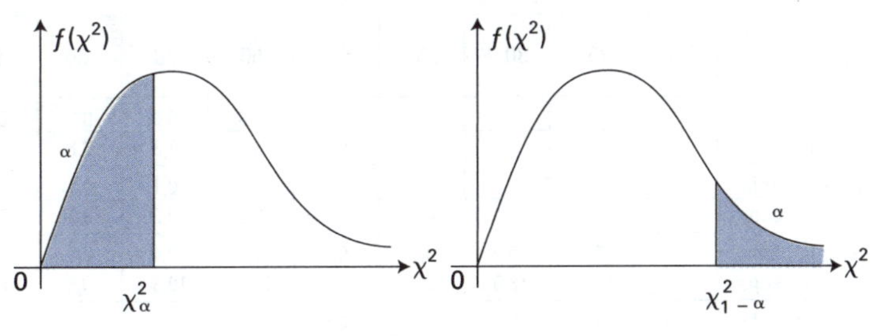

	Niveau de signification α	Niveau de confiance $1-\alpha$	ν	1	2	3	4	5	6	7	8	9	10	11	12	13	14
Intervalles de confiance et tests bilatéraux	0,05	0,95	$\chi^2_{\frac{\alpha}{2}} = \chi^2_{0,025}$	0,001	0,05	0,22	0,48	0,83	1,24	1,69	2,18	2,70	3,25	3,82	4,40	5,01	5,63
			$\chi^2_{1-\frac{\alpha}{2}} = \chi^2_{0,975}$	5,02	7,38	9,35	11,14	12,83	14,45	16,01	17,53	19,02	20,48	21,92	23,34	24,74	26,12
	0,01	0,99	$\chi^2_{\frac{\alpha}{2}} = \chi^2_{0,005}$	0,00004	0,01	0,07	0,21	0,41	0,68	0,99	1,34	1,73	2,16	2,60	3,07	3,56	4,07
			$\chi^2_{1-\frac{\alpha}{2}} = \chi^2_{0,995}$	7,88	10,60	12,84	14,86	16,75	18,55	20,28	21,95	23,59	25,19	26,76	28,30	29,82	31,32
Intervalles de confiance et tests unilatéraux	0,05	0,95	$\chi^2_{\alpha} = \chi^2_{0,05}$	0,004	0,10	0,35	0,71	1,15	1,64	2,17	2,73	3,33	3,94	4,57	5,23	5,89	6,57
			$\chi^2_{1-\alpha} = \chi^2_{0,95}$	3,84	5,99	7,81	9,49	11,07	12,59	14,07	15,51	16,92	18,31	19,68	21,03	22,36	23,68
	0,01	0,99	$\chi^2_{\alpha} = \chi^2_{0,01}$	0,0002	0,02	0,11	0,30	0,55	0,87	1,24	1,65	2,09	2,56	3,05	3,57	4,11	4,66
			$\chi^2_{1-\alpha} = \chi^2_{0,99}$	6,63	9,21	11,34	13,28	15,09	16,81	18,48	20,09	21,67	23,21	24,73	26,22	27,69	29,14

ν	15	16	17	18	19	20	21	22	23	24	25	26	27	28	29	30	40	60	80
$\chi^2_{0,025}$	6,26	6,91	7,56	8,23	8,91	9,59	10,28	10,98	11,69	12,40	13,12	13,84	14,57	15,31	16,05	16,79	24,43	40,48	57,15
$\chi^2_{0,975}$	27,49	28,84	30,19	31,53	32,85	34,17	35,48	36,78	38,08	39,36	40,65	41,92	43,19	44,46	45,72	46,98	59,34	83,30	106,63
$\chi^2_{0,005}$	4,60	5,14	5,70	6,26	6,84	7,43	8,03	8,64	9,26	9,89	10,52	11,16	11,81	12,46	13,12	13,79,	20,71	35,53	51,17
$\chi^2_{0,995}$	32,80	34,27	35,72	37,16	38,58	40,00	41,40	42,80	44,18	45,56,	46,93	48,29	49,64	50,99	52,34	53,67	66,77	91,95	116,32
$\chi^2_{0,05}$	7,26	7,96	8,67	9,39	10,12	10,85	11,59	12,34	13,09	13,85	14,61	15,38	16,15	16,93	17,71	18,49	26,51	43,19	60,39
$\chi^2_{0,95}$	25,00	26,30	27,59	28,87	30,14	31,41	32,67	33,92	35,17	36,42	37,65	38,89	40,11	41,34	42,56	43,77	55,76	79,08	101,88
$\chi^2_{0,01}$	5,23	5,81	6,41	7,01	7,63	8,26	8,90	9,54	10,20	10,86	11,52	12,20	12,88	13,56	14,26	14,95	22,16	37,48	53,54
$\chi^2_{0,99}$	30,58	32,00	33,41	34,81	36,19	37,57	38,93	40,29	41,64	42,98	44,31	45,64	46,93	48,28	49,59	50,89	63,69	88,38	112,33

Note : Les valeurs de $\chi^2_{1-\alpha}$ sont fournies par Excel par la fonction «KHIDEUX.INVERSE» en spécifiant α et ν.

ANNEXE

9 INTERVALLE DE CONFIANCE D'UN POURCENTAGE A 95%

(Méthode des fractiles de la loi de F)

p \ n		20	25	30	35	50	60	70	80	90	100	150	200	500	1000
1%	lim. Inf.					0,0	0,0	0,0	0,0	0,0	0,0	0,1	0,1	0,3	0,5
	lim.sup.					9,0	8,0	7,3	6,8	6,4	5,4	4,2	3,6	2,3	1,8
2%	lim. Inf.				0,0	0,1	0,1	0,1	0,1	0,1	0,2	0,4	0,5	1,0	1,2
	lim.sup.				14,1	10,6	9,8	9,2	8,1	7,7	7,0	5,7	5,0	3,6	3,1
3%	lim. Inf.		0,0	0,0	0,1	0,2	0,2	0,4	0,4	0,5	0,6	0,9	1,1	1,7	2,0
	lim.sup.		19,7	18,0	15,3	12,2	11,4	10,3	9,8	9,1	8,5	7,2	6,4	4,9	4,3
4%	lim. Inf.	0,0	0,1	0,1	0,1	0,5	0,5	0,7	0,8	1,0	1,1	1,5	1,7	2,5	2,9
	lim.sup.	24,6	20,4	18,7	17,6	13,7	12,9	11,9	11,1	10,4	9,9	8,5	7,7	6,1	5,4
5%	lim. Inf.	0,1	0,1	0,4	0,4	0,8	1,0	1,2	1,4	1,5	1,6	2,1	2,4	3,3	3,7
	lim.sup.	24,9	22,5	19,7	18,6	15,2	13,9	13,0	12,3	11,7	11,3	9,8	9,0	7,3	6,5
6%	lim. Inf.	0,2	0,4	0,4	0,7	1,3	1,5	1,7	1,8	2,0	2,2	2,8	3,1	4,1	4,6
	lim.sup.	27,0	23,3	21,8	19,7	16,5	15,4	14,5	13,8	13,3	12,6	11,1	10,2	8,5	7,7
7%	lim. Inf.	0,2	0,5	0,9	0,9	1,7	1,9	2,1	2,5	2,6	2,9	3,5	3,9	4,9	5,5
	lim.sup.	28,9	25,3	22,7	21,7	17,9	16,8	15,9	15,0	14,5	13,9	12,3	11,5	9,6	8,8
8%	lim. Inf.	0,6	1,0	1,0	1,4	2,2	2,5	2,8	3,0	3,3	3,5	4,2	4,6	5,8	6,4
	lim.sup.	29,4	26,0	24,6	22,7	19,2	18,2	17,1	16,4	15,7	15,2	13,6	12,7	10,7	9,9
9%	lim. Inf.	0,7	1,1	1,5	1,9	2,8	3,0	3,4	3,7	4,0	4,2	4,9	5,4	6,6	7,3
	lim.sup.	31,2	27,9	25,6	23,8	20,5	19,5	18,4	17,6	16,9	16,4	14,8	13,9	11,9	10,9
10%	lim. Inf.	1,2	1,7	2,1	2,5	3,3	3,8	4,1	4,4	4,7	4,9	5,7	6,2	7,5	8,2
	lim.sup.	31,7	28,7	26,5	24,9	21,8	20,5	19,5	18,8	18,1	17,6	16,0	15,0	13,0	12,0
15%	lim. Inf.	3,2	3,8	4,7	5,1	6,5	7,1	7,6	8,0	8,3	8,6	9,7	10,4	12,0	12,8
	lim.sup.	37,9	35,2	32,7	31,3	27,9	26,6	25,5	24,7	24,1	23,5	21,7	20,7	18,4	17,4
20%	lim. Inf.	5,7	6,8	7,7	8,4	10,0	10,8	11,4	11,9	12,3	12,7	13,9	14,7	16,6	17,6
	lim.sup.	43,7	40,7	38,6	36,9	33,7	32,3	31,3	30,4	29,8	29,2	27,3	26,2	23,8	22,6
25%	lim. Inf.	8,7	9,8	11,1	11,8	13,8	14,7	15,4	16,0	16,5	16,9	18,3	19,2	21,3	22,3
	lim.sup.	49,1	46,4	44,1	42,6	39,3	37,9	36,8	35,9	35,2	34,7	32,7	31,6	29,0	27,8
30%	lim. Inf.	11,9	13,5	14,7	15,7	17,9	18,8	19,6	20,3	20,8	21,2	22,8	23,7	26,0	27,2
	lim.sup.	54,3	51,5	49,4	47,8	44,6	43,2	42,1	41,3	40,6	40,0	38,0	36,9	34,2	32,9
35%	lim. Inf.	15,4	17,0	18,6	19,6	22,1	23,1	24,0	24,7	25,2	25,7	27,4	28,4	30,8	32,0
	lim.sup.	59,2	56,7	54,5	53,1	49,8	48,4	47,3	46,5	45,8	45,2	43,2	42,0	39,4	38,0
40%	lim. Inf.	19,1	21,1	22,7	23,9	26,4	27,6	28,5	29,2	29,8	30,3	32,1	33,2	35,7	36,9
	lim.sup.	63,9	61,3	59,4	57,9	54,8	53,5	52,4	51,6	50,9	50,3	48,3	47,1	44,4	43,1
45%	lim. Inf.	23,1	25,1	26,9	28,1	30,9	32,1	33,1	33,8	34,5	35,0	36,9	38,0	40,6	41,9
	lim.sup.	68,5	66,2	64,1	62,8	59,7	58,4	57,4	56,5	55,8	55,3	53,3	52,2	49,5	48,1
50%	lim. Inf.	27,2	29,5	31,3	32,7	35,5	36,8	37,8	38,6	39,3	39,8	41,7	42,9	45,5	46,9
	lim.sup.	72,8	70,5	68,7	67,3	64,5	63,2	62,2	61,4	60,7	60,2	58,3	57,1	54,5	53,1

Lecture de la table :

- Si on relève un pourcentage de défectueux de $p = 4\%$ sur un échantillon de $n = 50$ pièces, on peut affirmer (avec un risque d'erreur de 5%) que le pourcentage de défectueux du lot sera compris entre 0,5% et 13,7%
- Interpolation pour les valeurs ne figurant pas dans la table :
  On relève 2 pièces défectueuses sur un échantillon de 60 pièces, soit 3,3%.On peut affirmer (avec un risque d'erreur de 5%) que le pourcentage de défectueux du lot sera compris entre 0,3% et 12,7%.

Note : *On remarque que les limites de l'intervalle de confiance ne sont pas symétriques par rapport au pourcentage observé pour les petits échantillons et/ou les faibles pourcentages.*

ANNEXE

10 DÉTERMINATION DU NOMBRE DE RÉPÉTITIONS

Effectifs des échantillons pour une comparaison de moyennes (α = 5%)

Ces abaques permettent de déterminer l'effectif n des échantillons pour avoir une probabilité égale à $1 - \beta$ de mettre en évidence une éventuelle différence **d.**

- **d** = différence relative = différence absolue / moyenne.
- CV = écart type / moyenne.

1) $n > 30$ et $\beta < 0{,}5$ (abaque 1)

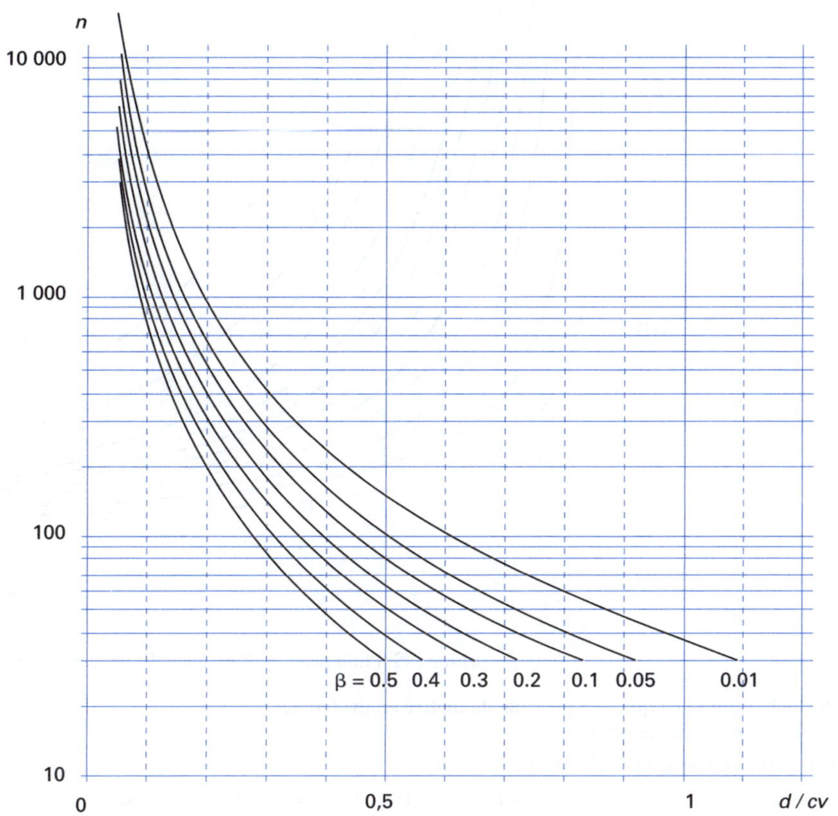

Lecture des abaques :

- **Recherche du nombre d'observations nécessaires.**
  On souhaite avoir 90% de chances ($\beta = 0{,}1$) de pouvoir détecter une éventuelle différence de 0,5 dB entre deux types de lames de tronçonnage.
  Les essais préliminaires ont permis de déterminer la moyenne et l'écart type des niveaux sonores : $m \approx 95$ dB et $s \approx 1$ dB.

  $\Rightarrow$ $d = 0{,}5 / 95 \approx 0{,}5\%$
  CV = 1 /95 $\approx$ 1%

  $\Rightarrow$ d / CV = 0,5

  $\Rightarrow$ Nombres d'observations nécessaires $\approx$ 80 (abaque 1)

2) $n < 30$

(abaque 2)

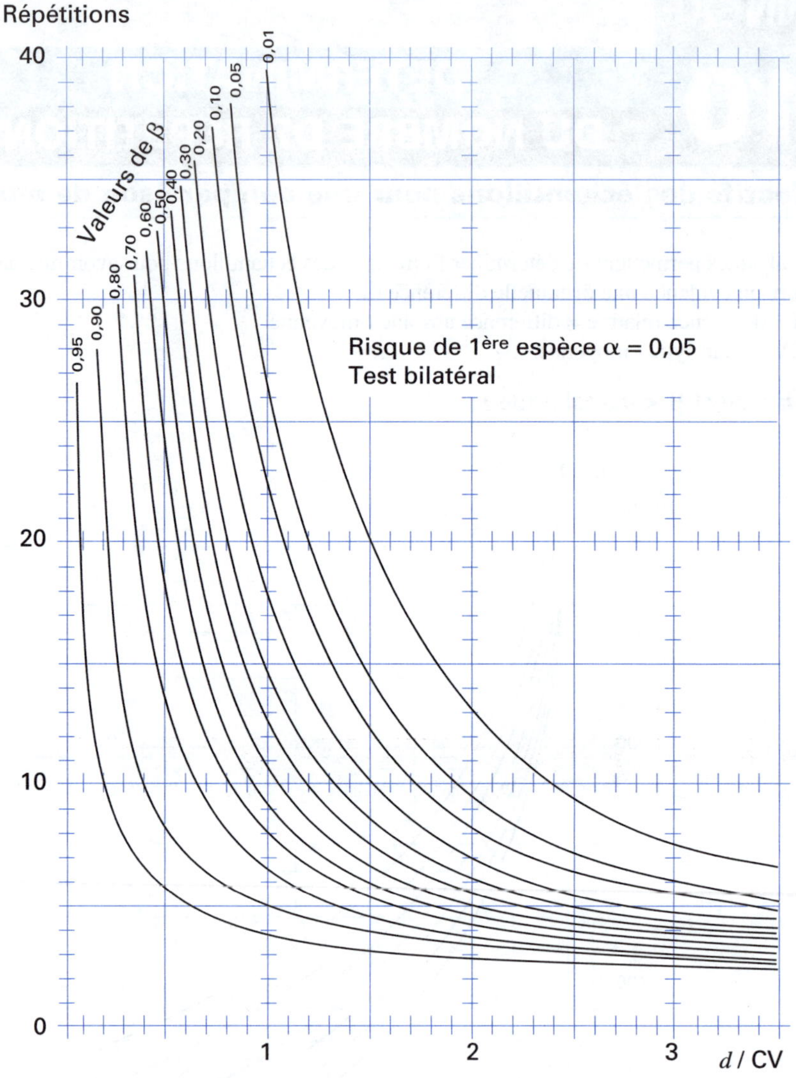

Source : G. Philippeau — Puissance d'une expérience — *ITCF* – 1984.

- **Recherche de la différence qu'il est possible de mettre en évidence.**
  Les échantillons ont été limités à 50.

  ⇒ d / CV ≈ 0,65 (abaque 1) ⇒ d = 0,65%

  ⇒ Il est possible (à 90% de chances) de mettre en évidence une éventuelle différence de :
  0,65% × 95 ≈ 0,6 dB.

- **Recherche de la probabilité de détecter une différence donnée.**
  On souhaite pouvoir détecter une différence de 1dB avec des échantillons de 30 pièces.

  ⇒ d = 1 / 95 ≈ 1% ⇒ d / CV = 1.

  ⇒ (β) compris entre 0,05 et 0,01 (abaque 2).

  ⇒ On aura plus de 95% de chances de la détecter si elle existe.

- **Recherche de l'écart type maximum.**
  On souhaite pouvoir détecter (à 90% de chances) une différence de 0,5 dB avec des échantillons de 20 pièces.

  ⇒ d / CV = 1,1 (abaque 2)

  ⇒ CV = 0,5 / 1,1 × 95 = 0,48%

  ⇒ s ≈ 0,48% × 95 = 0,45

  Il faudrait réduire de moitié la dispersion des mesures.

ANNEXE

11 DÉTECTION DES OBSERVATIONS ABERRANTES

Valeurs critiques du test de GRUBBS

ν	$C_{0,975}$	$C_{0,995}$
2	1,414	1,414
3	1,710	1,728
4	1,917	1,972
5	2,067	2,161
6	2,182	2,310
7	2,273	2,431
8	2,349	2,532
9	2,414	2,616
10	2,470	2,689
11	2,519	2,753
12	2,563	2,809
13	2,602	2,859
14	2,638	2,905
15	2,670	2,946
16	2,701	2,983
17	2,728	3,018
18	2,754	3,049
19	2,779	3,079
20	2,801	3,106
25	2,897	3,220
30	2,972	3,307
35	3,033	3,377
40	3,084	3,435
45	3,129	3,483
50	3,167	3,526
60	3,233	3,596
70	3,286	3,653
80	3,331	3,701
90	3,370	3,741
100	3,404	3,776
150	3,531	3,904
200	3,616	3,989
250	3,680	4,052
300	3,731	4,101
400	3,809	4,177
600	3,915	4,277
800	3,987	4,346
1000	4,042	4,399

(D'après Dagnélie - Statistique théorique et appliquée - Tome 2 - *De Boeck université*).

ANNEXE

12 TABLE DES VALEURS SEUIL DU TEST DE *m* CLASSEMENTS

$\alpha = 0,05$

		m													
		2	3	4	5	6	7	8	9	10	11	12	13	14	15
n	2														
	3		18	26	32	42	50	50	56	62	66	72	78	84	90
	4	20	37	52	65	76	92	105	118	131	144	157	170	183	196
	5	38	64	89	113	,137	167	190	214	238	261	285	309	333	356
	6	64	104	144	183	222	272	310	349	388	427	465	504	543	582
	7	96	158	217	277	336	412	471	529	588	647	706	764	823	882
	8	138	225	311	396	482	591	676	760	845	929	1013	1098	1182	1267
	9	192	311	429	547	664	815	931	1047	1164	1280	1396	1512	1629	1745
	10	258	416	574	731	887	1086	1241	1396	1551	1706	1862	2017	2172	2327
	11	336	542	747	950	1155	1410	1612	1813	2014	2216	2417	2618	2820	3021
	12	429	691	950	1210	1469	1791	2047	2302	2558	2814	3070	3326	3581	3887
	13	538	865	1189	1512	1831	2233	2552	2871	3189	3508	3827	4146	4465	4784
	14	664	1063	1460	1859	2253	2740	3131	3523	3914	4305	4697	5088	5479	5871
	15	808	1292	1770	2254	2738	3316	3790	4264	4737	5211	5685	6159	6632	7106

(Aide mémoire statistique - *Cisia-Ceresta* - 1995).

ANNEXE

13 INTERVALLE DE DISPERSION BILATÉRAL

NF X 06-032

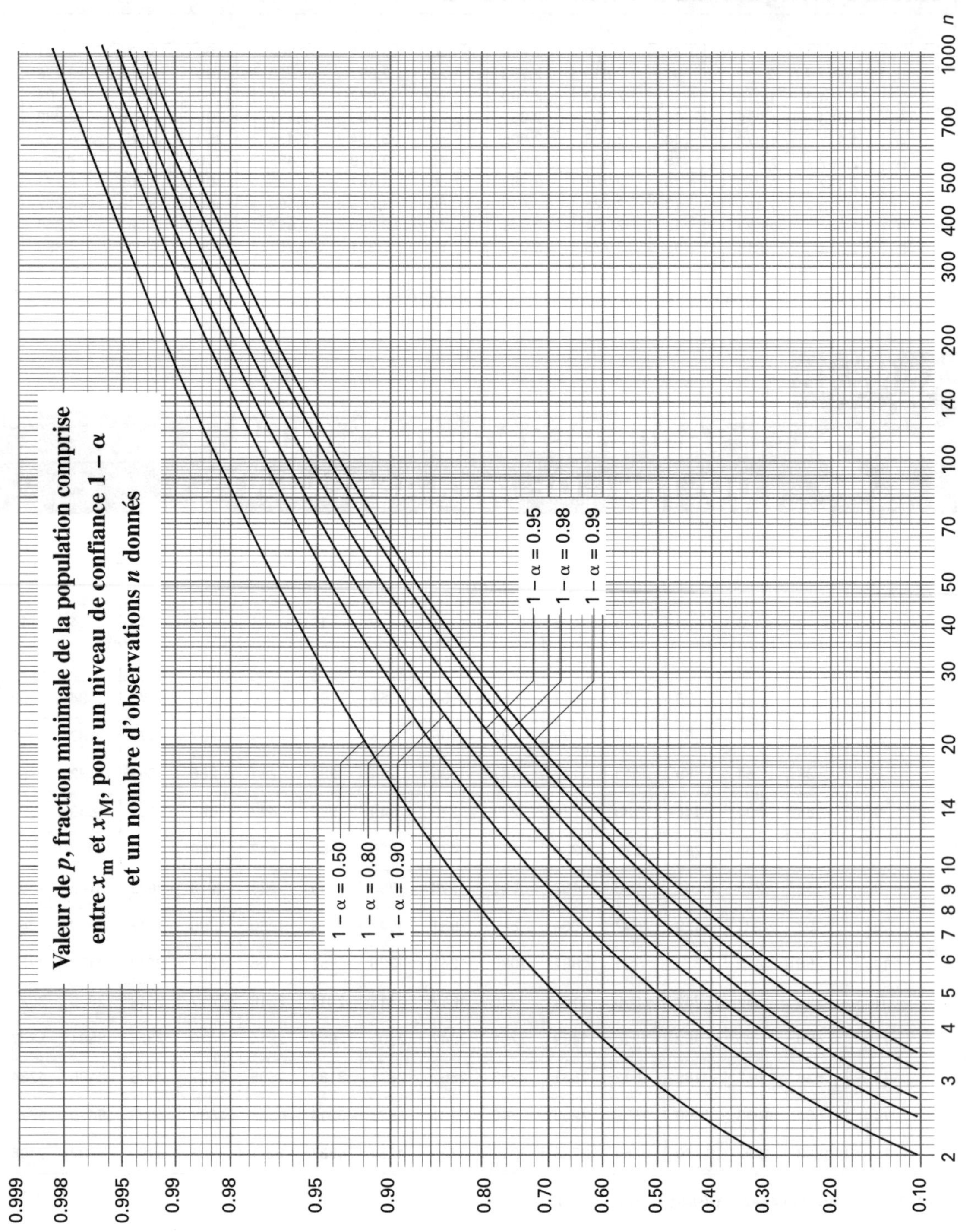

ANNEXE 14 QUADRILLAGE NPP POUR LE TRACÉ D'UNE DROITE DE HENRY

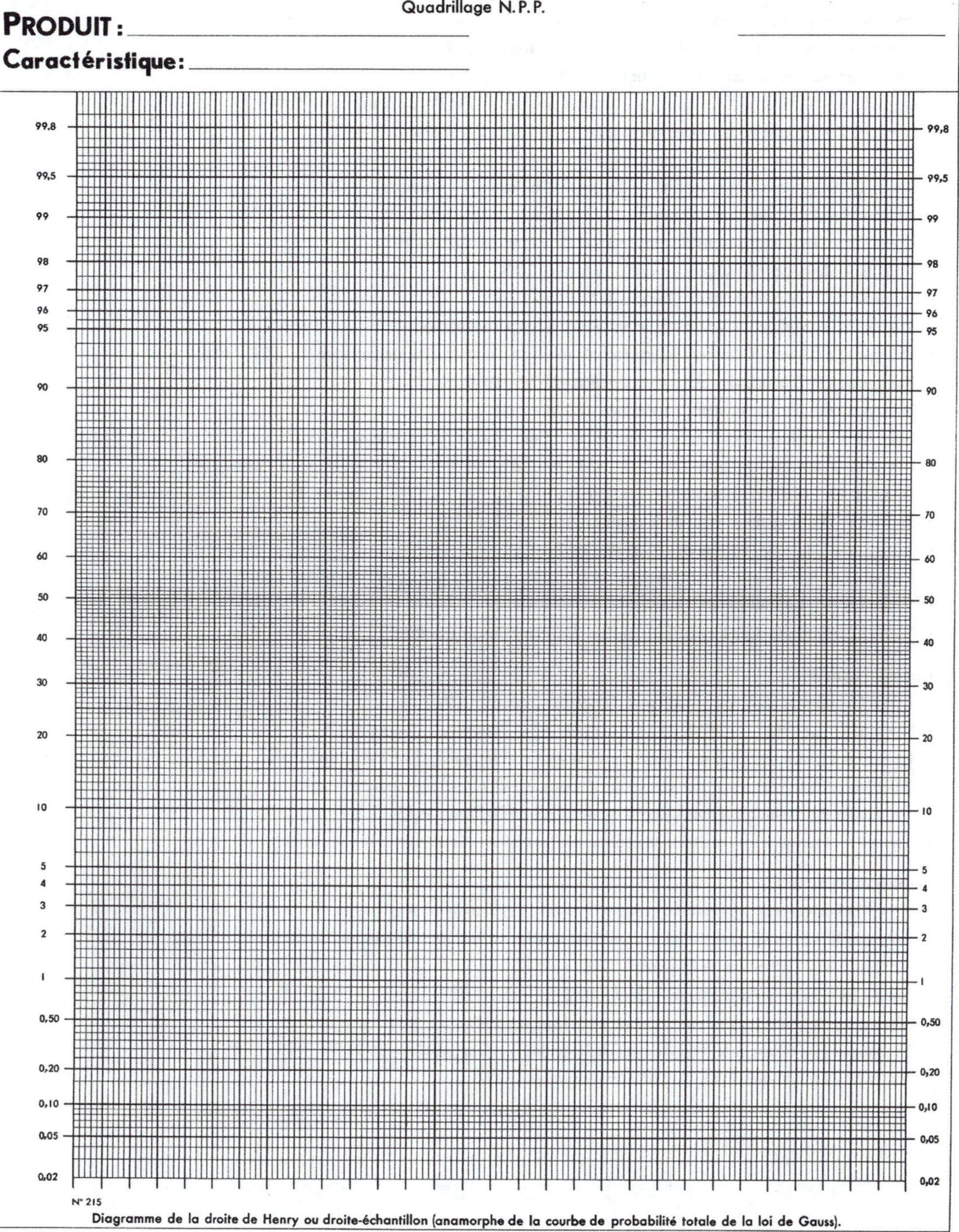

Diagramme de la droite de Henry ou droite-échantillon (anamorphe de la courbe de probabilité totale de la loi de Gauss).

Bibliographie

Statistique et expérimentation

- Afnor - Méthodes statistiques - *Recueil de normes* - tome 1, 3, 4 - 1999
- Cisia - Ceresta - Aide-mémoire statistique - 1995
- Dagnélie P. - Statistique théorique et appliquée - vol 1 et 2 - *De Boeck Université* - 1998
- Dagnélie P. - Théorie et méthodes statistiques - vol 1 et 2 - *Ed J. Duculot* - 1970
- Demonsant J. - Comprendre et mener des plans d'expériences - *Afnor* - 1996
- Egon H. - Statistiques et probabilité - BTS et DUT industriels - *Hachette* - 1992
- Excel - Manuel d'utilisation - *Microsoft*
- Gouet J.P. - Les comparaisons de moyennes et de variances- *ITCF* - 1974
- Grais B. - Méthodes statistiques - tome 2 - *Dunod* - 1974
- Jacquard A. - Les probabilités - Que sais-je? - *PUF*- 1974
- Moreau M. et Mathieu A. - Statistique appliquée à l'expérimentation - *Eyrolles* - 1979
- Philippeau et Gouet - Comment interpréter les résultats d'une analyse de variance ? - ITCF - 1989
- Philippeau G. - Théorie des plans d'expérience - *ITCF* - 1989
- Philippeau G. - Puissance d'une expérience - *ITCF* - 1984
- Pillet M. - Les plans d'expérience par la méthode Taguchi - *Ed d'Organisation* - 1997
- Revue de statistique appliquée - vol VII - N°4 - *Institut de statistique de l'université de Paris* - 1959
- Schwartz D. - Méthodes statistiques à l'usage des médecins et des biologistes - *Ed Médicales Flammarion* - 1963
- Souvay P. - La statistique, outil de la qualité - *Afnor gestion* - 1986
- Statistica. - Guide de l'utilisateur - *Statsoft* - 1997
- Verlant B. et Saint Pierre G. - Statistiques et probabilités - BTS industriels - *Foucher* - 1997
- Vessereau A. - La statistique - Que sais-je? - *PUF* - 1947
- Vigier G. - Pratique des plans d'expériences - *Ed d'Organisation* - 1988

Contrôle Qualité

- Afnor - Méthodes statistiques - *Recueil de normes* - tome 2 - 1999
- Husson. J. - Le contrôle statistique de la qualité - *PYC Edition- Desforges* - 1979
- Laurent A.G. - La méthode statistique dans l'industrie - Que sais-je? - *PUF* - 1964
- Pillet M. - Appliquer la maîtrise statistique des procédés - *Ed. d'Organisation* - 1995
- Vandeville P. - Gestion et contrôle de la qualité - *Afnor Gestion* - 1985
- Vigier G. - Pratique de la maîtrise statistique des procédés - *Ed d'Organisation* - 1989

Gestion de la qualité

- Afnor - Management des produits et des processus - *Recueil de normes* - 1996
- Ischihara K. - Manuel pratique de gestion de la qualité - *Afnor gestion* - 1979
- Ischikawa K. - La gestion de la qualité - *Dunod* - 1986
- Juran J.M. - Gestion de la qualité - *Afnor* - 1983
- Maria C. - La qualité des produits industriels - *Dunod* - 1991
- Mitonneau H. - Changer le management de la qualité. - *Afnor gestion* - 1989
- Vigier G. - La pratique du QFD - *Ed d'Organisation* - 1992

INDEX

Composition : MICROCOMPO 03 44 56 56 06

Achevé d'imprimer par NORMANDIE ROTO IMPRESSION S.A., 61250 LONRAI
Dépot légal : novembre 2001 – N° d'édition : 8449 – N° d'imprimeur : 012682